Dans le regard de Luce
de Pauline Gill
est le mille soixante-sixième o
publié chez
VLB ÉDITEUR.

Maquette de la couverture : Mügluck
Illustration de la couverture : Alain Massicotte
Photo de l'auteure : Mathieu Rivard

Catalogage avant publication de Bibliothèque et Archives nationales du Québec
et de Bibliothèque et Archives Canada
Gill, Pauline
Dans le regard de Luce
L'ouvrage complet comprendra 2 volumes.
ISBN 978-2-89649-594-8 (vol. 1)
1. Lajus, Luce, 1778-1831 - Romans, nouvelles, etc. 2. Bédard, Pierre-Stanislas,
1762-1829 - Romans, nouvelles, etc. I. Titre.
PS8563.I479D36 2015   C843'.54   C2015-942050-4
PS9563.I479D36 2015

VLB ÉDITEUR
Groupe Ville-Marie Littérature inc.*
Une société de Québecor Média
1055, boulevard René-Lévesque Est
Bureau 300
Montréal (Québec) H2L 4S5
Tél. : 514 523-7993, poste 4201
Téléc. : 514 282-7530
Courriel : vml@groupevml.com
Vice-président à l'édition : Martin Balthazar

DISTRIBUTEUR :
Les Messageries ADP inc.*
2315, rue de la Province
Longueuil (Québec) J4G 1G4
Tél. : 450 640-1234
Téléc. : 450 674-6237
* filiale du Groupe Sogides inc.,
   filiale de Québecor Média inc.

VLB éditeur bénéficie du soutien de la Société de développement des entreprises
culturelles du Québec (SODEC) pour son programme d'édition.
Gouvernement du Québec – Programme de crédit d'impôt pour l'édition de livres
– Gestion SODEC.

Financé par le gouvernement du Canada
Funded by the Government of Canada | **Canadä**

Nous remercions le Conseil des arts du Canada de l'aide accordée à notre
programme de publication.

Dépôt légal : 3e trimestre 2015
© VLB éditeur, 2015
Tous droits réservés pour tous pays
editionsvlb.com

DANS LE REGARD DE LUCE

Pauline Gill

DANS LE REGARD DE LUCE
Tome 1

Roman

vlb éditeur
Une société de Québecor Média

De la même auteure

ROMANS HISTORIQUES

Gaby Bernier, tome III, Québec Amérique, 2014.

Gaby Bernier, tome II, Québec Amérique, 2013.

Gaby Bernier, tome I, Québec Amérique, 2012.

Docteure Irma, tome III : *La soliste*, Québec Amérique, 2009.

Docteure Irma, tome II : *L'Indomptable*, Québec Amérique, 2008.

Évangéline et Gabriel, Lanctôt éditeur, 2007, réédition chez Typo, 2012.

Docteure Irma, tome I : *La louve blanche*, Québec Amérique, 2006.

Marie Antoinette, la dame de la rivière Rouge, Québec Amérique, 2005.

La cordonnière, tome IV : *Les fils de la cordonnière*, VLB éditeur, 2003.

Et pourtant elle chantait, VLB éditeur, 2002.

La cordonnière, tome III : *Le testament de la cordonnière*, VLB éditeur, 2000.

La cordonnière, tome II : *La jeunesse de la cordonnière*, VLB éditeur, 1999.

La cordonnière, tome I, VLB éditeur, 1998.

Les enfants de Duplessis, Libre expression, 1991.

La porte ouverte, Éditions du Méridien, 1990.

ESSAIS ET TÉMOIGNAGES

Je vous ai tant cherchée, VLB éditeur, 2012.

Guide pour les aidants naturels, CLSC Longueuil, 1999.

LITTÉRATURE JEUNESSE

Samuel chez les Abénakis, Cornac, 2011.

Le miracle de Juliette, Éditions du Phoenix, 2007.

Dans les yeux de Nathan, Bouton d'or Acadie, 2006.

Remerciements

Pour la réalisation de ce premier tome, je suis redevable aux responsables des archives de la bibliothèque Saint-Sulpice, à mon amie la D^{re} Nathalie Cyr et à mes deux transcriptrices et assistantes à la recherche, Réjane Michaud-Huot et Christiane Cyr.

Note de l'auteure

À la fin du xviiiᵉ siècle, Luce Lajus, fille d'un noble chirurgien, promène son regard sur les régions de Charlesbourg et de Québec, alors en pleine mouvance politique. Elle et son époux, Mᵉ Pierre-Stanislas Bédard, les parents du premier maire de Québec, sont les personnages principaux de ce roman historique. La description de leur vie et des événements qu'ils vécurent puise dans des documents d'archives.

Parmi ceux-là se trouve la correspondance des deux protagonistes. Elle reflète la réalité de l'époque dans son essence, en dépit des difficultés que présentait l'écriture manuscrite.

Les événements publics, les lieux et les données généalogiques demeurent fidèles aux documents archivés. La trame psychologique emprunte davantage à la fiction, bien qu'un souci de vraisemblance ait toujours été au cœur du projet.

Bonne lecture!

CHAPITRE PREMIER

Les imposteurs épinglés s'en prirent au Dr Lajus, se plaisant à ternir sa réputation.

François avait toujours pratiqué avec passion le métier de chirurgien, qu'il avait appris de son père, le sieur Jordain Lajus. Les soins attentifs prodigués aux blessés lors du siège de Québec en 1759 en témoignaient. Pour cette raison, la direction de l'Hôtel-Dieu de Québec ainsi que les Récollets avaient réservé ses services. De plus, ses connaissances, sa compétence et sa vaste expérience avaient été reconnues par Lord Dorchester, qui avait validé ses doléances au sujet des charlatans. À preuve, en 1788, il créait à Québec le premier Bureau des examinateurs en médecine, et invitait le Dr Lajus à en faire partie. Un honneur, mais aussi l'obligation de faire respecter l'ordonnance promulguée par Lord Dorchester, laquelle menaçait de peines sévères tous ceux qui se feraient passer pour médecin.

Malgré la controverse semée par sa nouvelle fonction de justicier, nombreux furent les témoignages de patients fort satisfaits des services du Dr Lajus. M. Laing, entre autres, publia: «Le Dr Lajus a été l'instrument qui a sauvé la vie à mon épouse par sa grande expérience et ses bons soins. En pareille circonstance, elle le préférerait à qui que ce soit dans la ville.» Pas peu fier, le médecin s'était empressé de joindre ce texte à d'autres déjà accrochés au mur de son cabinet, les exhibant au regard des sceptiques et des envieux.

La jeune Luce s'y référait quand les calomnies menaçaient d'émousser son admiration pour son père.

Issue d'une famille noble de la côte de la Montagne, Mlle Lajus n'avait pas tardé à se faire conter fleurette. Cette fille aux doigts de fée et à la voix de cristal, fort jolie de surcroît, très intelligente et d'un caractère trempé séduisait des messieurs de tous âges. Il fallait l'entendre chanter à la chorale ou lors des réunions familiales pour les comprendre. Avec sa mère, Angélique, elle jouait des pièces musicales qu'elle n'avait pas eu à répéter longtemps avant de les maîtriser parfaitement. Ses doigts couraient sur le clavier du piano avec une aisance innée. Un cauchemar pour son père, qui pour elle rêvait d'un époux fortuné et digne de sa réputation de chirurgien-major. C'était sa seule fille.

Devenu veuf après un premier mariage duquel aucun des nombreux enfants conçus n'avait survécu, le Dr Lajus avait épousé Angélique Hubert, la sœur du supérieur du Séminaire de Québec et futur évêque. De vingt-cinq ans sa cadette, Mlle Hubert lui avait donné trois garçons et une fille, qu'il chérissait à en exciter la jalousie de ses frères.

Luce voyait en son père un homme intègre et à l'abri de tous soupçons jusqu'au 5 mai 1795, jour de ses seize ans, où un drame vint frapper sa famille.

À la demande de son père, qui aimait se rendre tôt le matin à l'Hôtel-Dieu, Olivier devait aller nourrir les chevaux, atteler Combo à la calèche et le conduire devant l'entrée de la maison familiale. En ce matin exceptionnel, François ne se résignait pas à partir sans prendre le temps de rédiger un petit mot d'anniversaire pour sa fille. De l'entrebâillement de la porte, il voulut en aviser son fils mais… pas de calèche devant l'escalier.

—Olivier! T'en viens-tu?

Pas de réponse.

«Il est bien slow, tout d'un coup», se dit François, retournant à la table pour fignoler son texte.

Il était temps de partir. Dr Lajus attrapa son veston, sa mallette, sa blague à tabac et sa pipe puis, en maugréant, il se dirigea vers l'écurie. Sur le point d'enjamber le seuil du bâtiment, il cria:

—Olivier! Qu'est-ce que tu brettes?

Un silence lugubre fit trembler ses jambes. «Où est-il passé? Se serait-il enfui? Impossible!»

Le clair-obscur de la bâtisse le fit trébucher sur une masse inerte.

—Olivier! Veux-tu bien me dire…

François, accroupi près de son fils à plat ventre sur le plancher de bois, cherchait son pouls désespérément. Parvenu à le retourner sur le dos, il découvrit l'horreur: la tête du jeune homme baignait dans une mare de sang. Ses yeux, immobiles. Trop tard? François se refusait à le croire. Il transporta le blessé sur l'herbe, là où la lumière de ce matin de mai ne prêtait à aucune illusion. Le sang giclait du lobe gauche du cerveau. Un bête accident? François cherchait en vain à l'entrée de l'écurie un outil de travers qui aurait pu causer la blessure. Une balle… qu'il se serait tirée dans la tête? Aucune arme ne gisait près du jeune homme. Un acte meurtrier? C'était la seule hypothèse qui valût; pourtant, le Dr Lajus la réfuta de tout son être.

Affolé, il épiait les alentours, tendant l'oreille au cas où l'assassin serait toujours sur les lieux. Armé d'un rondin trouvé près de la grange, il se précipita à sa recherche. Personne autour des bâtiments. Dans l'écurie, qu'il fouilla en retenant son souffle, aucun bruit, sinon le piaffement inhabituel d'un de ses chevaux.

Sur l'herbe fraîchement sortie de terre, un tableau si cauchemardesque que le septuagénaire refusait d'y croire. De nouveau agenouillé près de son aîné, il le palpait, effleurant son visage en quête d'un souffle de vie qui ne venait pas.

François croula sous la douleur qui serrait sa poitrine, là où sa peine se rivait, indélogeable. Cohabiter avec cette cruauté, non! Il valait mieux partir avec ce fils adoré, si fier, si irréprochable, sa relève. Échapper au spectre d'un deuil incurable. Ne pas repousser l'agonie. L'appeler. La laisser l'emporter. Mais une image s'imprimait dans sa tête : les regards de ses deux autres fils, lourds de reproches, ceux de son épouse et de sa fille noyés de chagrin. Sa vie se déroulait à l'envers : vingt ans auparavant, François avait épousé « la plus belle femme de toute la terre ». Le serment de fidélité, il s'entendait encore le prononcer. « Je te jure… » Vite! Il fallait rattraper la vie. Aller serrer Angélique dans ses bras. Être à ses côtés pour pleurer la perte de cet enfant de l'amour conçu le jour même de leur mariage. Consoler Jean-Baptiste et René-Flavien. Sécher les larmes de Luce.

François leva les yeux. La lumière de ce frais matin lui parut trop vive. Le bleu du ciel, trop limpide. Il referma les paupières, le temps de s'y faire. Ses forces lui revenaient au compte-gouttes. Il parvint à s'asseoir en s'appuyant sur ses coudes, mais il dut renoncer à transporter le cadavre de son fils à la maison.

—Je vais chercher de l'aide, Olivier. On ne te laissera pas là.

La démarche alourdie par la douleur et l'appréhension, François avançait péniblement. Il gravit les marches, hésitant à poser sa main sur la poignée de la porte : son grincement allait à coup sûr réveiller la maisonnée.

—François! Tu t'es blessé! s'écria Angélique à la vue du sang sur son veston. Montre-moi…

Les hochements de tête de son mari, son teint blafard, son regard dévasté lui firent craindre une agression.

—Un autre de ces charlatans, je suppose !

—…

—Qu'est-ce qui a bien pu te mettre dans un tel état ?

François restait muet.

À l'instant, le plancher craqua à l'étage des chambres. Des pas tranquilles, puis précipités : Luce dévalait l'escalier. Elle allait humer l'air frais du matin de ses seize ans quand elle aperçut son père, la tête en chute sur sa poitrine, ses vêtements souillés de sang.

—Qu'est-ce qui vous est arrivé, papa ? gémit-elle en s'accroupissant à ses pieds.

De son père ne lui parvenaient que des sanglots. Les mots restaient coincés dans sa gorge.

—Maman ! Dites-moi tout !

Une odeur de tragédie avait tiré les garçons de leur lit. L'un derrière l'autre, ils s'arrêtèrent dans les marches, sidérés. René-Flavien, le benjamin, âgé de dix ans, retint ses larmes le temps d'aller se blottir dans les bras de sa mère. Jean-Baptiste, de quatre ans son aîné, recroquevillé sur la quatrième marche, couvrit sa figure de ses mains équarries par le travail.

—Olivier…, balbutia François en pointant l'index vers l'écurie.

Angélique comprit.

—Attendez-moi ici, les enfants.

Elle attrapa un drap et partit en couvrir son fils avec des gestes empruntés au déni mais qui nourrissaient son courage.

—On va te sauver, mon grand. Accroche-toi! le supplia-t-elle.

Demeuré seul avec eux, François apprit à ses enfants qu'Olivier n'avait pas eu le temps de nourrir les chevaux ni de préparer la calèche.

—Il n'a pas souffert, affirma-t-il, puisant dans cette certitude la force de les emmener rejoindre leur mère auprès du corps.

Le temps s'était arrêté. Le dernier battement cardiaque d'Olivier en avait brisé la cadence. De la poitrine du robuste chirurgien, une longue lamentation atterra son épouse et ses enfants. Luce, médusée par un trop grand chagrin, écoutait, observait et retenait ses questions. À celle posée par le jeune René-Flavien, son père avait répondu:

—Une blessure grave à la tête…

—Comment ça? s'inquiéta Jean-Baptiste.

—Un accident.

—Le bon Dieu le voulait dans son paradis, dit René-Flavien, les yeux levés vers le ciel.

—Il est bien trop jeune! riposta Jean-Baptiste. Olivier avait encore plein de choses à m'apprendre. On avait des projets, lui et moi, pour…

Incapable de terminer sa phrase, le jeune homme retourna vers la maison. À quatorze ans, un garçon se cache pour pleurer.

Les regrets assaillaient François. «Il me semblait, aussi, que ce bruit sec, à cette heure-là, sortait de l'ordinaire. J'aurais dû aller voir tout de suite… Peut-être que j'aurais pu le sauver. Sinon, apercevoir le meurtrier. Je lui aurais réglé son compte sur le fait », se dit-il, la rage au cœur.

De par son poste au Bureau des examinateurs en médecine, le Dr Lajus savait qu'il s'attirait des ennemis. Mais présumer qu'un des charlatans épinglés lui en garde rancune au point de s'attaquer aussi sauvagement à sa famille, non. « À moins qu'Olivier m'ait caché un grave méfait… Qu'il s'agisse d'un patient que je n'ai pu guérir ! Impensable ! »

—Je vais chercher de l'aide.

—Non, Angélique. Y a pas un mortel qui va toucher à mon fils !

—François, on ne peut pas le laisser là.

—Je vais m'en occuper moi-même, promit-il, redressant péniblement son corps arqué.

—Pas tout seul, s'opposa Angélique qui, à la pensée de transporter son fils inanimé, sentit ses jambes fléchir.

Son regard s'égarait. Agenouillée sur le sol encore trempé par la rosée du matin, elle suffoquait sous le regard désespéré de son mari.

Le silence s'étira.

Enfin, d'un commun accord, les Lajus firent appel à leur voisin immédiat.

Transporté à la maison sur un grabat, le corps d'Olivier devait être dépouillé de ses vêtements souillés et revêtu de son plus bel habit avant d'être placé sur la table de la salle à manger recouverte d'un linceul noir. Angélique entoura les mains de son fils de son plus beau chapelet et passa un scapulaire à son cou. François immobilisa les aiguilles de l'horloge à 6 h 30, heure présumée de la mort d'Olivier. Luce allait accrocher une pièce de crêpe noir à la porte quand son père l'interrompit.

—Moins y aura de gens au courant, mieux ce sera.

Les funérailles ne tarderaient pas. L'abbé François Hubert, l'oncle du défunt, les célébra dès le lendemain. Ursule Hubert, une nièce et amie d'Angélique, et John Neilson, le cousin de Luce, de trois ans son aîné, furent les seuls invités.

Le cercueil vitré avait été déposé dans un corbillard tiré par le cheval du Dr Lajus. Il devait gravir la côte de la Montagne jusqu'à la basilique Notre-Dame de Québec. Cette rue bordée de maisons en escalier les unes au-dessus des autres illustrait bien malgré elle le deuil insurmontable dont la famille d'Olivier était affligée.

Luce avait pris place dans la calèche de son cousin John, dont l'imprimerie-librairie avait pignon sur cette rue en face de l'escalier du Casse-cou. Dès ses premières visites à sa librairie, alors qu'elle n'avait que douze ans, elle s'était sentie comprise par ce jeune homme d'origine écossaise d'une grande dignité. Traitée par lui comme une adulte, elle aimait se retrouver en sa compagnie, mais ce jour-là, les circonstances se prêtaient mal aux mondanités.

—Ç'aurait été moins cruel si mon frère avait trouvé la mort en déboulant cet escalier, murmura Luce, la voix brisée par le chagrin.

John enveloppa de son bras ses frêles épaules.

—Je te promets d'essayer de compenser son absence le mieux possible, dit-il, des trémolos dans la voix.

Durant la célébration religieuse, qui fut des plus sobres, peine et indignation se chevauchaient dans le cœur des Lajus. Ursule tentait de consoler Angélique, John prenait soin de Luce pendant que François, accosté de ses deux fils, gardait la tête haute malgré la détresse qui l'habitait.

* * *

Évoquer ce drame était frappé d'un interdit implicite dès que le Dr Lajus mettait les pieds dans la maison. Mais plus d'un mois s'était écoulé depuis, et le mutisme et l'inaction de François soulevaient l'indignation de sa fille.

—Pourquoi ne cherche-t-il pas à connaître l'auteur de cet horrible crime ?

Angélique, profondément meurtrie en son cœur de mère, avoua son ignorance :

—Je ne vois pas qui aurait pu en vouloir à un jeune homme de si bonne réputation. Ton père était si heureux de lui apprendre son métier, de le préparer à prendre sa relève…

—À moins qu'il ne s'agisse d'une erreur, une vengeance contre papa…

Toutes deux considéraient que le Dr Lajus, déjà âgé de soixante-quatorze ans, devrait renoncer à sa responsabilité d'examinateur, source de nombreux soucis. Luce avait d'ailleurs un jour tenté de l'en convaincre. «À quoi bon? Ça ne nous ramènerait pas notre cher Olivier», s'était-il objecté.

Luce ne demeurait pas moins convaincue que les siens méritaient que le coupable soit pendu pour son crime. Sans demander l'approbation de son père, elle résolut de partir à la recherche d'un plaideur discret qui mènerait l'enquête bénévolement, le temps que la famille de l'accusé puisse en couvrir les frais.

De l'avis de John, il ne fallait pas renoncer à cette poursuite. Il lui avait appris qu'à Charlesbourg vivait un certain Bédard, dont deux des fils étaient avocats: Joseph, dans la jeune vingtaine, et Pierre, l'aîné, qui partageait son temps entre sa ville natale et Northumberland, dont il était le député depuis 1792. Lequel des deux Bédard se montrerait intéressé à cette cause, si tant est que l'un des deux le fût? Quelle importance accorderaient-ils à la jeune plaignante de seize ans? John était au moins convaincu que les deux avocats étaient au courant du drame survenu chez les Lajus.

—Pourtant, aucun n'est venu offrir ses services.

—Ils étaient peut-être trop occupés..., présuma John, l'incitant à les consulter.

Ce matin d'août 1795, Luce avait emmagasiné l'audace requise pour se présenter chez les Bédard. À l'insu de son père, occupé auprès des malades de l'Hôtel-Dieu, elle avait obtenu la complicité de sa mère et l'aide de son frère Jean-Baptiste pour atteler la jument à la calèche que le Dr Lajus n'utilisait que pour les grandes occasions. Comme il allait de soi qu'une jeune femme soit accompagnée dans ses sorties, Jean-Baptiste, costaud et d'une maturité remarquable, escorterait sa sœur.

La route cahoteuse entre Québec et Charlesbourg s'étirait sur cinq milles, offrant à Luce des moments propices aux tergiversations et aux reformulations susceptibles d'intéresser un des deux avocats à sa requête.

—On approche, Jean-Baptiste. Une maison aux lucarnes rouges… Ce doit être celle-ci, indiqua Luce d'une voix mal assurée.

Quelques érables fiers d'exhiber leur feuillage délimitaient le terrain. Construite en pièce sur pièce et suffisamment spacieuse pour loger six ou sept personnes, la demeure semblait toutefois plus modeste que celle des Lajus. Luce, qui appréhendait une rencontre intimidante, en fut légèrement soulagée.

La calèche ne s'était pas encore immobilisée devant la maison quand du seuil un jeune homme leur fit signe de ne pas faire de bruit.

—Entre avec moi, Jean-Baptiste, le pria Luce.

—Me Joseph Bédard. Vous êtes?…, chuchota-t-il, une main tendue vers la gracieuse demoiselle qui s'empressa de lui répondre et de lui présenter son frère.

Dans une grande salle au plancher de pin ciré et aux murs tapissés, une fillette de sept ou huit ans, assise sur ses talons, les observait timidement.

Me Bédard ne tarda pas à informer ses visiteurs:

—Notre pauvre maman ne s'est pas encore remise de son quinzième accouchement. Elle a besoin de tranquillité et de repos. Vous comprenez?

—Elle a un bon médecin? s'inquiéta Luce.

—Papa le prétend, mais moi, je n'en suis pas si sûr. Je me demande même si ce n'est pas un charlatan.

«Un charlatan! Mon Dieu! S'il fallait qu'il ait quelque chose à voir avec le meurtre de mon frère...» Troublée, Luce chercha un moyen de faire diversion.

—Si jamais vous voulez que notre père vienne la visiter, je suis sûre qu'il n'hésiterait pas à le faire.

En découvrant qu'il avait devant lui deux enfants du Dr Lajus, Joseph resta bouche bée. La réputation du médecin n'était plus à faire. D'un signe de la main, il les invita à passer dans une petite pièce attenante, meublée d'un secrétaire, d'une table de bois robuste et de quelques chaises.

—Vous venez pour la boulangerie?

—Bien... je prendrais quelques miches en passant, mais nous sommes surtout là pour une question... confidentielle.

Avant de fermer la porte et de prendre place derrière la table, Joseph s'inquiéta de la présence d'un si jeune homme dans la pièce. Luce le rassura.

—Je vous écoute, mademoiselle Lajus.

—Le meurtre d'Olivier, notre frère...

Manifestement, ce que le jeune avocat savait de l'affaire l'indisposait. Il promenait son index sur son menton, cherchant une réplique adéquate.

—Ça fait déjà trois mois... Je doute de la convenance de relancer une enquête.

—Mais il n'y en a pas eu, d'enquête!

Joseph pencha la tête, puis réfléchit à haute voix :

—Un homme aurait été arrêté et mis en prison sans preuve, alors?

—De qui parlez-vous, maître Bédard? demanda Luce, stupéfaite à ces mots.

—Je dois confondre avec un autre dossier, marmonna Joseph, fort embarrassé.

Un silence glacial s'imposa dans le bureau. Puis soudain on frappa à la porte. Apparut la fillette.

—Maman a besoin…, dit-elle, mal à l'aise.

—Attendez-moi ici, les pria Joseph, l'air inquiet.

Dans la salle close, Luce remettait en question le bien-fondé de sa démarche.

—J'ai l'impression de vivre un cauchemar, balbutia-t-elle.

—Et moi, d'être entré dans une maison hantée! On devrait en profiter pour s'en aller, suggéra Jean-Baptiste.

—Ça ne se fait pas, voyons! Essaie plutôt de retrouver ton calme avant que Mᵉ Bédard revienne.

Les Lajus pouvaient presque sentir la nervosité passer de la cuisine à la chambre et se glisser sous la porte du bureau.

—Elle semble aller très mal, leur mère, supposa le jeune homme.

Luce haussa les épaules, hantée par les propos de Mᵉ Bédard. « Un homme aurait déjà été emprisonné pour le meurtre de mon frère? » Les minutes s'empilaient, et son inconfort devenait insoutenable.

Le plancher craqua. Joseph, blafard, venait s'excuser de ne pouvoir leur accorder plus de temps.

—Repassez demain, si vous le pouvez. Mon frère Pierre sera ici. Moi, je n'ai pas assez d'expérience pour m'occuper d'une affaire de ce genre…

La tristesse dans son regard et la chaleur de sa poignée de main donnèrent envie à Luce de s'attarder un peu pour prendre des nouvelles de la malade et pour comprendre ce qu'il entendait par « une affaire de ce genre », mais le jeune avocat les dirigeait déjà vers la sortie. « Pourquoi reste-t-il dans l'embrasure à nous observer alors qu'il a dit n'avoir plus de temps à nous consacrer ? » En effet, tant que la voiture ne fut pas soustraite à sa vue, Joseph continua d'envoyer des au revoir de la main.

Le retour à la maison fut animé d'échanges et d'hypothèses entre Luce et son frère. Le mystère s'épaississait.

Au moment où leur calèche s'engageait dans l'allée, Angélique accourut pour annoncer que son mari avait dû revenir à la maison, affecté par une douleur à la poitrine.

—Il m'a demandé où vous étiez partis.

—Vous ne lui avez pas dit la vérité, j'espère !

—Le bon Dieu est venu à mon secours, Luce. Comme le temps des bleuets est commencé, j'ai dit que vous étiez allés en cueillir du côté de Charlesbourg.

François n'avait pas semblé mettre en doute cette explication. Ce petit fruit très utilisé par les Amérindiens, qui le séchaient, le réduisaient en poudre et le liaient au maïs et au miel pour en faire un pouding, avait été adopté par les premiers colons comme denrée alimentaire, mais aussi comme médicament contre la toux, l'anémie et certaines infections. Le Dr Lajus lui-même n'hésitait pas à le recommander aux femmes enceintes et s'en servait souvent.

—Alors, comment ça s'est passé?

—On devra y retourner. Me Pierre Bédard n'était pas là aujourd'hui.

—Il faudra attendre que ton père reprenne le travail…

—Vous êtes sûre, maman, qu'on n'a pas trouvé le coupable? Il paraît que…

—Voyons donc, Jean-Baptiste, on l'aurait su! l'interrompit Luce rapidement. Viens, allons voir papa.

Dans l'entrebâillement de la porte de la chambre, Luce constata que son père s'était endormi. Comme du travail l'attendait dans le potager, elle troqua ses vêtements de sortie pour ceux de tous les jours et lança à sa mère:

—Avertissez-moi quand papa se réveillera.

—Promis.

Libérer carottes, fèves, courges, citrouilles et choux des mauvaises herbes s'imposait pour que la récolte, qui serait entassée dans le caveau, puisse nourrir la famille jusqu'à l'été suivant. D'habitude, Luce aimait ce travail au grand air, pour la promesse d'abondance qu'il inspirait. Mais aujourd'hui, ses tracas l'emportaient. À l'issue troublante de sa démarche auprès des Bédard s'ajoutait l'état de son père, le seul homme à qui elle n'avait encore trouvé aucun défaut. Les longues journées de travail du Dr Lajus et ses nuits trop souvent interrompues par des urgences allaient-elles avoir raison de sa robustesse? La perte de son fils aîné l'aurait-elle miné à ce point, lui qui depuis faisait preuve d'un courage stoïque? Luce aurait préféré qu'il exprime sa douleur, qu'il lui donne l'occasion de le consoler, de lui redire son admiration et son amour. Mais depuis la mort d'Olivier, Luce ne savait plus comment aborder cet homme d'ordinaire si affectueux et si taquin.

Pour tromper son désarroi, tout en bêchant la terre, elle ramena à sa mémoire le souvenir des délicieux moments qu'il lui avait fait vivre. À son retour du travail, sous le regard émerveillé de son épouse, à qui il réservait une étreinte enflammée, c'est pour sa petite chérie que ses bras s'ouvraient d'abord. À ses fils, il disait son affection, ébouriffant leur tignasse de ses larges mains. Ses yeux, alors, semblaient avoir baigné dans le bleu du Saint-Laurent, et sa chevelure, aussi généreuse que son cœur, reflétait l'argent des plus beaux clairs de lune. Les premiers mots de Luce : « Je t'aime, papa! »

Comme ses petits bras n'auraient pas ceinturé la moitié de sa taille, elle se pendait à son cou.

Le moment lui sembla propice à l'évocation de ces souvenirs. Son père en serait ragaillardi. Luce n'attendrait pas que sa mère l'invite à se rendre auprès du malade. Encore deux ou trois rangs, puis elle quitta le potager pour se précipiter au chevet de son père. À pas de velours, elle traversa la cuisine et poussa la porte de la chambre. À deux pas, elle vit son père soulever les paupières et la prier de s'approcher d'une main sculptée pour soulager la douleur et l'inquiétude. Luce se fit une petite place au bord du lit, ce qui leur permit de s'en tenir aux chuchotements.

—Vous ne laisserez pas la mort vous emporter de sitôt, n'est-ce pas ? Vous me le jurez, papa.

Faute de pouvoir prendre un tel pari, François lui ouvrit les bras et lui réitéra son attachement et sa grande fierté.

—Vous guérirez vite, papa. Vous êtes bâti comme une basilique.

La comparaison plut à François. Il avait assisté à la cérémonie de dénomination de la basilique Notre-Dame de Québec accordée par le pape Pie IX, l'année précédente, et en avait gardé des souvenirs émus.

—Vous ne devriez plus répondre aux demandes, la nuit. De jeunes médecins peuvent le faire.

—Sauver des vies, c'est mon obsession, et je ne veux pas en guérir.

—Il le faudra si vous voulez vivre assez longtemps pour connaître vos petits-enfants, tenta Luce.

François se redressa sur un coude.

—Aurais-tu l'œil sur un homme digne de toi ?

—Bien non, papa ! Je n'ai que seize ans.

—Promets-moi que je serai le premier à qui tu révéleras ton secret.

—Quand je serai sûre de mon choix…

Luce éveillait la convoitise de nombre de courtisans, et François ne l'ignorait pas. Contrairement à la majorité des pères de famille qui, pour des raisons pécuniaires, souhaitaient que leurs filles trouvent mari avant leur majorité, le Dr Lajus aurait préféré que son unique fille ne quitte pas la maison avant ses vingt ans. Mais depuis la mort d'Olivier, il ne percevait plus l'avenir de la même façon. Ses récents ennuis de santé le faisaient craindre de partir avant de connaître ses petits-enfants, effectivement. « Pourquoi faudrait-il qu'après avoir sauvé tant de vies je n'aie pas droit à ce bonheur ? Et puis, ma douce Angélique se sentirait moins seule avec des enfants autour d'elle », se dit-il. Une larme roula sur sa joue ravinée avant qu'il n'ait pu la sécher du revers de sa main. Le souffle suspendu, l'appréhension au cœur, Luce vit l'urgence de briser le silence de son père sur la mort d'Olivier et ce qu'il en ressentait en secret. Mais elle remit à plus tard cette douloureuse conversation.

Trois autres jours filèrent sans que le Dr Lajus manifeste l'envie de retourner au travail, malgré ce qu'il avait annoncé. Assis dans sa berceuse près d'une fenêtre de la cuisine, il n'accordait d'intérêt qu'à sa pipe, qu'il chargeait et rallumait en automate. À l'horizon : une toile bleutée que deux chênes encadraient de leur feuillage touffu entre lesquels partait le sentier de terre battue qui menait à l'écurie. Impossible de sortir la calèche sans que le vieillard le voie et en questionne le motif. Tant qu'il serait au repos à la maison, seul un bon alibi permettrait à Luce de retourner chez les Bédard. Et comment être sûre qu'elle y rencontrerait Me Pierre Bédard ce jour-là? Et son frère Jean-Baptiste n'aurait pas plus l'occasion de partir en éclaireur.

—Une bonne soupe aux légumes, ça te ravigoterait, François, proposa Angélique en voyant son mari dans la cuisine.

—Je n'ai pas besoin de remontant. Où est Jean-Baptiste?

—Au potager, répondit Luce.

—Va lui dire de préparer la jument. J'en aurai besoin après le dîner.

—Pas pour aller travailler, mon mari. T'as encore besoin de repos.

—Tiens donc! Ma belle Angélique se prend pour un médecin, maintenant.

Sur sa fille, il porta un regard taquin, et à son épouse, il offrit un sourire amoureux. Luce et sa mère avaient droit à ces égards pour la première fois depuis le drame du 5 mai.

—C'est donc que vous vous sentez mieux, papa.

—Ça ne prend pas un Goliath pour conduire une calèche, riposta-t-il d'un ton malicieux.

—Très bonne idée que d'aller prendre l'air sans avoir à faire trop d'effort, approuva Angélique dans l'espoir d'en apprendre davantage sur les intentions de son mari.

—Je pourrais vous accompagner, suggéra Luce.

—Tu seras bien plus utile auprès de ta mère. Il y a tant de travail à faire!

Si François avait décidé de ne pas divulguer le but de sa sortie, les deux femmes perdaient leur temps à le questionner.

—Je ne serai peut-être pas de retour à temps pour le souper, prévint-il.

—Veux-tu bien me dire où tu veux aller? le pria Angélique.

—T'as aucune raison de t'inquiéter.

—Vos patients vous manquent, présuma Luce.

—Chose certaine, nos malades manquent de soins. La relève se fait attendre.

—Vous n'allez quand même pas faire du recrutement...

—Ce serait une bonne idée, tiens! J'en connais qui vont jusqu'à Charlesbourg pour cueillir des bleuets; pourquoi pas des aspirants à la médecine aussi? lança le Dr Lajus, dont l'humour rassura les siens sans pour autant les éclairer.

Tout de go, François Lajus passa à sa chambre à coucher avec son nécessaire à rasage et sortit un quart d'heure plus tard, tiré à quatre épingles. Le repas terminé, il sauta dans la calèche sous le regard déconcerté de son épouse.

—Il a peut-être décidé de consulter un médecin.

—Ou un avocat? ajouta Luce.

—Ce serait un miracle.

Luce se dit tout de même qu'il valait mieux attendre avant de précipiter ses démarches auprès des Bédard.

—S'il prend la direction du fleuve, il va à l'Hôtel-Dieu, jugea-t-elle. À moins que...

Luce gagna Jean-Baptiste à l'idée d'atteler l'autre jument pour suivre leur père, incognito.

—Si par hasard il nous voyait, quelle excuse donnerait-on?

Angélique trancha:

—Cette fois, c'est moi qui t'accompagnerai, Luce.

Après s'être faites belles, les deux femmes apporteraient à Mgr Hubert, l'évêque du diocèse de Québec, leurs plus beaux légumes du potager, nettoyés et placés dans de petits paniers fabriqués par les Amérindiens. Et pourquoi ne pas en garder pour la famille Bédard? La maladie avait sûrement empêché madame de s'occuper des récoltes.

—Si ton père arrive avant nous, Jean-Baptiste, dis-lui que ta sœur et moi sommes allées faire une visite amicale à mon frère à l'évêché.

Chaque minute comptait. Luce suggéra de commencer par les Bédard, quitte à revenir sur leurs pas pour se rendre à l'évêché.

—Si jamais aucun des avocats n'était là, on ne sera pas mal à l'aise de dire qu'on est seulement venues pour les légumes frais, dit-elle pour mettre fin aux tergiversations de sa mère.

Il était donc entendu qu'Angélique suivrait sa fille, portant à son bras une corbeille de tomates, de concombres, de céleris et de haricots joliment disposés. *Toc! Toc! Toc!* Un coin du voile qui couvrait la vitre de la porte se souleva. Joseph Bédard apparut. Il posa un regard interrogateur sur Mme Lajus mais il sourit à la vue de Luce.

—Comment va votre maman? lui demanda cette dernière avec émotion.

—Pas très bien, je le crains, mademoiselle. Vous venez voir mon frère?

—Oui, entre autres. Maman voulait également vous apporter ceci, dit-elle en faisant un pas de côté pour qu'il voie Angélique, les bras chargés de légumes.

—Pardon, madame Lajus! Merci d'avoir pensé à nous. Je vous rapporte votre corbeille, dit-il, laissant la porte entrouverte derrière lui.

Les visiteuses attendirent son retour, n'échangeant que des regards dubitatifs.

—Mon frère va venir vous saluer dans un instant. Il est occupé avec un client.

Il n'était pas dans les habitudes des familles bourgeoises de retenir leurs invités sur le perron sans les inviter à entrer s'asseoir. L'état de santé de Mme Bédard expliquait peut-être ce manque de courtoisie.

Un homme de taille et d'âge moyens se présenta enfin, la main tendue vers Luce.

—Joseph m'a informé de vos intentions, mademoiselle Lajus. Le mieux serait de prendre un rendez-vous, suggéra-t-il avec bienveillance.

—Demain, en après-midi, ça vous conviendrait?

—Tout à fait, mademoiselle.

—Si cela nous est possible, intervint Angélique, songeant à la présence presque constante de son mari à la maison.

—Si ce n'est pas demain, avisez-moi la veille de votre visite pour vous assurer que je sois disponible et ainsi ne pas faire la route inutilement. Je dois vous laisser, je ne voudrais pas abuser de la patience de mon client, expliqua Pierre Bédard avant de saluer gracieusement Luce et sa mère.

Joseph ne revint pas, au grand dam de Luce, qui se rappelait en rougissant ses longs au revoir lors de sa première visite. Dépitée, elle se précipita vers son cheval, dénoua la courroie qui le retenait à un poteau et monta s'asseoir dans la calèche.

—Il ne t'inspire pas confiance, ce Pierre Bédard? tenta Angélique.

—Je n'aime pas me faire renvoyer de la sorte. Admettez avec moi que ce n'est pas une façon de traiter des clients.

—Au contraire: il s'est montré respectueux envers celui qui était déjà là pour le consulter. Un garçon qui est passé par le collège avant de faire ses études en droit et qui réussit à se faire élire comme député ne doit pas manquer de savoir-faire. D'ailleurs, Mgr Hubert n'a que des éloges pour les Bédard de Charlesbourg.

—Il les connaît? s'étonna Luce.

—Les fils du boulanger Bédard ont été ses élèves…

De fait, l'abbé Hubert avait enseigné la philosophie et la théologie au Séminaire de Québec avant d'en assumer la direction.

—Mon frère donne souvent en exemple ce père de famille qui s'est imposé tant de sacrifices pour faire instruire ses garçons.

Luce hocha la tête, sans plus.

* * *

Angélique voyait noircir le jour avec appréhension. Son mari n'était pas encore rentré de sa sortie, la première depuis sa maladie. Agenouillée près de son lit, les mains jointes sur sa poitrine, elle fixait le Christ en croix, le suppliant d'apaiser les tourments de son mari, cet homme pour qui elle avait soupiré en secret alors qu'elle n'avait que quinze ans.

D'abord séduite par la noblesse de sa posture, de ses gestes et de ses paroles, elle avait été conquise par la prestigieuse fonction qu'il exerçait dans la société. On ne comptait plus les nourrissons qu'il avait ramenés à la vie et les honnêtes citoyens qu'il avait arrachés à la mort. D'apprendre qu'il avait dû enterrer chacun de ses enfants l'avait révoltée. À ses yeux, il ne pouvait exister pire ironie du sort.

« Le Dr Lajus ? La bonté incarnée ! » s'entendait-on à dire dans toute la ville. Angélique l'avait dans la peau et en ressentait une grande culpabilité. D'abord, elle avait désiré un homme déjà marié ; ensuite, elle s'était secrètement réjouie du décès de son épouse. Aux funérailles de Mme Lajus, Angélique s'était vêtue de noir par respect pour le veuf, dépossédé de ses derniers liens familiaux. À la sortie du cimetière, elle s'en était approchée et, la main et le cœur tendus vers le veuf éploré, elle lui avait murmuré :

—Je sais faire à manger et bien tenir une maison… au cas où vous auriez besoin de mes services.

Le Dr François Lajus s'était contenté de froncer les sourcils, puis lui avait tourné le dos. Angélique s'était enfuie, poussée par la honte. «Le Dr Lajus ne dépiste pas que les maladies», avait-elle déduit de son attitude. Enfermée dans sa chambre, le regard sombre de M. Lajus gravé dans sa mémoire, elle y avait lu des accusations d'impertinence, d'insolence, d'effronterie. Rongée par les regrets, elle avait pleuré, cachant à sa mère la cause de son chagrin. Des doutes innommables s'étaient installés dans la tête de la pauvre maman. Après quelques jours, il lui parut urgent de mettre fin aux tourments d'Angélique.

—Je pourrais t'emmener voir ton grand frère, demain. Si tu ne veux pas lui parler, ses prières et sa bénédiction devraient te soulager.

Se confier à Mgr Hubert, ce prêtre à l'âme de missionnaire : une démarche risquée. «Saura-t-il m'écouter sans alourdir ma peine? Consentira-t-il, au nom de Dieu, à m'absoudre de mes pensées et désirs impurs?» Le courage lui manquait non seulement de tout avouer à son frère, mais aussi de se rendre à son bureau, s'exposant ainsi à une rencontre possible avec le Dr Lajus. Angélique restait dans sa chambre, n'en sortant que pour avaler quelques bouchées en silence.

—Tu devrais aller prendre l'air, ça te donnerait de l'appétit, lui avait recommandé sa mère.

D'un battement de cils, sa fille s'y était objectée.

Inquiets, ses parents lui avaient ensuite suggéré de voir un médecin. Même fermeture. Refusant de laisser sa belle Angélique dépérir ainsi, son père avait décidé d'intervenir.

—Il te reste une quinzaine de minutes pour faire un brin de toilette, lui avait-il annoncé en déposant un bassin d'eau tiède dans sa chambre.

—Pourquoi ?

—Par précaution. Choisis de beaux vêtements.

Troublée par cette étrange ingérence, Angélique avait cru qu'il voulait la conduire à l'hôpital. « Il ne peut pas m'y forcer. Je ne sortirai de ma chambre que quand je l'aurai décidé, et ce ne sera surtout pas pour subir un examen médical. D'ailleurs, mon mal n'est pas de ceux qui se guérissent avec des potions… »

Angélique avait eu le temps de revêtir une robe de tous les jours lorsqu'elle avait entendu le cri d'un charretier, des pas dans l'escalier, un grincement de porte et des chuchotements indécodables.

—On t'amène de la grande visite, Angélique. Ouvre-nous, s'il te plaît, l'avait priée sa mère d'une voix mielleuse.

Dans l'embrasure de la porte, la jeune femme avait aperçu l'homme qui lui avait chaviré le cœur. « Plutôt mourir que de me retrouver seule avec lui ! » pensa Angélique, les joues empourprées.

Sur le point de refermer la porte, Angélique avait croisé le regard de sa mère : d'une tristesse à vous tirer les larmes.

—J'aimerais que vous nous laissiez seuls, réclama le Dr Lajus, qui n'attendit pas d'approbation pour s'installer dans la chambre. Des douleurs, mademoiselle ? Montrez-moi où.

Pour toute réponse, des sanglots.

—Si vous voulez que je vous soulage, il faut m'aider. Montrez-moi…

Angélique porta les mains à sa poitrine.

—Ah! Une grosse peine d'amour?

Lui donner raison aurait été la meilleure façon d'en finir au plus vite. Devant sa lenteur à répondre, le médecin tenta une autre hypothèse:

—Un deuil?

—Pi-i-ire, sanglota-t-elle.

—Rien ne peut me scandaliser, mademoiselle. Dites.

—Une grosse bêtise… Impardonnable.

—Voyons donc! Je ne connais personne qui hésiterait à accorder son pardon à une jeune femme de votre qualité.

Le docteur se tailla une place sur le bord du lit où Angélique était elle-même assise, les yeux rivés sur le plancher.

—Regardez-moi, mademoiselle, dit le docteur, nichant le menton de sa patiente dans sa main virile et fiévreuse. Je pourrais peut-être intercéder pour vous si vous me donnez le nom de la personne que vous avez offensée.

Dans le regard de François Lajus, que sincérité et compassion. Aucune trace de faux-fuyants.

—Vous êtes prête à me le dire? Je vous promets d'en garder le secret.

—Je croyais… au cimetière, l'autre jour… vous avoir…

Enfin, le Dr Lajus se souvint.

Un silence de plomb s'imposa dans la chambre. Un verrou se boucla sur leurs lèvres. Deux cœurs mis à nu. Puis, des corps enlacés... le temps de tout comprendre. Ce grand amour dévoilé d'une part et chaudement accueilli d'autre part : une première dans la vie du guérisseur, à qui aucune autre patiente n'avait révélé de tels sentiments.

Remontant le cours des années vécues auprès de cet homme jusqu'à cette nuit d'août 1775, Angélique savait qu'elle mourrait si son François ne lui revenait pas. La tête abandonnée sur l'oreiller, elle s'affaissa sous le poids de la fatigue.

Un souffle chaud sur son cou la tira du sommeil. François caressait son visage comme on cueille une rose avant qu'elle ne se fane.

—Aujourd'hui, j'ai arraché à la mort des jumeaux et leur maman, ma belle Angélique.

Cette nuit-là, le couple Lajus retrouva la passion de leurs premiers ébats amoureux. Soudés l'un à l'autre, François et sa douce savourèrent le parfum de leurs corps abandonnés à l'amour. L'épuisement avait fondu sous la flamme de leurs retrouvailles. Le sommeil allait patienter. Angélique confia à son mari les raisons qui l'avaient conduite au bureau de Mgr Hubert avant qu'il ne l'épouse.

—Je me sentais si coupable de t'aimer ! Il m'arrivait même de ressentir pour toi des désirs... qui nécessitaient une confession.

Un éclat de rire s'échappa de leurs gorges. Les caresses se mariaient bien aux réminiscences d'Angélique, maintenant à l'aube de la quarantaine.

—T'a-t-il sermonnée, ton frère? Raconte.

—Tu ne me croiras pas…

François se redressa sur ses coudes et, dégageant de sa chevelure ondulée le visage de sa bien-aimée, il martela chacun de ses mots:

—Moi, ne pas te croire? Pourquoi je douterais maintenant de la parole d'une femme de ta trempe?

Angélique se sentit indigne de la confiance de François. Sa complicité avec Luce dans l'enquête sur le meurtre de leur fils frôlait la tricherie. La honte qui l'envahit menaçait de ternir la beauté de ce moment vécu entre ses bras. Avant que leur échange ne dévie, Angélique s'empressa de revenir à son propos au sujet de Mgr Hubert.

—Avec son calme habituel, mon frère m'a dit: «Dieu a créé notre âme et il a trouvé digne de la placer dans une enveloppe charnelle… avec ses besoins. Notre devoir de reconnaissance envers lui se résume à la discipliner, comme on éduque des enfants.»

—Tu as retenu chaque mot!

—Je les ai écrits, en quittant son bureau, tant je les trouvais apaisants.

—Exceptionnel, cet homme! Tu sais, je crains que les démêlés autour de sa nomination minent son humeur et sa santé, même, évoqua-t-il, plus sérieusement.

De fait, sa promotion au titre d'évêque devait être agréée par Rome et par Londres. Or, les autorités britanniques avaient attendu deux ans avant de reconnaître la promotion du nouvel élu: Lord Sydney, ministre de l'Intérieur, avait exigé que le poste soit préalablement offert au supérieur des Sulpiciens. D'ailleurs, Londres avait interdit aux Récollets et aux Jésuites de recruter des novices et s'était opposée à l'immigration des prêtres français alors qu'au Québec le manque de curés était criant. Qui plus est, Lord Dorchester avait nommé un coadjuteur pro-britannique qui, par la voix de *La Gazette de Montréal*, éditée par John Neilson lui-même, avait osé critiquer son évêque. Les fidèles auprès de qui ce prêtre s'était investi corps et âme le soutenaient dans sa conception d'une Église soustraite à toute pression politique. Deux clans s'opposaient férocement, créant un schisme encore jamais vu dans l'Église du Canada. « Rien de pire n'aurait pu m'arriver », avait confié Mgr Hubert au Dr Lajus, son beau-frère.

Angélique regrettait de ne pas le visiter plus souvent.

Malgré la fatigue, le sommeil n'eut pas raison de ses soucis. La culpabilité la tourmentait autant que la déception qu'elle devrait causer à sa fille : sa loyauté envers son mari exigeait qu'elle renonce à seconder Luce dans ses démarches.

François ronflait quand, sur la pointe des pieds, son épouse sortit de la chambre pour aller réfléchir dans la cuisine. Elle se versa une tasse de thé et prit place dans la chaise berçante préférée de son mari, celle qui donnait sur le potager. Les épillets de maïs ondoyaient sous la brise nocturne de cette fin d'été. Angélique enviait leur indolence. Il lui sembla peu probable qu'un jour son mari lui confie les raisons de son silence sur le meurtre d'Olivier. « Luce a raison de s'objecter à ce qu'il emporte ce secret dans sa tombe», admit-elle. Jamais Angélique ne s'était trouvée dans une telle impasse. La nuit s'effaçait sans lui apporter la lumière sur le moyen de s'en sortir.

François mit du temps à remettre les pieds dehors. Luce en était fortement ennuyée. Angélique, pour sa part, s'en réjouissait; ses tergiversations évoluaient vers une position de plus en plus claire. À l'heure du dîner, un messager de Mgr Hubert frappa à la porte. L'évêque réclamait la visite de son médecin.

—C'est urgent?

—Un inconfort persistant, répondit le commissionnaire. Monseigneur a insisté pour que je vous conduise près de lui.

Et, s'adressant à Angélique, il promit de lui ramener son mari avant la fin de l'après-midi.

Le claquement des sabots sur le gravier ne s'était pas encore estompé que Luce et sa mère, accoudées à la table, attaquaient le sujet qui leur brûlait les lèvres.

—Par amour pour ton père...

Angélique ne put terminer sa phrase; Luce riposta:

—C'est justement parce que je l'aime plus que tout au monde que je ne renoncerai pas à chercher la vérité. Tant que l'assassin sera en liberté, il pourrait bien s'attaquer à lui, ou à un de mes frères. Ou à vous, maman!

—Je le sais bien. Tu veux nous protéger. Je comprends ça. Mais c'est peut-être pour les mêmes raisons que ton père, s'il connaissait le coupable, jugerait plus prudent de ne pas le poursuivre. Et rien ne nous garantit que ce meurtrier n'ait pas eu de complice.

Luce reconnut cette éventualité.

—Et puis, votre père avance en âge. Il n'a peut-être pas le goût de gâcher les dernières années de sa vie avec des embrouilles de cette sorte.

—À vous entendre, on dirait que vous en avez discuté avec lui. Qu'est-ce qu'il vous a appris?

—Absolument rien. Il ne veut même pas aborder le sujet.

—Quand avez-vous tenté de le faire, la dernière fois?

—Vers la fin de mai…

—En trois mois, il a pu changer d'idée.

Angélique en doutait. Elle n'avait pas oublié le regard acéré de son mari quand, toujours sur les lieux du crime, elle avait suggéré de faire appel à la milice. Comme si elle avait dû savoir que, dans ce cas, ça ne se faisait pas. Pour la première fois en vingt ans de vie commune, elle avait mesuré leur différence d'âge et d'instruction. Le souvenir de la mise en garde de Mgr Hubert, à qui elle avait confié son intention d'épouser le Dr Lajus, lui revint:

—Ma chère petite sœur, l'amour est primordial dans un couple, j'en conviens, mais il vaut mieux épouser un homme de son âge et de son rang. Tu risques, un jour ou l'autre, d'en faire la douloureuse découverte.

—François ne peut m'apporter que du bonheur, mon cher frère. Je suis la femme de ses rêves, et lui, l'homme capable de me combler.

—Je vais prier pour que tu prennes la bonne décision, avait-il ajouté, des trémolos dans la voix.

«Il vaut mieux que François ne connaisse jamais les doutes de mon frère à son sujet», jugea Angélique.

* * *

De combien de temps Luce et sa mère disposaient-elles pour des échanges en toute confidentialité? Elles l'ignoraient.

—Plus j'y réfléchis, plus je pense que quelque chose nous échappe dans l'attitude de ton père... C'est un homme intelligent, de bon jugement et dont l'expérience n'est pas à remettre en doute, plaida Angélique, soucieuse de ne pas perdre une minute.

—Qu'est-ce que vous voulez dire?

—Il a peut-être de bonnes raisons de souhaiter qu'on enterre cette histoire.

—Vous n'êtes pas en train de pencher de son côté, maman...

À voir ses grands yeux inquiets, Angélique douta de la pertinence de le lui confirmer. L'attitude de son mari et les réflexions qui en découlaient avaient multiplié les scénarios dans son esprit. Le silence imposé par la présence de François à la maison brimait Luce et incommodait sa mère. Ses allers-retours sporadiques à l'Hôtel-Dieu mettaient toute la maisonnée sur le qui-vive. Contre toute attente, les deux femmes en vinrent à souhaiter qu'il retourne pour de bon auprès de ses patients.

CHAPITRE II

Depuis septembre, les rencontres entre Luce et Mᵉ Pierre Bédard s'étaient multipliées, au point qu'Angélique en présumait une issue imminente. Résolue, par fidélité aux volontés de son mari, à ne plus s'investir dans les recherches du meurtrier de son fils, elle n'avait osé questionner Luce, jusqu'à ce matin de la mi-novembre.

—Je t'ai entendue pleurer cette nuit. Qu'est-ce qui se passe ?

Les yeux bouffis, la chevelure en broussaille, la jeune fille avait attendu que son père quitte la maison pour descendre à la cuisine. Avec une grimace de dégoût, elle avait repoussé l'assiette déposée à sa place habituelle.

—En plus de mal dormir, tu manges comme un moineau. Je ne te reconnais plus. Parle! Sinon je mets ton père au courant…

—Ne faites pas ça, maman!

Venue s'asseoir en face de sa fille, Angélique prit ses frêles mains dans les siennes et lui promit la plus grande discrétion.

Luce lui apprit que, de ses longues conversations avec l'avocat Bédard, peu d'éléments relatifs au meurtre d'Olivier émanaient, sinon «une nouvelle piste à explorer» ou «nouveau suspect parmi les charlatans».

—Mais de quoi parlez-vous quand vous vous rencontrez?

—Je parle très peu. Je l'écoute, maman.

Angélique fronça les sourcils.

—C'est un homme très instruit. Il se préoccupe beaucoup de l'avenir de notre peuple, de nos droits. Il m'a appris que le rôle d'un député était comparable à celui d'un missionnaire… d'un martyr même, dit Luce, manifestement impressionnée.

—Ma foi! C'est du jamais entendu! Tu es sûre qu'il n'exagère pas un brin?

—Il sait de quoi il parle, maman. Ça fait trois ans qu'il est député de Northumberland, un très, très grand territoire.

—On dirait qu'il est en train de t'enfirouaper.

Le nier? Impossible. L'admettre? Compromettant. Luce se détourna vers la fenêtre pour échapper au regard perspicace de sa mère.

Le long silence qui s'ensuivit inspira Angélique.

—C'est avec l'avocat que tu devais prendre des rendez-vous, pas avec le député.

—L'un n'empêche pas l'autre. Si je veux arriver à mes fins, je dois…

Les hésitations de Luce éveillèrent les soupçons dans l'esprit de sa mère : « Pierre Bédard tenterait-il de séduire notre fille avec ses discours enflammés ? »

—Qu'est-ce que tu me caches ?

—C'est gênant…

—J'en ai vécu, des situations embarrassantes, moi aussi, dans ma jeunesse. Je m'en suis rendue malade, même. Je ne vais pas te laisser passer par là. Allez ! Rien ne pourrait porter atteinte à l'amour que j'ai pour toi, ma chérie.

Après une courte hésitation, Luce avoua :

—Je n'aurais pas dû aller chez les Bédard.

Angélique demeura bouche bée. « Qu'est-ce qui a bien pu se passer de regrettable dans cette famille si exemplaire ? Un père qui fait instruire ses fils à la sueur de son front. Une mère dévouée qui, grossesse après grossesse, est sur le point d'y laisser sa peau. Des garçons à la réputation blanche comme neige… »

—Tu le regrettes, mais pourquoi ?

—Sans le savoir, je suis allée au-devant des ennuis.

—Arrête de tourner en rond, Luce. Ton frère est sur le point de revenir de l'écurie.

—Eh bien… Pour tout vous dire… j'ai reçu une demande en mariage…

Un pavé dans la mare ! À la détresse qui voilait le regard de sa fille, Angélique soupçonna le pire. Autant crever l'abcès sans tarder.

—Tu n'es pas en famille, j'espère?

D'un signe de tête, Luce le nia et éclata en sanglots.

—Ce n'est pas lui que j'aime vraiment, maman!

—Mais de qui parles-tu?

Luce n'était pas prête à les nommer.

—Je suis toute mêlée, dit-elle. Y a-t-il une différence entre admirer et aimer?

Angélique haussa les épaules. Son expérience amoureuse se limitait à François, pour qui elle éprouvait encore amour et admiration.

—Je croirais qu'on commence par admirer... Puis d'enchantement en enchantement on en arrive à aimer, avança Angélique.

—Le premier, je ne le connais pas assez pour l'admirer, mais il m'a attirée dès la première fois que je l'ai vu. Comme si je l'avais dans la peau. Mais l'autre...

La figure cachée entre ses bras croisés sur la table, Luce laissait enfin son désarroi s'étaler au grand jour. Le besoin de tout confier à sa mère lui brûlait la gorge, mais le courage de prononcer le nom de ceux qui causaient ses tourments lui manquait.

—Lequel t'a fait la grande demande?

—Le plus vieux.

—Me Pierre Bédard? Dieu du ciel! Il pourrait être ton père.

—Vous exagérez, maman.

—Le sais-tu, son âge?

—Ce n'est pas ça qui importe, vous le savez bien, maman, vous qui...

Angélique se leva, remit du bois dans l'âtre, consciente que, pour François Lajus, elle avait éprouvé autant de passion charnelle que d'enchantement pour tout ce qu'il était et faisait. « Un grand amour en bloc », se rappelait-elle.

—Mais rien ne t'oblige à faire un choix maintenant, Luce. Tu n'as que seize ans. Tu as le temps d'oublier ces deux-là et de trouver un homme avec qui tu ressentiras tout ce que j'ai ressenti pour ton père.

Des pas résonnèrent dans les marches.

—C'est lui justement. Il a dû oublier quelque chose.

—Encore la larme à l'œil, ma belle Luce! constata François en faisant irruption dans la cuisine. Il va falloir que ton papa docteur t'examine…

—Je ne suis pas malade, papa. Olivier me manque tellement… Pas vous?

—Faute de mieux, on doit se distraire, ma fille.

—Mais comment?

—En ce qui me concerne, je ne connais pas de meilleur remède que de soulager la souffrance des autres.

Le regard de Luce s'illumina.

—S'il est quelqu'un à qui je voudrais apporter du bonheur, c'est bien vous, papa.

Dans un éclat de rire, François clama:

—Tu m'en apportes depuis que tu es au monde, ma princesse! Et ce n'est pas fini, hein? Encore une soixantaine d'années devant toi.

Luce écarquilla les yeux, portée par l'enthousiasme de son père.

—Je t'imagine facilement en maman et en grand-maman. Tu seras aussi belle que ta mère, ma précieuse petite perle !

Sur le point de s'enliser dans un imbroglio d'émotions, Luce recourut à la diversion.

—Vous êtes venu chercher de l'aide ?

—J'ai besoin de draps, mais si ça te tente de me donner un coup de main avec les enfants de Mme Beaupré le temps que je l'aide à mettre son huitième au monde, ce ne serait pas de refus.

Le hochement de tête d'Angélique échappa à son mari, qui s'excusa de la priver de l'aide de Luce.

—C'est un honneur pour moi, papa. En plus, on n'avait encore rien entrepris ce matin.

Angélique l'approuva. « Un cadeau de la Providence », songea-t-elle avec l'espoir que sa fille se confierait à son père.

Des bas de laine, des tuques et des mitaines furent entassés dans le sac de fripes à apporter à la famille Beaupré. La réserve de tricots baissait, une motivation pour Luce et sa mère, pressées d'épuiser leur stock de laine usagée pour enfin passer aux balles de laine neuve, aux couleurs plus attrayantes. Toutes deux passaient une bonne partie de l'hiver à tricoter et à découdre des vêtements d'occasion pour en tailler de nouveaux pour les familles pauvres. Les dons se faisaient au presbytère, là où les indigents se sentaient plus à l'aise de quêter.

En route vers le logis des Beaupré, François interrogea sa fille.

—Ça t'arrive d'y penser?

—Penser à quoi?

—À te bâtir une p'tite famille.

—Maman me conseille de prendre mon temps.

François opina de la tête.

—D'un autre côté, il ne faut pas rater la chance de choisir un bon parti.

Luce grimaça.

—Et s'il y en avait plus qu'un qui se présentait?

—Ce n'est pas impossible. Surtout dans ton cas. Une p'tite femme si exceptionnelle! Si ça arrive, demande conseil… comme tu me l'as promis, lui rappela son père.

—Ce n'est pas le cas, mais si un marchand, un avocat et un député s'intéressaient à moi, lequel souhaiteriez-vous que je prenne au sérieux?

—Il faut seulement que la voix de ton cœur et celle de ta raison s'accordent.

—Mais ce doit être très rare?

—Quand j'ai choisi ta mère, le cœur et la tête étaient à l'unisson.

—Dommage que ce ne soit pas toujours le cas! Est-ce qu'il y a des métiers que vous préférez à d'autres?

—Si tu veux parler de mon futur gendre, oui.

Luce retenait son souffle. Même si la réponse tardait, elle s'interdit d'intervenir.

—C'est bien certain qu'un médecin ou un avocat serait plus en mesure de t'assurer une existence confortable qu'un politicien.

—Les députés ne sont pas payés pour représenter leurs électeurs?

—Ouf! pas vraiment. Je les comparerais à des militants qui travaillent à changer le monde. Des rêveurs… la plupart du temps.

—Je croyais qu'ils avaient un rôle important à jouer dans la société. «Des rêveurs»… Ce n'est pas très flatteur pour eux!

—Tu m'as demandé quel métier je souhaiterais pour mon futur gendre; je t'ai répondu. Du coup, tu sais qui je te déconseillerais d'épouser.

Le reste du trajet se déroula dans un silence que seuls le crissement des roues de la calèche et le claquement des sabots de la jument vinrent ponctuer.

En franchissant le seuil de la maison des Beaupré, une onde de choc ébranla la jeune femme: le spectacle de la pauvreté lui serra la gorge. Une gamine, faute de savoir marcher, se traînait, pieds nus, sur un plancher froid et noueux. Ses petits bras se tendirent vers elle et ses yeux couleur noisette la suppliaient, mais de quoi au juste?

—Elle est muette, déclara sa sœur aînée, à qui on n'aurait pas donné plus de neuf ans.

Dans la pièce principale: une table rectangulaire, encadrée de deux longs bancs et d'une chaise haute à chaque extrémité, des assiettes d'un métal grisâtre maculées de traces du dernier repas et un plat d'œufs bouillis qui n'avaient pas trouvé preneur. La chaise berçante, non loin du poêle à bois, croulait sous un tas de vêtements d'enfants.

—Excusez-nous, dit M. Beaupré. Ma femme achevait son lavage quand les douleurs ont commencé.

—Y'a pas de faute, monsieur, le rassura Luce.

Puis, se tournant vers l'aînée, elle demanda qu'on débarrasse la table pour lui faire une petite place. Comme elle semblait hésiter, Luce installa la gamine dans une chaise haute, alla savonner le torchon élimé et nettoya l'espace requis pour y déposer les vêtements, qu'elle plia avec soin. Six regards embrasés d'une admiration béate épiaient ses moindres gestes. M. Beaupré sortit de la chambre, où il avait dirigé le Dr Lajus, et ordonna aux cinq plus vieux de ses enfants de s'habiller et de le suivre chez le voisin. Luce s'empressa de distribuer bas de laine, tuques et mitaines.

—Gracieuseté de ma maman, précisa-t-elle.

Quand les gémissements de Mme Beaupré se firent entendre, Luce comprit ce qu'elle devait faire. Elle s'évertua à mimer avec exubérance un conte inventé de toutes pièces pour capter l'attention de la cadette. Les éclats de rire des deux petits derniers stimulaient son imagination. Après de longues minutes vint le moment des plus touchants où le médecin déposa dans les bras de sa fille le nouveau-né emmailloté dans un drap qu'ils avaient eux-mêmes apporté.

—Un jour, ce sera ton tour, ma belle Luce.

Le sourire timide, le cœur gros, elle baissa les yeux vers l'enfant, qui éveilla en elle une émotion encore jamais ressentie.

Les deux hommes avaient convenu d'un signe indiquant le moment de ramener les enfants à la maison. En attendant leur retour, Luce devait aller porter le nouveau-né à sa mère et les couvrir tous deux de draps chauds.

—Tu as fait preuve d'une grande habileté auprès des enfants de Mme Beaupré. Comme si tu avais déjà de l'expérience. J'irais jusqu'à dire que tu es bonne à marier, maintenant! s'exclama le Dr Lajus.

C'était tout un compliment, mais l'assentiment de son père à la donner en mariage ne suffisait pas à Luce. L'avis de son oncle, Mgr Hubert, lui semblait requis. «Comment présumer connaître vraiment celui qui veut m'épouser? Nos fréquentations furent si courtes...», déplorait-elle.

L'évêque tarda à recevoir sa nièce. Prévenu par Angélique, il aurait préféré qu'elle ne le consulte pas à ce sujet. Après avoir prié le Saint-Esprit de bien le guider, il accueillit la jeune femme avec la dignité propre à son titre puis il l'écouta, manifestement perplexe.

—La richesse et la pauvreté n'ont jamais fait bon ménage, affirma-t-il. Je ne suis pas sans savoir que tu apporteras une dot substantielle à celui qui t'épousera. Il pourrait bien s'y fier et se traîner les pieds. Tu es si jeune...

—Des études en droit et une bonne connaissance de la politique ne pourraient pas suppléer à la richesse?

Les sourcillements de son oncle marquaient sa désapprobation.

Luce aurait été ébranlée dans sa décision si, au cours des semaines qui précédèrent cette rencontre, elle n'avait eu l'occasion de mesurer le peu d'intérêt que Joseph lui portait. Puis il lui tardait de devenir mère.

—Malgré tout le respect que je vous dois, cher oncle, sachez que je ne suis pas de la trempe des jeunes filles qui croient aux formules magiques pour trouver un mari. Je me moque des superstitions au sujet du mariage. La lune, la couleur des feuillages et les chapelets accrochés aux cordes à linge n'ont rien à voir avec le bonheur.

—Voilà qui est sage, chère nièce.

Luce saisit ce moment d'approbation pour réclamer une faveur.

—Je ne voudrais publier les bans qu'une fois.

—Une dispense est nécessaire…

—Qui peut me la donner ?

—L'abbé Plessis.

—J'aimerais aussi que ce soit l'abbé Louis Bédard qui célèbre notre mariage.

—Selon les règles de notre sainte mère l'Église, c'est le curé de ta paroisse qui doit bénir ton union. Pourquoi ce ne serait pas son frère, Jean-Baptiste ? Il travaille dans ta paroisse.

—Mais il n'est que vicaire…

—Mademoiselle est exigeante !

—Pas autant que la Sainte Église catholique, avec ses sept commandements et ses sept péchés capitaux !

—Est-ce à dire que tu voudrais te confesser ? présuma l'évêque.

—Non, merci, monseigneur, plaisanta-t-elle. Je suis forcée de le faire la veille de mes noces; ce sera suffisant.

—Tu es chanceuse de te marier dans notre belle église. Son histoire ressemble beaucoup à celle des humains.

Le fier évêque avait capté l'intérêt de Luce.

—Racontez-moi, mon oncle! le supplia-t-elle avec le regard impatient de l'enfant friand d'historiettes.

—Il faut que je te dise qu'elle a changé de nom trois fois en cent cinquante ans d'existence. Le premier était Notre-Dame-de-la-Paix, pour célébrer la paix, qu'on croyait définitive, avec les Indiens.

—Maman les appelle les Sauvages, commenta Luce, amusée.

—Admets que ce n'est pas très flatteur.

—Puis, son deuxième nom?

—Notre-Dame-de-l'Immaculée-Conception. Elle ne l'a porté qu'une dizaine d'années. Et depuis, c'est la cathédrale Notre-Dame de Québec.

—Comme si elle s'était mariée trois fois… J'aimais mieux le premier nom. En tout cas, moi, je veux continuer de m'appeler Luce Lajus, une fois mariée. Ce sera Luce Lajus Bédard.

L'agacement se lisait sur le visage de l'évêque.

—En quoi est-ce mal de porter deux noms de famille?

Mgr Hubert fronça les sourcils, heureux, pour ne pas la contrarier, d'ignorer la question de sa nièce et de reprendre l'histoire de son église.

—On a mis cinquante ans à l'embellir…

—Oh! Vous en parlez vraiment comme si c'était une femme! s'exclama Luce, espiègle.

De plus en plus décontenancé par les répliques de sa nièce, Mgr Hubert résolut de ne plus la laisser interrompre son récit.

—En 1744, on l'a agrandie selon les plans de Chaussegros de Léry, un ingénieur du roi. Le chœur fut allongé et la nef, rehaussée.

Luce retint de justesse le rire que le nom de l'ingénieur et l'analogie entre une femme et la cathédrale allaient déclencher.

L'évêque se dirigea vers la fenêtre de son bureau, faisant dos à sa nièce. Sur un ton accablé, il reprit :

—Quinze ans plus tard, elle fut réduite en cendres. Les bombardements des Britanniques… Ta mère doit s'en souvenir, elle avait douze ou treize ans.

—Et vous?

—J'avais vingt ans. Je n'oublierai jamais la terreur vécue à Québec pendant ces trois mois d'occupation et de bombardements. Et dire que notre sort fut joué en moins d'une heure sur les plaines d'Abraham! La France capitulait, et nous devenions des sujets britanniques. La guerre aurait dû s'arrêter là. Mais non : on a attendu quatre ans le traité de paix signé à Paris.

«De toute évidence, il ne partage pas l'admiration de mon futur mari pour les institutions britanniques. Mes parents ne semblent pas avoir souffert de la guerre, eux non plus. Je vais devoir leur en parler…»

Le lourd silence qui s'installa dans la pièce incommoda Luce.

—Qui a décidé de reconstruire l'église ? le relança-t-elle.

—La lenteur des autorités britanniques à reconnaître Mgr Briand comme chef de l'Église catholique a incité les paroissiens à prendre les choses en main. La reconstruction, restée fidèle au plan de l'architecte, fut achevée en 1771, sans l'ornementation intérieure, évidemment : on n'en avait pas les moyens. Celle-ci a été entreprise il y a dix ans à peine, et le résultat, tu dois l'admettre, est un véritable chef-d'œuvre. On ne trouve rien de tel dans tout le Québec.

Le décor se composait d'abord du retable du chœur, devant lequel des socles soutenaient des statues, chacune surmontée d'un baldaquin dont les branches reposaient sur des sculptures de femmes ailées.

—Elle a dû coûter cher…

—Très cher, vingt-cinq mille livres. Mais elle le méritait bien.

« Décidément, il en parle comme si elle était une créature humaine », pensa Luce, profitant de ce moment de béatitude pour dire au revoir à son oncle.

Loin de la dissuader d'épouser le député Bédard, cet entretien l'avait confortée dans son espoir de voir l'admiration qu'elle lui vouait se muer, au fil du quotidien, en un amour comparable à celui que vivaient ses parents.

Luce attendait son futur époux avec fébrilité. Sous le lilas en fleur, elle avait déposé une couverture pour l'y accueillir. Il en fut surpris et charmé. La lune de juin leur créait un décor féerique. Un décor propice au rêve. Luce voulut entendre Pierre lui faire part de son idéal de vie; elle fut conquise par son éloquence, mais plus encore par sa grandeur d'âme.

—Avant longtemps, j'aurai mis la main au collet de celui qui s'en est pris à ton frère dans ce crime sordide.

—Tu as des indices?

—Fais-moi confiance, ma toute belle.

La tête posée sur l'épaule de Pierre, Luce prit son bras, le glissa autour de sa taille et caressa sa large main avec une tendresse si spontanée qu'elle ne pouvait être qu'une manifestation de l'amour, crut-elle. Bien que réservée, l'étreinte de Pierre chassa tout doute de son esprit.

* * *

Après moins de six mois de fréquentations, le prétendant fit la petite demande, pour fin d'approbation, à sa future belle-mère, qui dissimula ses appréhensions. Huit jours plus tard, le boulanger et son fils vinrent présenter la grande demande, au Dr Lajus, cette fois. Le caractère officiel de cette démarche troublait Luce. Élégamment vêtue d'une robe de toile fine qui s'ouvrait sur un jupon identique, elle portait une légère mousseline brune au col et au poignet. Luce observait les Bédard en silence, redoutant plus que tout le moment de considérer les avantages matériels consentis de part et d'autre. À n'en pas douter, sa dot dépassait largement les avoirs de son futur époux. Le boulanger le reconnut avec une franchise et une humilité qui touchèrent le noble médecin.

—Votre fils a toute ma confiance, monsieur Bédard. Je ne suis pas inquiet pour ma fille, ni pour les enfants qu'elle mettra au monde, déclara-t-il.

Non sans émotion, tous convinrent que le mariage serait célébré le 26 juillet de cette même année.

Angélique s'assura que ce fût bien un mardi, comme l'exigeait Mgr Hubert, pour éviter que les familles des futurs mariés ne doivent consacrer tout leur dimanche à préparer la noce. Ce règlement, prétendait le coadjuteur Charles-François Bailly de Messein, déjà en conflit avec son évêque, n'avait qu'empiré la situation. « Il est difficile pour un jeune homme de tenir la charrue le lundi pendant qu'il pense que, le lendemain, il sera un homme marié », clamait-il. De fait, les festivités pouvaient s'étaler sur trois ou quatre jours.

Les deux pères allaient partir pour le presbytère quand Luce les retint.

—N'oubliez pas, papa : on ne veut publier les bans qu'une seule fois.

—Ne t'inquiète pas, Luce.

Et, s'adressant à Pierre-Stanislas Bédard, il précisa :

—Je m'occupe de payer la dispense.

Il ne restait plus qu'à rédiger le contrat de mariage et à le signer. Le notaire, choisi par le père de la future mariée, se présenta chez les Lajus dans les jours suivants.

* * *

Ce matin du 26 juillet 1796, sous un soleil radieux, les invités du futur marié s'étaient rendus au domicile de Mlle Lajus avant de se mettre en route pour la cathédrale Notre-Dame de Québec. Des dizaines d'autres familles en liesse s'étaient cordées devant l'entrée principale de la cathédrale. De là, elles pouvaient voir s'approcher des calèches luxueuses, décorées de gerbes de fleurs aux multiples couleurs. Dans l'une, le garçon et la fille d'honneur choisis par Luce ; les précédait celle de la mariée, qui était accompagnée de ses parents et de ses deux frères. Deux garçons d'écurie les attendaient pour prendre en charge l'attelage et la calèche. Le Dr Lajus descendit le premier et, avec une élégance digne de son rang social, offrit un bras à Luce, puis l'autre à Angélique, prêt à s'engager sous le portique de la cathédrale. Luce reçut les compliments de tous les noceurs pour son costume à l'anglaise. De couleur ivoire, coupée à la taille, sa robe laissait deviner un corsage lacé, dissimulé sous un manteau orné d'un galon corail à l'ouverture ainsi qu'au bas des manches. Une fine dentelle agrémentait les bordures du décolleté et des poignets. S'y ajoutait de la plume de cygne blanc mettant en relief le taffetas de la jupe et le doupion de soie du corsage. Le manchon de couleur lilas, le collier de nacre de perle et un chapeau galette corail et blanc hissaient l'élégance à son summum. Mais il n'y avait pas que des éloges qui se faisaient entendre sur le parvis.

—Ça paraît que son père est médecin, marmonna une vieille fille, morte de jalousie.

—Elle va s'apercevoir bien assez vite que les noces ne durent qu'une journée, rétorqua son amie.

—Le mari qu'elle prend ne pourra même pas lui offrir le dixième du luxe que son père lui a payé.

—En tout cas, ronchonna une autre, on peut pas dire qu'ils ont été très affectés par la mort du jeune Olivier. Ça faisait pas un an que le crime avait été commis que la belle Luce parlait déjà de mariage.

—Je me demande s'ils vont finir par mettre la patte sur l'assassin, ajouta une autre avec un air suspicieux.

Angélique, qui avait tout entendu, espérait que sa fille n'avait rien saisi de ces commérages.

À ce désagrément s'ajouta le retard des Bédard. La waguine qui emmenait le futur époux, sa sœur Marie-Josèphe et son père se faisait attendre. Avec quinze minutes de retard, elle apparut enfin, et ses occupants restèrent muets sur les causes d'un tel délai. Sitôt ces derniers arrivés, les invités, les uns charmés, les autres circonspects, s'empressèrent de gagner leurs places dans la nef. L'harmonium souffla ses plus beaux accords pendant que le célébrant, suivi d'un cortège de jeunes garçons vêtus de soutanes noires et de surplis, apparut dans le chœur avec une solennité digne de la magnificence du lieu. D'un pas assuré, le Dr Lajus conduisit sa fille à l'autel. La nervosité de Luce était palpable. Son père aurait voulu disposer d'une baguette magique pour faire disparaître la tension qui faisait trembler sa main et affectait sa démarche. Il était normal qu'elle soit un peu tendue, mais pas à ce point…, s'inquiétait-il. Il se remémora la confidence qu'elle lui avait faite quelques semaines avant son mariage.

—Ça m'inquiète un peu de marier un homme d'un si grand savoir et de tant d'expérience, alors que j'ai vécu une vie d'enfant et de jeune fille si protégée, si aisée. Comment pourrai-je lui apporter la compréhension et le soutien qu'il serait en mesure d'attendre d'une épouse de son âge ?

—Tu ne crois pas qu'il soit assez vieux pour savoir ce qu'il fait ? Demande à ta mère si elle a souffert de mes connaissances médicales, alors qu'elle n'avait appris à soigner qu'avec la médecine des Sauvages.

La sagesse de ce vieillard de soixante-quinze ans avait eu raison de son insécurité, jusqu'à son arrivée à la cathédrale, en ce matin du 26 juillet. La main dans celle de son père, Luce ne se sentait pas moins comme une éponge de mer qui absorbait sans filtre tous les jugements de l'assistance.

Le futur marié descendait l'allée centrale coiffé de son chapeau à la charbonnière, et vêtu d'une redingote noire doublée de satin ivoire et brodée de soie de la même teinte. Un pantalon au genou, en soie d'un noir de jais, complétait son habillement.

Le boulanger Bédard semblait fier de conduire son fils aîné à son prie-Dieu, près de la Sainte Table. Dans la nef, l'impatience et la curiosité se faisaient sentir. Les membres de la famille Bédard dissimulaient leur fébrilité par des balbutiements à peine perceptibles.

Puis, soudainement, le Dr Lajus quitta son banc et sortit sans informer son épouse de la raison de son geste.

—Mon Dieu! J'espère qu'il ne se sent pas au bord d'une crise! craignit-elle. Va le rejoindre, ordonna-t-elle à son fils aîné.

Plus forte que sa timidité, l'inquiétude poussa le jeune homme au secours de son père. Un signe fut donné au célébrant d'attendre le retour du Dr Lajus avant de commencer la célébration. Une atmosphère de plomb régnait dans l'église. On vit Pierre se tourner vers sa future épouse et lui chuchoter quelques mots à l'oreille. Angélique, inquiète et bouleversée, cherchait à comprendre…

« Un papier important oublié à la maison? Je souhaite que ce ne soit pas plus grave que ça. »

À deux pas du parvis, Jean-Baptiste Lajus aperçut son père courant vers une calèche… celle des Bédard. Penché vers le fond de la voiture, le père de la mariée fouillait nerveusement. Après un moment, il revint avec un « presque rien » qu'il tenait serré contre sa poitrine.

—Dépêche-toi d'aller porter ça dans l'assiette des anneaux, dit-il à son fils.

Dix minutes de mystère avaient suffi pour semer l'agitation chez les invités. François et Jean-Baptiste reprirent leur place près d'Angélique.

—Qu'est-ce qui s'est passé? chuchota-t-elle à l'oreille de son mari.

—Pierre avait oublié le jonc à la maison, ensuite dans sa calèche.

« Il ne faudrait pas que ma chère Luce interprète cet oubli comme un mauvais présage », se dit Angélique.

La cérémonie pouvait enfin commencer, et c'est par une exhortation de saint Paul que le curé Louis Bédard en marqua le coup d'envoi :

—Il est recommandé aux maris d'aimer leur femme comme Jésus-Christ a aimé son Église, clama-t-il.

« … comme si elle était son épouse. C'est de ça que mon oncle s'inspire », songea Luce.

—L'épouse est invitée à témoigner à son mari la même soumission et la même tendresse que l'Église a manifestées envers Jésus-Christ, poursuivit le célébrant avant de faire la liste des obligations réciproques des époux, dont la plus importante : la fidélité mutuelle. Vous êtes obligés de supporter avec patience vos défauts, vos imperfections et vos infirmités.

« Vos infirmités ? » se répéta Luce, qui ne parvint pas à dissimuler son étonnement. Cette allusion aux difformités était-elle courante ? Se sachant exempte de toute anomalie physique, elle redouta une découverte déplaisante chez son futur époux. Elle se devait de chasser ce doute au plus vite.

Le célébrant en était à la dernière exhortation : le devoir de donner la vie. Le large sourire de Pierre Bédard, son regard lumineux apporta un baume de sérénité au cœur de sa bien-aimée, à qui il octroyait de son côté une beauté vénusienne.

—Mademoiselle Jeanne-Françoise Louise Luce Lajus, acceptez-vous de prendre pour époux M. Pierre-Stanislas Bédard, écuyer, avocat et représentant du comté de Northumberland, ici présent ?

Le *oui* de la mariée devait être d'autant plus audible qu'elle était d'âge mineur et que sa réponse ne devait laisser planer aucun doute sur la liberté de son engagement. Ainsi fut-il.

Après s'être assuré du libre consentement des époux, l'abbé Bédard bénit l'anneau nuptial et invita Pierre à le glisser au doigt de sa jeune épouse.

La lumière qui irradiait le visage de la mariée lors de l'échange des serments libéra sa mère de l'inconfort causé par l'épisode de l'alliance oubliée dans la voiture des Bédard. Une fois venu le moment de célébrer la messe, une ambiance de fête avait repris sa place.

Après le cantique de clôture, les nouveaux mariés, acclamés par les hourras enthousiastes des assistants, se rendirent au presbytère avec toute leur suite pour signer les registres. Ce dernier engagement ratifié, le cortège se remit en route, les mariés occupant la première calèche, la fille et le garçon d'honneur, la deuxième. François Lajus et Pierre-Stanislas

Bédard, les deux pères fermèrent le défilé en route vers la riche demeure des Lajus.

Toute menue dans ses nobles atours, Luce se prêta au décorum de cette réception bourgeoise avec une contenance indéfectible. Les regards envoûtés de son époux lui offrant son premier baiser en public furent accueillis avec grâce et dignité, pendant que, accroupis dans l'escalier, Jean-Baptiste et René-Flavien gloussaient comme des poules. Les convives levèrent leur gobelet de rhum au bonheur des nouveaux mariés. Ils furent ensuite invités à partager le festin de pâtés de toutes sortes, de pièces de mouton relevées, de ragoûts et de desserts délicieux. Cependant, Luce aurait souhaité qu'on renonce à la tradition voulant que ses parents et le nouveau marié soient chargés du service à la table. « Je n'ai jamais aimé cette façon de faire. Je me retrouve seule au bout de la table avec de jeunes frères qui ne trouvent rien de mieux à faire que de se moquer de mon mari. Pauvre Pierre ! C'est évident qu'il n'est pas fait pour ce genre de besogne », constata-t-elle, témoin de ses maladresses. Heureusement pour la mariée, Jean-Baptiste et René-Flavien s'éclipsèrent vite de la noce, emportant dans leur chambre de quoi se sustenter pour le reste de la journée. Contrarié, le Dr Lajus s'en plaignit à son épouse, qui prétexta que cette conduite était normale à leur âge. D'ailleurs, Jean-Baptiste s'était toujours tenu à l'écart des festivités, entraînant immanquablement son jeune frère avec lui. Luce avait cru qu'il en serait autrement à ses noces.

La tradition voulait qu'au beau milieu du repas la jeune mariée fût priée de chanter. Les convives s'avérèrent accommodants, et Luce n'eut que quelques vers d'une jolie ritournelle à interpréter. Tous applaudirent avant la fin du couplet, impatients de laisser leur hilarité s'exprimer à pleine voix en attendant le moment de danser. La mariée aussi en rêvait, loin de s'imaginer que pour son époux, le défi était de taille.

—Si mes talents de danseur étaient à la mesure de mon amour pour toi, j'éblouirais tous ces jeunes couples qui virevoltent au milieu de la place, lui murmura-t-il dès la première gigue.

Joseph ne se fit pas prier pour prendre la relève. D'une élégance qui n'avait d'égale que la maladresse de son frère, il fit tourbillonner la mariée, dont les éclats de rire charmèrent les invités. Sollicitée sans arrêt, la jeune mariée s'en donna à cœur joie. Depuis l'assassinat de son frère Olivier, elle ne s'était guère amusée et elle se rattrappait à présent. Occupé à entretenir tout un chacun de ses ambitions politiques, Pierre ne semblait nullement en souffrir.

Quelque peu en retrait, le couple Lajus observait la fête sans parler. Ce mariage inquiétait Angélique, mais elle s'était interdit de l'avouer à son mari. Ce qu'elle avait appris de Mgr Hubert, son frère, lui faisait douter de la compatibilité de caractères entre sa fille et Pierre. «J'ai peur que cet homme qui semble porter la destinée de notre peuple sur ses épaules éteigne la joie de vivre de ma belle Luce. Quoi de plus essentiel à des enfants que de grandir dans l'amour et la joie ? Hélas, je n'arrive pas à imaginer Pierre Bédard combler ses petits de tendresse et de gaieté. »

*   *   *

La noce passée, les parents de Luce divergeaient toujours d'opinion quant aux promesses de bonheur de cette alliance. François ne démordait pas de sa conviction.

—Sérieux, instruit et brillant, c'est un bon parti pour notre fille que ce Pierre Bédard. J'aurais peut-être préféré qu'elle épouse un homme de famille plus noble, mais le fils d'un boulanger qui a réussi à faire instruire tous ses fils, ce n'est quand même pas dédaignable.

—En supposant que notre Luce l'aime d'amour, rétorqua Angélique, indignée à la pensée que les mariages romantiques n'étaient guère favorisés de son temps.

—Je t'en prie, ma belle Angélique, tu n'as aucune raison de t'inquiéter. Notre fille est assez intelligente pour se faire respecter et défendre ses droits.

Considérant qu'à son âge, son mari avait besoin de sérénité et que son déni pouvait la lui gâcher, elle retint sa réplique. Sa santé vacillante lui faisait craindre qu'il ne connaisse jamais ses petits-enfants. À dix-sept ans, Luce promettait de lui en donner plusieurs, et ce, le plus tôt possible. Le futur père la secondait avec d'autant plus d'enthousiasme qu'il avait douté de trouver une femme qui voulût l'épouser. Aîné d'une famille qui avait compté plus de douze naissances, il portait la fierté que tous les Bédard de Charlesbourg arboraient. D'être parvenu à gagner la fille d'un illustre chirurgien redorait son blason. La promesse qu'il lui avait faite de poursuivre, une fois marié, son enquête sur l'assassinat d'Olivier n'avait pas forcé les sentiments de Luce à son égard, il en était convaincu. Il croyait fermement que sa députation au comté de Northumberland ainsi que le titre de champion des droits populaires, attribué depuis, l'avaient définitivement conquise.

François rappela à la mémoire de son épouse qu'en raison de sa formation juridique et de ses liens familiaux et professionnels dans tout Québec, Pierre Bédard avait été appréhendé comme le candidat idéal pour former le régime politique issu de l'Acte constitutionnel de 1791.

—Oh! Mais Luce n'avait alors que onze ans… Une enfant!

—Tu devines bien qu'elle s'en est informée avant d'accepter de l'épouser.

Le Dr Lajus brossa de son gendre un tableau des plus élogieux. De fait, la lucidité, l'intelligence vigoureuse et le sens rationnel de Pierre Bédard étaient reconnus tant par les parlementaires que par son entourage immédiat, et Luce en avait fait les bases de son consentement. Que d'efforts cet homme avait dû déployer pendant leurs fréquentations pour vaincre sa timidité, lui qui se percevait comme laid et maladroit.

« Je ferai en sorte que tu ne sois jamais victime de mes gaucheries, lui avait-il promis. »

Compte tenu de la haute estime que Luce et son père témoignaient pour le Barreau, il allait garder secret son manque de passion pour la pratique du droit. Le désir de fonder une famille et d'instruire ses enfants l'y obligeait, même s'il prétendait que seuls « les avocats ignorants, charlatans » pouvaient en faire leur gagne-pain.

*　*　*

— Qu'est-ce qui vous met dans un tel état, mon cher frère ? s'enquit Angélique, en visite chez Mgr Hubert.

—Le sort réservé à nos précieux pères jésuites me brise le cœur…, confia-t-il sur un ton enflammé. Trente ans de combats héroïques pour se voir condamnés à disparaître, alors que nous manquons tellement de prêtres dans nos paroisses et dans nos maisons d'enseignement ! Il n'y a pas que le clergé qui soit en deuil : tout Charlesbourg l'est. Votre gendre pourrait sûrement en témoigner.

De fait, en 1665, Louis XIV avait demandé aux Jésuites, présents à Québec depuis quarante ans, de créer des faubourgs pour favoriser le peuplement. Les religieux avaient alors développé le Trait-Carré à l'intérieur de leur seigneurie Notre-Dame-des-Anges. Ils y avaient installé un peuplement au centre, avec des terres déployées en étoile. Une petite église avait été construite, créant ainsi la paroisse de Charlesbourg.

Un siècle plus tard, ces religieux, perçus comme trop puissants et trop influents aux yeux de certains monarques, se firent chasser de la France par le gouvernement de Paris, qui leur avait aussi ordonné de fermer leurs collèges. Au Bas-Canada, le gouverneur Murray avait proposé à George III d'en faire autant, alléguant que l'Ordre des fils de Saint-Ignace, si peu apprécié, pourrait être supprimé sans causer le moindre embarras. De plus, le gouvernement pourrait acquérir leurs terres à bas prix et y bâtir des projets jugés utiles. À preuve, leur collège ne fut-il pas utilisé comme caserne pour les soldats anglais?

—C'est scandaleux! Qui aurait cru que le pape irait jusqu'à abolir l'Ordre de Saint-Ignace et confisquer leurs biens? s'indigna l'évêque. Même s'il a ordonné aux évêchés de les récupérer, ça reste impardonnable!

Le pauvre père Jean-Joseph Casot était le dernier des jésuites au Québec, et il devait se résigner à liquider les biens de son Ordre.

—Il aurait déposé les archives de sa communauté à l'Hôtel-Dieu de Québec. Ses livres sont déjà rendus à la bibliothèque du Séminaire, et sa pharmacie, à l'Hôpital général. Une fin tragique… Et c'est sans compter les propos infâmes de certains de ses religieux défroqués.

Angélique voulut les connaître.

—L'un d'eux a soutenu en public que le meilleur moyen pour l'Angleterre de s'attacher les Canadiens était de les éloigner de leur religion en les privant d'un évêque catholique et en leur fournissant le moins de prêtres possible.

—Je n'en crois pas mes oreilles!

Accoudé à son bureau, le visage niché dans ses longues mains décharnées, l'évêque semblait plus accablé que jamais.

—Il te faudrait prendre du repos, mon cher frère. Longtemps, mes enfants et moi avons demandé et suivi tes conseils; aujourd'hui, j'aimerais que tu écoutes les miens.

—Mon opinion a de moins en moins de poids, tant auprès de mes proches que de mes fidèles, marmonna-t-il.

—Qu'est-ce qui te porte à imaginer pareil déclin?

—Ta fille, entre autres. Je connais l'affection de son mari pour les institutions britanniques. Il n'a que deux mots en bouche: droits et liberté. Des principes qui vont à l'encontre de l'humilité et de l'obéissance prêchées par notre sainte mère l'Église catholique. Le patriotisme: c'est ça, sa religion.

La moue sceptique de sa sœur lui soutira cette nuance:

—Du moins, ses propos nous prêtent à le croire.

Angélique aurait voulu poursuivre la conversation, mais c'était peine perdue.

—Je repasserai te voir après-demain, mon cher frère. Tant de travail m'attend!

—Même à cette période de l'année?

L'émotion embua le regard d'Angélique.

—Beaucoup de tricot, surtout. Notre belle Luce donne des signes…

—Déjà ? Je l'aurai prévenue…

—Tu sais compter, Jean-François ? Alors pas de soupçons injustes. Elle est mariée depuis quatre mois…

—Pardonne-moi, Angélique. Je suis vraiment de mauvais poil ces temps-ci. Transmets mes félicitations à la petite dame Bédard !

Cette rencontre avait troublé Angélique, mais en discuter avec son mari ne s'avérait pas souhaitable. Ce dernier réfuterait du revers de la main les allégations de son beau-frère. Quant à Luce, elle en serait affligée, sinon offusquée. L'admiration qu'elle vouait à son oncle en serait ternie, et des doutes pourraient ressurgir quant à son avenir avec Pierre Bédard. « Comment Luce a-t-elle pu faire fi des conseils d'un homme aussi perspicace que mon frère ? » se demanda-t-elle, peu pressée de revenir à la maison. La vue des flocons de neige qui disparaissaient aussitôt posés sur son col de fourrure l'incita à plus de sérénité. Mais quelle ne fut pas sa surprise lorsqu'elle aperçut les traces fraîches d'une carriole devant sa demeure ! Qui plus est, celle de sa fille, radieuse.

—Mon mari est venu me conduire. Il avait à faire dans le coin, rapport à l'assassin d'Olivier. Une rencontre avec un officier de la milice, précisa-t-elle, croyant ainsi rassurer sa mère.

—Tu n'y renonceras donc jamais !

—Tant qu'il n'y aura pas de procès en bonne et due forme, non.

—Tu risques d'être très déçue, ma fille.

—Si on a pu faire deux procès, dans le cas de la Corriveau, pourquoi pas un pour mon frère?

Angélique, estomaquée, avait tout fait pour que l'histoire de ce crime hideux, survenu en 1763, n'arrive jamais aux oreilles de ses enfants. Pour cela, elle avait pu compter sur la complicité de son mari, de sa nièce Ursule et de son frère, Mgr Hubert.

—D'où tiens-tu ça?

—De Pierre. Son père lui a tout raconté à ce sujet. Il a fallu deux procès avant que la vraie coupable soit condamnée. Mon mari n'est pas le seul à douter qu'Abel Willard ait commis ce crime-là. On ne sait presque rien de cet homme, apparemment sans famille et possiblement originaire de la région de Boston. Il paraît que, moyennant une certaine somme d'argent, on étoufferait souvent des histoires semblables en condamnant sans jugement des individus peu connus et sans défense.

—À écouter tant de rumeurs, vous allez passer votre vie dans les soupçons et l'esprit de vengeance. C'est tellement malsain! Pourquoi ton mari perdrait-il son temps à fouiller cette histoire alors qu'il doit faire vivre une famille? rétorqua Angélique, indignée.

—Par fidélité à ses promesses. Et puis, c'est un apôtre de la justice, Pierre Bédard, clama Luce avec fierté.

—Ses promesses?

—Oui. Quand il m'a demandée en mariage, il m'a promis de poursuivre l'enquête sans qu'il n'en coûte un sou à la famille Lajus. Je tiens beaucoup à ce que mes enfants sachent la vérité…

—Encore faut-il qu'il la découvre !

—Je lui fais confiance. Il est si intelligent et rusé. Je souhaite lui donner des enfants qui lui ressemblent.

—J'espère qu'il y en aura qui tiendront des Lajus, aussi.

—Vous savez bien que oui, maman. Vous êtes tellement admirables, vous et papa ! s'exclama Luce, enlaçant sa mère avec une tendresse désarmante.

Revenue à de meilleurs sentiments, Angélique constata que la maternité semblait apporter autant de bonheur à Luce qu'elle lui en avait procuré à elle. Aussi jugea-t-elle le moment opportun de lui faire choisir la laine qu'elle préférait.

—La plus douce possible, dit Luce, en glissant le fil de chaque pelote entre son pouce et son index.

La fierté jusqu'au bout des doigts, elle tira de son sac à main une liste d'articles pour la layette incluant des chaussettes, des bonnets et des chandails qu'elle présenta à la future grand-maman avec un sourire ému.

—C'est pour quand ?

—Pour mai, m'a dit papa.

—Il le sait ! s'étonna Angélique.

—Il m'avait fait promettre de le lui annoncer en premier. Quand je lui ai parlé de mes malaises, il a tout de suite conclu qu'il allait être grand-père. « Je te laisse le plaisir de l'annoncer à ta mère», qu'il m'a dit.

Ce soir-là, les Lajus servirent le souper au couple Bédard. Le premier depuis les noces. Pierre, débordé de travail, accompagnait rarement sa jeune épouse dans sa famille. Par contre, les visites chez le boulanger Bédard avaient été nombreuses, récemment, vu l'état de santé alarmant de son épouse. Voir tant de bouches à nourrir autour d'une même table bouleversait Luce. La petite Marie-Josèphe suscitait sa pitié. «Trop jeune, à douze ans, pour avoir tant de responsabilités. Elle n'aura pas eu d'enfance, cette pauvre petite», concevait-elle. Elle s'efforçait chaque fois d'arriver plus tôt chez les Bédard pour l'aider à préparer le repas.

Ce soir-là, chez les Lajus, la grossesse de Luce semblait inspirer à son époux une sollicitude dont les excès agaçaient quelque peu la future maman.

—Porter un bébé, ce n'est pas une maladie, Pierre. C'est un cadeau.

—Un cadeau qui demande des précautions si on ne veut pas qu'il tourne au cauchemar.

—La majorité des nouveau-nés arrivent en pleine...

Pierre lui coupa la parole :

—Mais encore faut-il qu'ils survivent à ce grand choc de la naissance.

Le Dr Lajus, sur le point de banaliser la remarque, se souvint de ses enfants conçus en premières noces et de la fatalité qui les avait tous frappés.

—La mortalité infantile demeure quand même exceptionnelle, nuança-t-il. Dans bien des cas, on peut en déduire la cause et l'éviter lors des grossesses subséquentes.

—Notre fille est forte, jeune et en pleine santé, affirma Angélique. Il n'y a pas de raison de craindre.

—Que le Ciel vous entende, madame Lajus! dit Pierre.

* * *

Le décès de sa mère, survenu le 26 novembre, atterra Pierre, l'aîné, qui fut aussitôt inquiet du sort réservé aux trois cadets de la famille, dont un bébé de moins de deux ans. L'épouse du boulanger Bédard avait vécu quinze grossesses, dont la majorité lui avait donné des garçons. Trois filles étaient nées et n'avaient jamais atteint l'âge adulte. Pendant que Pierre-Stanislas trimait fort à la boulangerie, les deuils et l'épuisement avaient miné la santé de Marie-Josephte qui, à cinquante-sept ans, perdait son long combat contre tant de tribulations. Luce en éprouva un réel chagrin.

—Seulement quatre mois de partage avec cette femme si généreuse et si sensible… C'est cruel! confia-t-elle à Angélique en revenant des funérailles.

Luce s'inquiétait pour son père, de vingt ans l'aîné de Mme Bédard:

—Il serait grand temps qu'il réduise ses heures de travail. J'ai encore essayé de l'en convaincre, mais rien à faire: il est trop conscient du nombre de personnes à qui il redonne la santé chaque jour.

—Il est prêt à perdre sa vie pour sauver celle des autres.

—À l'image de Notre Seigneur.

—À l'image de son père, aussi, précisa Angélique.

Sieur Jourdain Lajus, lui-même un éminent chirurgien, avait travaillé jusqu'à la veille de son décès. Né en France en 1672, il avait été chargé, en 1709, de représenter l'écuyer Georges Mareschal de Bièvre, premier chirurgien du roi Louis XIV, en Nouvelle-France. Nommé major des médecins en 1697, il avait épousé Marie-Louise Roger, une femme que Luce avait eu la chance de connaître et d'admirer avant qu'elle devienne sénile, peu de temps avant son mariage.

—Sieur Jourdain a toujours été très fier de sa famille et très attaché à sa parenté.

—Dommage que son petit-fils qui envisageait de devenir médecin ne soit déjà plus des nôtres, murmura Luce avec tristesse.

—Qui sait si René-Flavien n'empruntera pas ce chemin ? Il est si intelligent et dévoué…

—Je l'espère, d'autant plus qu'on ne doit plus compter sur Jean-Baptiste depuis qu'il est attiré par la prêtrise.

—Ton père pense qu'il a encore le temps de changer d'idée. Il aimerait tellement léguer ses connaissances à un de ses fils !

Si François Lajus avait assisté à cet échange et qu'il s'était ouvert aux deux femmes de sa vie, il leur aurait appris que les soucis grugeaient ses nuits dans une subtile érosion. De fait, pas un mois ne passait sans qu'il reçoive des menaces pour avoir dénoncé des charlatans se faisant passer pour médecins. Abandonner ce rôle d'inspecteur l'aurait soulagé, mais pas un collègue ne voulait le remplacer, la tâche étant non moins ingrate que périlleuse.

À ce chapitre, l'année 1797 ne s'annonçait pas mieux : en février, Angélique dut implorer le secours de son gendre, tant elle était angoissée par le retard inhabituel de son mari. Jean-Baptiste pensionnaire au Séminaire, elle ne pouvait compter que sur René-Flavien, son fils cadet âgé de douze ans, pour se rendre chez Luce et Pierre, au 2, rue Sainte-Famille, à une demi-heure à pied de la résidence des Lajus. Dans l'attente, Angélique arpentait la maison, passant d'une fenêtre à l'autre, à l'affût du moindre bruit. Le vent d'hiver qui fouettait les carreaux dans un sifflement lugubre qui amplifiait son épouvante. De plus, il fallait protéger Luce, enceinte de sept mois, de trop vives émotions. « Elle pourrait en perdre son bébé. Ce serait le comble du malheur ! Prier. Ne pas cesser de prier. Je n'ai pas d'autre moyen de tuer le temps… long à en mourir ! »

—Woah ! entendit-elle enfin.

Le givre sur la fenêtre brouillait sa vue. Elle entrouvrit la porte juste assez pour voir Luce et René-Flavien descendre de la carriole conduite par son gendre.

—Restons calmes, maman ! Pierre prend la route de l'hôpital, il va nous ramener papa sain et sauf. Il avait peut-être seulement un gros cas à traiter.

—Il n'est pas le seul médecin à l'Hôtel-Dieu!

—Le malade a peut-être eu besoin d'une chirurgie... Des complications ont pu survenir.

—Tu as raison, Luce. Je me suis laissé mener par mes appréhensions.

À quarante et un ans, Angélique ne pouvait se faire à l'idée de devenir veuve. En épousant un homme de trente-quatre ans son aîné, elle en avait été prévenue, mais elle avait toujours écarté cette probabilité dès qu'elle surgissait dans son esprit.

Sur le coup de minuit, Pierre revenait chez les Lajus. Seul.

—Papa est encore à l'hôpital? souhaita Luce.

—Oui.

—Il achève une opération? s'enquit Angélique.

—Non, madame Lajus, fit-il d'un ton désolé. Il en aura pour quelques jours. Avec de bons soins, il va s'en sortir. Il est fort, votre mari.

Vers 19 heures, le Dr Lajus avait été tabassé par deux inconnus, à mi-chemin entre l'Hôtel-Dieu et sa résidence.

—Les coupables auraient commencé par attacher les mains et les pieds de votre mari pour ensuite maltraiter sa jument sous ses yeux, dut-il révéler à Angélique, qui exigeait des précisions. S'ils s'en étaient tenus à ça, au moins... Mais non!

—Ils ont battu papa?

—Oui... Après s'être défoulés, ils l'ont plaqué dans la neige avant de s'enfuir avec la jument. C'est quand j'ai reconnu la carriole de ton père que je me suis douté qu'il avait été abandonné pas loin de là.

—Des fractures? s'inquiéta Angélique.

—Oui. Des engelures aussi. Il était encore conscient quand je l'ai trouvé. C'est comme ça que j'ai pu savoir ce qui était arrivé.

—Quoi, il n'est plus conscient?

—Il était si épuisé qu'il n'avait plus la force de parler quand je l'ai laissé entre les mains d'un de ses collègues. J'ai promis d'y retourner demain avant-midi.

—J'irai avec toi, Pierre, insista Luce.

—Moi aussi, annonça Angélique. Restez à dormir ici, vous deux. On partira ensemble après le déjeuner.

Depuis son retour à la maison, René-Flavien, campé devant la fenêtre du salon, n'avait pas ouvert la bouche. Luce attendit que sa mère et son mari se mettent au lit pour le rejoindre.

—Toi aussi, tu as besoin de dormir, frérot.

—Pas tant que papa est souffrant.

—Ça ne lui apporte rien que tu restes debout.

—Tu te trompes, Luce. Si personne d'autre ne prie pour lui dans cette maison, moi, je vais le faire. Papa mérite bien que je sacrifie quelques heures de sommeil pour sa guérison.

—Bon! Si tu crois que tes prières vont le secourir, je ne te forcerai pas à te reposer. La seule chose qui m'inquiète un peu, c'est que tu ne sois pas en forme pour aider maman demain.

—Je n'irai pas à l'hôpital avec vous trois, je…

Un sanglot coupa sa voix.

—Tu veux me dire pourquoi?

—Parce que j'ai assez d'avoir un papa vieux… que je risque de perdre à chaque jour, sans le voir blessé en plus! Tu sais, pour tes enfants aussi, ça va être triste de s'apercevoir un jour que leur papa pourrait être leur grand-père.

Luce ne put retenir ses larmes. Elle porta son bras au cou de son jeune frère et tenta de le consoler.

—Ne parle pas comme ça, mon p'tit homme. Je sais que notre papa est âgé, mais c'est le meilleur père au monde! C'est l'amour qui compte, René-Flavien, pas l'âge. Regarde maman. Elle est heureuse avec notre vieux père.

Une entente fut prise à l'effet que Luce, Pierre et Angélique rapportent le lendemain des nouvelles du Dr Lajus pendant que René-Flavien resterait à la maison. À lui ensuite de décider d'une visite à son père dans les jours suivants.

Emmitouflée sous les couvertures frisquettes, Luce espérait trouver un peu de chaleur dans les bras de son mari, mais il avait déjà eu le temps de s'endormir. Dans l'obscurité profonde de la chambre, elle perçut la cause du déplaisir que ses deux frères avaient manifesté dès l'annonce de son mariage avec un homme de dix-sept ans son aîné. «Ils ont boudé mon mariage avec Pierre parce qu'ils ne savent pas que cet homme a la robustesse pour vivre encore vingt-cinq ans… même s'il se plaint souvent de divers petits bobos. Papa a toujours dit que les gens d'apparence fragile enterraient les costauds. Je ne crains pas pour sa santé», se persuada la future maman, que la grossesse avait déjà entraînée à l'endurance.

Au petit matin, elle ne tarda pas à rejoindre sa mère à la cuisine. Toutes deux affichaient des signes de fatigue.

—J'ai dû insister auprès de ton jeune frère pour qu'il monte se coucher. «Tu prieras dans ton lit», que je lui ai dit, sachant bien que le sommeil le gagnerait.

Angélique ne put masquer la crainte qui l'habitait depuis la veille.

—Si ton père le veut bien, je demanderai à mon frère d'aller le voir. Pour toutes les fois où il lui est venu en aide, ce serait à son tour de lui apporter du réconfort.

—Je croyais qu'il ne s'était pas encore remis de ses visites pastorales, notre évêque.

—J'admets que sa santé décline à vue d'œil, mais il serait encore capable de rendre visite à ton père…

—Pierre pourrait aller le chercher…

Angélique approuva.

Dans le tourbillon de sa nouvelle vie d'épouse et de future mère, Luce avait oublié le désenchantement de son oncle quant à son choix d'épouser Pierre Bédard. Les aspirations de ces deux hommes: des plus dissonantes. L'un chérissait la France pour les prêtres qu'elle déléguait au Canada, l'autre vénérait les institutions britanniques. De plus, Mgr Hubert nourrissait une méfiance viscérale à l'égard des familles d'origine protestante, dont les Bédard. Sous-estimait-il les affres que les troupes armées du cardinal de Richelieu avaient fait endurer à leur ancêtre Isaac Bédard et à sa famille, lors du siège de La Rochelle? Pierre, dont l'esprit critique et la résistance aux pouvoirs établis étaient reconnus, l'en soupçonnait, en tout cas. Luce n'avait jamais été mise au parfum de ce dissentiment entre son mari et son oncle.

Très attentionné à l'égard d'Angélique, car plein d'estime pour son mari, le noble chirurgien, Pierre s'était empressé de préparer l'attelage après le déjeuner. Tel qu'annoncé, René-Flavien était demeuré au lit.

À l'Hôtel-Dieu, côte du Palais, une religieuse de la communauté des Augustines de la Miséricorde de Jésus les accueillit avec une courtoisie digne des services rendus par le Dr Lajus dans cet hôpital.

—Chambre 267, leur indiqua-t-elle.

Les trois visiteurs empruntèrent le long couloir au plancher miroitant sans émettre la moindre parole. Ils hésitèrent à l'approche du 267. Le couple Bédard céda le pas à Angélique, qui se figea d'effroi. Au tour de Luce de mettre un pied dans l'embrasure de la chambre.

—Où est-il?… Il n'y a personne dans le lit!

—La sœur a dû se tromper de numéro, supposa Pierre, qui partit aussitôt en quête d'information.

Les deux femmes attendirent son retour dans la présumée chambre de François.

—C'est bien la chambre de M. Lajus. Il serait en salle d'opération depuis près d'une heure, me dit-on. La sœur soutient qu'elle n'est pas autorisée à nous en dire plus, mais elle nous recommande de rester confiants.

Pierre invita sa belle-mère à s'asseoir dans la chaise placée dans un coin de la chambre.

—Je vais en chercher une autre pour Luce.

Ce geste réconforta Angélique, dont les doutes concernant les qualités d'époux et de père de famille de Pierre Bédard, cet avocat-député-politicien acharné, s'estompaient au fil des événements. Le témoignage de toute la famille Bédard selon lequel Pierre avait toujours été exemplaire dans les soins prodigués à sa mère, éprouvée par une longue maladie, y contribuait aussi.

Les minutes se succédaient à pas de tortue. L'inquiétude, jointe au manque de sommeil, eut raison de la résistance de la future maman, qui dut s'allonger dans le lit réservé à son père. Pierre multipliait les allers-retours entre la chambre et le poste de garde.

—On nous le ramène enfin! annonça-t-il.

Luce s'empressa de libérer le lit.

—Vas-y doucement, ma poupée! recommanda son mari.

« Sa poupée?! Ou il la considère fragile, ou il la trouve capricieuse. C'est possible, compte tenu du confort dans lequel elle a grandi... »

—Il est encore un peu somnolent, expliqua l'infirmière, mais tout s'est bien passé. Son bras est soigné, son épaule aussi, mais on ne le transportera pas dans son lit aujourd'hui. Il faut éviter de le déplacer pour les quarante-huit prochaines heures.

Angélique s'approcha de François, caressa son front avec une tendresse à fleur de peau. Luce prit sa main, y déposa tout plein de baisers arrosés de larmes insoumises.

—Bravo, monsieur Lajus! Vous êtes d'une résistance exceptionnelle. Je vais en témoigner dans tout le Québec! s'exclama Pierre Bédard, debout au pied de la civière.

D'une voix lézardée, le malade articula faiblement:

—Mer… ci, Pi… erre.

Au prix de nombreux efforts, il parvint à lever les paupières pour diriger un regard affectueux vers son épouse et sa fille.

—Aimeriez-vous qu'on vous laisse reposer? demanda Luce.

La réponse se fit attendre. Enfin, d'un signe de la tête, François acquiesça.

La famille quitta la chambre, non sans s'assurer qu'une infirmière veillait sur lui religieusement.

—Comptez sur nous, leur recommanda la directrice du service. M. Lajus sort d'un choc nerveux, moins facile à guérir que ses deux fractures. Revenez le voir demain, il sera plus en mesure d'apprécier votre présence.

* * *

La durée de l'hospitalisation fut abrégée, le Dr Lajus ayant promis de respecter les recommandations de son collègue médecin.

Le bonheur de voir revenir son mari à la maison fut, hélas, rapidement éclipsé par l'inquiétude et l'impuissance. Maussade et laconique comme Angélique ne l'avait jamais vu, François Lajus était devenu un fardeau. De plus, sans en donner les motifs, il exigeait que son épouse le laisse dormir seul avec sa mallette, posée bien en vue dans sa chambre.

—C'est pire que s'il était décédé, confia Angélique à Mgr Hubert.

—Le bon Dieu te prépare à cette éventualité, ma chère petite sœur. À son âge et avec le train de vie qu'il a mené, c'est déjà beau qu'il soit encore de ce monde.

—Qu'est-ce que tu sous-entends par « son train de vie » ?

—Deux responsabilités paradoxales... auxquelles il aurait déjà dû renoncer : la délivrance en tant que chirurgien, la condamnation en tant qu'inspecteur.

—Qu'il exerce l'une ou l'autre tâche, c'est toujours avec le même dévouement, rétorqua Angélique, vexée par le reproche voilé de son frère.

—Sauf que, comme inspecteur, il a enlevé le pain de la bouche de certains enfants. Il aurait pu se montrer plus tolérant pour certains pères de famille... Ceux qui ont voulu soigner les malades sans avoir reçu la même formation que ton mari n'étaient pas tous mal intentionnés. Même que certains d'entre eux ont sauvé des vies.

—D'autres ont causé la mort, mon cher Jean-François. Mon mari en fut le témoin plus d'une fois !

L'évêque hocha la tête et pinça les lèvres comme s'il avait reçu des révélations qu'il ne pouvait partager.

—Je ne saurais trop vous recommander la vigilance, à toi et à ta famille.

Troublée, Angélique prit congé de son frère en lui envoyant une réplique acidulée :

—J'espère, mon cher frère, que le bien-être des membres de ta famille passe avant celui d'étrangers, si infortunés soient-ils.

*   *   *

Le dégel d'avril avait remis le Dr Lajus sur la route de l'Hôtel-Dieu.

—Envoie René-Flavien m'avertir dès que Luce entre en travail, avait-il sommé son épouse.

Sitôt les ennuis causés par l'agression de février balayés derrière eux, les Lajus s'étaient préoccupés de la santé de la future maman et de son enfant. Un léger retard n'était pas exceptionnel dans le cas d'un premier accouchement, mais celui de Luce avait dépassé les deux semaines, aux dires de son père.

—Elle a eu une si belle grossesse… À moins que, dans son cas, tu te sois trompé, François, émit Angélique, loin d'imaginer que ce doute pût vexer le noble chirurgien.

—C'est ça! Dis donc que je suis devenu trop vieux pour porter un bon jugement.

À cause de la taille critique du fœtus, des malaises de la jeune maman, de ses nuits blanches, des nombreuses absences de son mari, le Dr Lajus aurait passé ses journées à ses côtés si elle ne s'y était pas objectée.

Ce jour-là, prise de la fièvre du printemps, Luce s'offrit une longue marche, humant la tiédeur des champs dégagés de leurs lourds manteaux blancs.

—C'est pour toi, cette bonne bouffée d'air, mon bébé d'amour, dit-elle penchée vers son ventre.

Puis, se tournant vers les terres qui s'offraient aux labours :

—Comme nous nous ressemblons, vous et moi ! Sauf que vous êtes sur le point de recevoir la semence, alors que moi je vais bientôt en livrer le fruit.

Les sillons tracés l'automne précédent dessinaient de longues lignes d'un bout à l'autre du terrain. Les unes sinueuses ; les autres, droites comme un fil d'acier. Les merles moqueurs, de leurs chants divins, signifiaient leur enthousiasme à bâtir un nid pour y déposer leurs œufs sur le point d'éclore. Luce s'amusait à les observer quand une vive douleur au ventre la cloua sur place. Elle se recroquevilla sur le bord de la route de terre battue. « Mon Dieu ! Pas tout de suite, mon petit ! Attends que je retourne à la maison », le supplia-t-elle, se berçant pour apaiser sa douleur. Après une quinzaine de minutes, elle crut pouvoir reprendre sa marche, cette fois en direction de la maison. Elle s'en était éloignée durant plus d'une demi-heure, évalua-t-elle.

—Accroche-toi bien, mon trésor. Tu sais que ton grand-papa Lajus veut être le premier à prendre ta petite tête entre ses mains et à te dégager de ta cachette.

Pour ça, il faut se rendre rue Sainte-Famille, à notre… »

Une autre crampe abdominale la tenailla. Plus déchirante que la première, elle lui fit pousser une lamentation et la força à s'accroupir sur le bord du fossé. Pour tromper sa douleur, Luce accrocha son regard à la source qui coulait près d'elle, offrant une eau de cristal. Un charretier passa.

—Vous avez besoin d'aide, ma p'tite dame?

L'homme descendit de sa charrette et s'approcha de Luce.

—Vous allez pas faire ça ici! J'vas vous monter dans ma waguine.

—Non. C'est mieux que je ne bouge pas… pour le moment. Mon bébé pourrait sortir…

—OK! Restez là. Je m'en vas la chercher la Sauvagesse : elle a l'habitude de faire ce genre de chose.

Luce demeura prostrée, clouée sur place, chargée d'appréhension.

Les minutes s'égrenaient avec langueur. Enfin, la charrette réapparut, une Huronne à son bord, un baluchon sur l'épaule. Comme si elle s'y était attendue! Elle recommanda à Luce de se calmer et lui fit boire une décoction de framboisier sauvage pour apaiser ses douleurs. L'aide du charretier fut requise pour transporter Luce non loin de là, dans un endroit plus discret, derrière un bosquet et tout près de la source. À elle seule, cette manipulation provoqua la rupture des membranes. La Huronne s'en réjouit. De son baluchon, elle tira une courtepointe qu'elle étendit sur le sol pour y asseoir la jeune parturiente. Elle se plaça derrière elle et la berça en fredonnant une mélodie lénifiante. Au charretier, elle tendit une serviette, lui demandant de l'imbiber d'eau et de la lui rapporter. Par précaution, elle le pria de ne pas s'éloigner, ce qu'il promit sans pouvoir dissimuler un certain malaise. La nervosité le faisait marcher sans arrêt, jetant des regards discrets vers la scène, un événement qui le troublait.

Adossée à l'opulente poitrine de la Huronne aux gestes si apaisants, Luce s'était quelque peu assoupie lorsqu'une violente secousse l'arracha à son répit. Allongée sur la couverture, elle comprit que, par ses cris rauques, l'accoucheuse lui enjoignait de pousser de toutes ses forces. Les pleurs du bébé ne tardèrent pas à couvrir ses râlements. Sur sa poitrine, un nouveau-né dodu fut déposé en attendant que, d'un coup de dents, la Huronne coupe le cordon ombilical. Luce vit qu'elle avait enfanté un garçon. Une admiration qui se passait de mots irradiait sur le visage de la charmante accoucheuse.

Le placenta expulsé, elle l'enterra entre le bosquet et la source, cassa une branche au feuillage vert et la planta dans la terre qui le recouvrait.

Le nouveau-né emmailloté et sa maman rafraîchie furent couchés sur les sacs d'avoine qui tapissaient le fond de la waguine. La Sauvagesse refusa d'y monter, préférant retourner chez elle à pied. Les gestes de reconnaissance de Luce furent éloquents. Avant de les quitter, la Huronne caressa le dos de l'enfant de sa robuste main de soignante. Un large sourire démontrait sa satisfaction.

À la demande de Luce, le charretier se rendit au domicile des Lajus.

Angélique crut voir arriver son mari : «Il revient bien de bonne heure, aujourd'hui…» Le *toc-toc* sur la porte lui fit échapper son tricot.

—Qui êtes-vous ? demanda-t-elle, méfiante.

—Je vous ramène votre fille et…

Angélique écarta le charretier de son chemin et dévala l'escalier.

—Ma pauvre fille ! Qu'est-ce qui t'est arrivé ?

Le regard de Luce eut tôt fait de la rassurer.

—Il est sauvé, ton bébé ! *Deo gratias!* s'écria Angélique en cueillant le nourrisson des bras de sa mère.

Le charretier se chargea d'aider Luce à descendre de la voiture.

—Je n'ai pas pensé de vous dire mon nom : Luce Lajus Bédard. Quel est le vôtre, monsieur ?

—Arthur Thibault.

—Thibault ! Mais c'était le nom de famille de ma belle-mère, l'épouse de Pierre-Stanislas Bédard, le boulanger de Charlesbourg ! Vous le connaissez ?

—Comme ci, comme ça, répondit l'homme, semblant soudain pressé de reprendre la route.

—Mille mercis, monsieur Thibault ! cria Angélique.

«C'est étonnant qu'il ait changé d'air tout d'un coup. Comme s'il avait eu quelque chose à cacher. Je vais en parler à mon mari. Peut-être qu'il le connaît…», présupposa Luce, se gardant bien de révéler ses soupçons à sa mère.

Au domicile familial, la jeune maman et son bébé furent installés dans son ancienne chambre. Il convenait aussi qu'elle fut sommée de garder le lit pour quelques jours. Sa mère lui apporta une robe de nuit propre et, pour le nouveau-né, des langes qu'elle avait confectionnés sitôt le mariage annoncé. Suivirent des moments de bonheur indescriptible devant le petit être, pour qui maman et grand-maman jouaient à trouver un prénom.

—Si « Pierre » en faisait partie, ça aiderait son père à patienter jusqu'au prochain bébé pour avoir une fille. Et ça lui ferait si plaisir…, suggéra Luce.

—Tes douleurs ne t'ont pas fait renoncer à avoir d'autres enfants ?

—Oh, non ! J'espère que je n'aurai pas autant de difficultés que Mme Bédard à garder mes filles. Sur les cinq qu'elle a portées et mises au monde, une seule s'est rendue à douze ans, la petite Marie-Josèphe. Mon pauvre Pierre se souvient de la peine qu'il a eue à la mort de sa petite sœur d'un an et demi, puis à celle de Marguerite, qui n'avait que huit ans, et plus encore à celle de Marie-Anne, six semaines après sa naissance. Il en a toujours les larmes aux yeux quand il évoque ces épreuves.

—C'est un grand sensible, ton Pierre.

—Oh, oui ! Vous savez, il gagne à être connu…

Une crampe abdominale lui coupa le souffle. Le souvenir d'histoires de femmes mortes en couches la saisit d'effroi. Un frisson la secoua. Des sanglots s'échappèrent de sa bouche. Chamboulée, Angélique s'approcha. Luce ramena son bébé sa poitrine.

—S'il fallait que je meure aujourd'hui, j'aimerais mieux t'emporter avec moi, lui murmura-t-elle.

—C'est la fatigue qui te fait délirer, ma pauvre fille. Ton père est sur le point d'arriver. Il va s'assurer que tout a été bien fait…

La porte claqua avant qu'Angélique eût terminé sa phrase. Elle accourut vers François et, avec une extrême prudence, elle lui fit un résumé des circonstances de la naissance de son premier petit-fils. Le Dr Lajus déplora ne pas avoir suivi son instinct. À l'heure du dîner, habité par un étrange sentiment d'urgence, il avait résisté à l'envie de se rendre sur la rue Sainte-Famille.

—Elle dort?

—Non. Elle t'attend.

Sur la pointe des pieds, il s'approcha du lit d'où Luce lui tendait les bras. L'émotion les enveloppa, les souda l'un à l'autre. « Elle est un peu fiévreuse », perçut-il sans s'affoler.

—Montre-moi ce jeune costaud, réclama-t-il en dégageant le visage du nourrisson à l'épaisse chevelure, aux joues rondelettes et aux mains potelées.

Le grand-papa le serra dans ses bras et, « réflexe naturel », se dit-il, se berça en fredonnant un air festif que Luce reconnut: *La bonne aventure ô gué*. Les paroles revenaient à sa mémoire avec une fluidité et un adon inouïs:

Je suis un petit poupon
De bonne figure
Qui aime bien les bonbons
Et les confitures
Si vous voulez m'en donner,
Je saurai bien les manger
La bonne aventure ô gué,
La bonne aventure

Lorsque les petits garçons
Sont gentils et sages
On leur donne des bonbons
De belles images
Mais quand ils se font gronder
C'est le fouet qu'il faut donner
La triste aventure ô gué
La triste aventure

Je serai sage et bien bon
Pour plaire à ma mère
Je saurai bien ma leçon
Pour plaire à mon père
Je veux bien les contenter
Et s'ils veulent m'embrasser,
La bonne aventure ô gué
La bonne aventure

Amusés par les paroles charmeuses de cette chanson, père et fille savouraient ces précieux moments.

Ces quelques minutes de pure tendresse furent vite balayées par les préoccupations du chirurgien.

Il tint à s'assurer que rien n'avait été négligé pendant et après l'accouchement, et pour cause : les sauvagesses accoucheuses ne jouissaient pas toutes d'une parfaite réputation. Certaines d'entre elles comptaient même au nombre des charlatans que le Dr Lajus pourchassait. Mais, une fois l'examen médical terminé, François reconnut que celle qui avait accouché sa fille était irréprochable.

—Qui vous a ramenés ici ? voulut-il savoir.

—Un dénommé Thibault.

—Son prénom ?

Luce fronça les sourcils, feignant de ne pas s'en souvenir.

—Essaie de dormir, maintenant. Je ne travaillerai pas à l'hôpital tant que ton fils et toi ne me causerez plus aucun souci.

Angélique l'attendait dans la cuisine. Il ne tarda pas à s'enquérir du nom du charretier. Elle aussi avait oublié son prénom.

—Essaie de t'en souvenir, insista-t-il.

—Pourquoi t'acharnes-tu sur ce détail ?

François lissa les quelques mèches de cheveux qui lui couvraient le crâne. Ses pas saccadés d'un bout à l'autre de la cuisine révélaient une nervosité inhabituelle.

—Qu'est-ce qui t'inquiète comme ça, François ?

—Cet homme mérite une récompense, justifia-t-il enfin, avec une maladresse criante.

Angélique, n'y comprenant rien, le ramena à l'événement du jour.

—Si notre petit-fils s'est fait attendre, il ne semble pas en avoir été affecté.

—Il était peut-être juste à terme. Il m'arrive de me tromper dans ces cas-là, confessa le médecin, qui énuméra un certain nombre d'erreurs commises dans ces pronostics.

L'apparition tardive de Pierre Bédard avait inquiété toute la maisonnée. Était-il fatigué, contrarié, tendu? À son arrivée, étonnamment, il ne se précipita pas dans la chambre où Luce l'attendait. Il se tira une chaise, s'accouda à la table et nicha sa tête entre ses deux mains. Un soupir plaintif s'échappa de sa bouche. Le couple Lajus l'observait, doutant de la pertinence de quelque propos que ce soit.

—Je pensais devenir fou d'inquiétude. J'ai cherché ma femme tout l'après-midi… Dans toute ma parenté, chez Mgr Hubert, même. Je ne suis pas venu ici, de peur de vous causer des inquiétudes inutiles. J'ai même eu peur que quelqu'un de mal intentionné l'ait attaquée.

—L'attaquer? Comme ça, sans aucune raison? s'étonna Angélique.

—Par vengeance, peut-être.

—Pour venger qui? De quoi?

François Lajus ne cacha pas son indignation en apprenant que de telles suspicions venaient ternir l'allégresse d'une naissance attendue.

—Excusez-moi, monsieur Lajus! Y a de ces métiers qui vous empoisonnent la vie avec leur lot de doutes, de méfiance. Comment va notre chère Luce?

D'un geste de la main, François lui désigna la chambre où la jeune épouse se reposait. La flamme d'une lanterne dessinait un halo autour de la chevelure cuivrée de la jeune maman… assoupie. La porte refermée derrière lui, Pierre se pencha sur le lit où commençait sa nouvelle vie. Luce respirait la sérénité. Au creux de son coude, la tête posée sur son sein : l'enfant qu'elle offrait à celui qu'elle avait épousé dix mois passés. Pierre lui reconnut la généreuse tignasse des Bédard et le teint des Lajus. Avec des gestes mesurés, il souleva un coin de layette. « Ce petit visage pourrait être autant celui d'une fille que d'un garçon. Et si on m'avait joué un tour ? »

Il voulut explorer davantage quand Luce marmonna :

—Qui est-ce ?

La main de son époux se posa sur son front. Luce la lui saisit et la porta sur la tête de leur fils.

—Tu es le papa d'un beau garçon, mon chéri.

Ce moment de profonde émotion ne fut coupé que par une question de la jeune maman :

—Tu as pensé au nom qu'on lui donnerait ?

—Pierre-Hospice, peut-être, hésita-t-il, à peine.

—Je suis bien d'accord pour qu'il poursuive la tradition des Bédard, mais Hospice !…

—Si tu m'avais donné une fille, j'aurais voulu qu'elle porte le nom de ma chère maman. Comme c'est un garçon, j'aimerais qu'il honore la grande ferveur qu'elle vouait à saint Hospice.

—Qu'a-t-il fait de si méritoire ?

—Maman m'a plusieurs fois raconté qu'il vivait en ermite dans une tour en ruine, qu'il se sacrifiait pour ramener la société dans le bon chemin. Comme il aurait fait plusieurs guérisons miraculeuses, elle espérait qu'il en fasse une pour elle.

—Elle n'a pas été exaucée…

—Peut-être que c'est grâce à ce saint qu'elle a pu se rendre à cinquante-sept ans.

Puis vint le moment tant attendu où Pierre sortit de la chambre, son poupon dans les bras. Sans le quitter du regard, il annonça son prénom au couple Lajus.

—Pierre-Hospice! Pourquoi pas François-Pierre, si on veut être justes? lança le grand-papa, manifestement déçu.

—Vous aurez l'occasion de vous reprendre. On en aura d'autres, des enfants.

—Je vous le souhaite, mais rien n'est moins sûr, parole de médecin.

De toute évidence, le docteur avait les nerfs à fleur de peau, ce soir-là.

De sa chambre, témoin de cette petite brouille, Luce pleurait. « Mon Dieu! Il ne faudrait pas que papa prenne mon mari en grippe. Ça me rendrait si malheureuse! »

CHAPITRE III

Jean-François Hubert n'était plus.

Il n'avait pu baptiser le fils de Luce, ses problèmes pulmonaires le condamnant à demeurer alité. Hospitalisé à plusieurs reprises au cours des six derniers mois, exténué et gravement malade, il avait dû démissionner de son poste d'évêque avant d'atteindre la soixantaine.

—Il était plus mal en point qu'on ne l'aurait cru, conclut sa sœur endeuillée.

—C'est ce qui pourrait expliquer la tristesse dans son regard et la langueur de ses gestes quand je suis allée lui présenter notre fils.

—Il savait probablement que ces jours étaient comptés, répliqua Angélique des sanglots dans la voix.

Puis elle invita sa fille à remercier le Ciel pour tout le dévouement que son oncle avait mis au service de l'Église.

—Dommage que tu ne puisses pas assister aux funérailles! Mais je comprends qu'un bébé de cinq mois pourrait être dérangeant pour les dignitaires lors d'une cérémonie aussi protocolaire.

Dans tous les salons et les lieux publics, on causait de sa vie et de sa mort. Certains propos vinrent aux oreilles de Luce, qui s'en indignait.

—Je suis fatiguée de toutes ces croyances et de tous ces dictons qui, à vous entendre, décideraient de notre vie. Comme si, chaque fois qu'un enfant naît, quelqu'un de la parenté devrait mourir pour lui laisser la place! Comme si la terre n'était pas assez grande pour recevoir des millions de nouveau-nés!

—On nous le répète depuis des générations et on l'a constaté trop de fois pour ne pas y croire un peu, rétorqua Angélique, très affectée par la perte de son frère et confident.

—Un peu plus et vous tiendriez mon petit homme responsable de la mort de mon oncle! Vous voyez bien que ça n'a pas de sens, maman.

—Tu as raison. On rejetterait ces dictons si on se donnait la peine d'y réfléchir.

Angélique cria à l'injustice devant le peu de reconnaissance accordé à Mgr Hubert, ce défenseur des droits des pauvres et des immigrants. Des passages de ses prédications revenaient à sa mémoire : « Qu'on se défasse d'un certain préjugé social, qu'on considère les choses sur un point de vue plus étendu et plus libéral ; qu'on préfère le bien général de la religion à des vues particulières d'intérêt, et on n'aura plus tant de griefs pour des étrangers qui recherchent une retraite utile et honorable. »

— Il a dû déplaire au clergé et à certains fidèles, supposa Luce.

En effet, Pierre Bédard, ancien élève du Petit Séminaire de Québec, se montrait plus passionné pour le droit et les mathématiques que pour la pratique religieuse.

Sur nombre de points, les deux hommes avaient toujours divergé d'opinions, et ils ne s'en étaient pas cachés. L'un était attaché à la France pour lui avoir envoyé des prêtres, l'autre à l'Angleterre qui, en 1791, avait accordé aux Canadiens français le droit de se gouverner, de faire leurs lois et de les appliquer. D'où des prises de bec inoubliables entre les deux militants lors de certaines réunions familiales. Leur seul point de concorde : l'usage de la langue française dans les documents législatifs, mais le député y ajoutait un bémol. En Chambre, Pierre avait lancé : « Si le conquis doit parler la langue du conquérant, alors pourquoi les Anglais ne parlent-ils plus le normand ? Ont-ils oublié que les Normands se rendirent maîtres de leur île et y ont fait souche ? Il en est ainsi des États-Unis d'Amérique, où l'anglais domine, et pourtant, ils se sont révoltés contre l'Angleterre. Ce serait donc ridicule de vouloir faire consister la loyauté d'un peuple uniquement dans sa langue. »

Sur ce, faisant écho à l'opinion publique, Mgr Hubert l'avait félicité. Pierre lui en gardait une reconnaissance d'autant plus vive que les deux hommes ne se revirent qu'à l'Hôpital général, où l'évêque décéda peu après y être entré.

Après de somptueuses funérailles, Jean-François Hubert fut inhumé dans le chœur de la cathédrale, auprès de Mgr Briand.

Luce côtoya sa mère plus régulièrement dans les semaines qui suivirent.

La naissance de son premier bébé avait été une source de bonheur indescriptible pour Luce. Fort et d'un caractère agréable, cet enfant était chéri par les familles Lajus et Bédard, ce qui, croyait-elle, compensait les absences de Pierre. À Angélique qui s'en était inquiétée, elle avait répliqué :

—Loin de m'en plaindre, j'ai du plaisir à penser qu'il me laisse notre fils à moi toute seule. Quand il arrive, je m'amuse à le faire languir avant de le laisser s'en approcher. Je me dis que ce pourrait être une façon de favoriser son attachement à notre bébé, même si ce n'est pas une fille.

Sous un sourire complaisant, Angélique dissimulait ses doutes. « Est-ce normal de devoir stimuler l'affection d'un père pour son enfant ? » Luce le ressentit, mais elle ne souhaitait pas en discuter.

Leurs rencontres familiales se déroulaient entre le milieu de la matinée et la fin de l'après-midi, de préférence chez les Lajus. On voulait s'assurer que le docteur ne subisse pas d'autres agressions, et on envoyait quelqu'un à sa rencontre dès que son retour à la maison se faisait attendre. Mais, avec l'arrivée de l'hiver, ce fut au tour d'Angélique de se rendre chez le couple Bédard. Luce n'aimait pas trop faire sortir son bambin de six mois au grand froid. Elle confia également ressentir une fatigue constante depuis l'automne.

—C'est probablement à cause du bébé que tu portes, devina Angélique, même si sa fille n'avait encore soufflé mot de sa deuxième grossesse.

Luce hocha la tête, puis avoua qu'elle aurait préféré se consacrer entièrement à son fils aîné jusqu'à ses deux ans.

—Par contre, si c'est une fille, aussi bien qu'elle arrive sans tarder : son père en sera si heureux !

—Ton père le sait-il ?

—Non.

—Il faut lui en parler.

—Je devrai lui cacher quelque chose…

Inquiète, Angélique pressa Luce de s'expliquer.

—Papa ne serait pas content d'apprendre que je consulte l'Indienne qui m'a accouchée de Pierre-Hospice.

—Mon Dieu, non !

—Tu n'as pas eu recours au dénommé Thibault pour la retrouver, j'espère ?

—Bien non, je sais où elle habite.

—À moi, ta mère, tu peux dire ce qu'elle te fait prendre.

—Des tisanes de framboisier et de la sauge…

—… qui serviraient à quoi ?

—La feuille de framboisier tonifierait la matrice et rendrait l'accouchement beaucoup plus facile. Il faut continuer d'en prendre après, pour que la guérison soit rapide et notre lait, plus riche. Puis la sauge serait conseillée à tout le monde. Vous connaissez le proverbe qui dit : « Qui a de la sauge dans son jardin n'a pas besoin d'un médecin » ?

—Si ton père t'entendait !…

—Vous garderez le secret, maman, n'est-ce pas ?

—J'essaierai. Mais ça ne risque pas de précipiter ton accouchement, ces potions-là ?

—Nombre de femmes en prennent depuis des années, et elles mettent au monde de beaux bébés. Sans problème.

—Je n'aime pas bien ça…

* * *

Était-ce la nervosité créée par les craintes de sa mère, la fatigue causée par les réceptions du temps des fêtes ou la médecine huronne qui provoqua une fausse couche chez Luce ? La tristesse du couple Bédard était d'autant plus profonde qu'enfin, Pierre aurait eu sa fille. Le Dr Lajus, alerté, jugea qu'un fœtus si bien formé avait autour de six mois. À sa peine s'ajoutait une incompréhension totale du drame. Il avait examiné cette petite fille de la tête aux pieds, et elle ne présentait aucune anomalie apparente. Fidèle aux coutumes, Pierre oint sa fille et, avant qu'elle soit enterrée dans la fosse de Marie-Josephte Bédard, il insista pour la langer et la porter sur son cœur, le temps d'assouvir son chagrin.

À la dérobée, Angélique et Luce échangeaient des regards éloquents. L'une et l'autre fuyaient les questionnements du Dr Lajus. Homme de flair et d'expérience, François avait l'impression de baigner en plein mystère. «Je finirai bien par y voir clair», se promit-il, tenté de jeter la faute sur l'hérédité des Bédard.

* * *

La dernière année de ce XVIIIe siècle s'amorça sous des températures glaciales. Ce froid imprégnait et le paysage, et la relation entre les deux femmes Lajus. Angélique espaçait ses visites, les écourtait et les chargeait de multiples tâches limitant ainsi les échanges à des propos d'ordre utilitaire. Après des mois de tourments intérieurs, Luce insista pour connaître la cause de ce comportement.

—Je t'avais mise en garde.

—Vous ne me pardonnez pas d'avoir écouté les conseils de la Huronne, c'est ça?

Fuyant le regard de sa fille, Angélique ne dit mot.

—Je suis sûre que ce n'est pas à cause d'elle, maman, si j'ai perdu ma fille. Je me suis informée. D'autres femmes blanches ont fait comme moi et elles n'ont eu aucun problème.

—Elles étaient peut-être plus fortes que toi… En tout cas, j'aimerais que tu me fasses une promesse.

—Ne plus suivre les conseils des sages-femmes huronnes? Très bien! On verra bien si je ferai mes neuf mois la prochaine fois…

Angélique laissa couler de ses bras l'étreinte qu'elle retenait depuis la perte de sa petite-fille.

—Prends ton temps, cette fois-ci, ma petite Luce. Tu es si jeune, lui murmura-t-elle, suppliante.

Âgé de neuf mois, Pierre-Hospice, qu'on appelait maintenant Pierrot, exigeait une surveillance constante. Costaud et aventurier, le bambin explorait la maison à quatre pattes, grimpait partout et en payait le prix de nombreuses chutes.

Depuis le deuil de sa fille, Pierre Bédard promenait son regard mélancolique sur toute sa maisonnée. Les exploits de son fils ne semblaient pas l'impressionner. Luce craignait de ne plus revoir dans les yeux de son mari cette flamme ardente, signe d'enthousiasme, de goût de vivre et de foi en l'avenir. Elle ne la retrouva qu'au soir du premier anniversaire de leur fils. Les Lajus, quelques Bédard, dont Marie-Josèphe et son frère Joseph, le cousin John Neilson et son épouse, invités à venir le célébrer, en furent témoins.

En rentrant du travail, Pierre avait escamoté ses salutations pour aller vers son fils, le porter au bout de ses bras et clamer :

—Mon p'tit homme, ton papa t'a trouvé une nouvelle maison! Plus grande! Plus belle! Pleine de lumière! Tu vas avoir beaucoup de place pour jouer!

Quel choc pour Luce! Mais il n'était pas question de freiner ce bel entrain.

Marie-Josèphe éprouvait une affection toute particulière pour ce petit homme. Jamais elle ne se lassait de s'amuser avec lui, l'aidant à faire ses premiers pas, frappant des mains à chaque réussite et riant aux éclats à chaque trébuchement. « Une vraie petite maman », se disait Luce, prédisant pour elle un mariage précoce et « une trâlée d'enfants ».

Ce rassemblement prenait des airs de retrouvailles pour ces invités, qui étaient tous présents à son mariage, deux ans auparavant. Mais l'arrivée fortuite de Joseph, établi à Montréal depuis son admission au Barreau, fit chavirer le cœur de Luce. L'allure digne mais non moins joviale de ce jeune avocat de vingt-quatre ans attirait non seulement les regards, mais les compliments aussi. La plupart des invités l'avaient vu pour la dernière fois aux funérailles de sa mère, à l'automne 1798.

—Étonnant qu'il soit encore célibataire, murmura Angélique à l'oreille de sa fille, qui dissimula son trouble derrière une moue d'indifférence.

À Pierre qui s'étonnait de le voir à la fête, Joseph répondit :

—L'occasion me permettait quelques jours de congé bien mérités !

La fête terminée, le bambin endormi, Luce se hâta de rejoindre son mari déjà bien emmitouflé dans les couvertures.

—La nouvelle maison n'est pas trop loin d'ici, j'espère ? lança-t-elle, le ton complice.

—Sur la rue St-Joseph.

—Dans la basse-ville, donc. Ça ne se fait pas à pied de chez mes parents !

—Non, mais René-Flavien pourra toujours vous voyager, toi et ta mère.

Sa tête posée sur l'épaule de son mari, Luce aurait préféré attendre au déjeuner du lendemain pour revenir sur le sujet.

—Je l'aime bien, notre maison. C'est celle de nos premières amours. Je croyais que tu l'avais choisie pour qu'on y reste longtemps…

—J'aurais dû en acheter une plus grande dès le départ. Tu es d'accord pour qu'on ait beaucoup d'enfants, n'est-ce pas?

—Ici, on pourrait en avoir trois autres sans se sentir à l'étroit, il me semble.

Pierre, contrarié, finit par avouer que, tant qu'il habiterait cette maison, il n'arriverait pas à oublier la perte de sa première fille.

—C'est gênant, mais j'ai l'impression que, sans être hantée, cette maison ne nous porte pas bonheur.

—Ben voyons! échappa Luce sur un ton aigre-doux qui vexa son mari.

Pierre lui tourna le dos, s'emmurant dans le silence. Luce ne s'était jamais résignée à s'endormir sans régler un différend.

—Pardonne-moi, mon chéri! C'est que je ne m'attendais tellement pas à ça, venant de toi… un homme si… raisonné, si logique.

—Tu vas voir que ton homme n'est pas que «raisonné» et «logique», quand on va être installés au 15 de la rue St-Joseph. Il peut être très affectueux aussi, murmura-t-il, s'offrant enfin aux caresses de sa douce.

Luce se souvint du conseil de sa mère: «Prends ton temps, cette fois-ci, ma petite Luce. Tu es si jeune.» «Ça ne veut pas dire que, cette fois, je partirais pour la famille…», pensa-t-elle, cédant à ses désirs.

Ce feu de joie se couronna par la promesse de Pierre de lui faire visiter leur future maison dans les jours suivants.

—Demain! murmura-t-elle.

Parallèle à la rue du Roi, la rue St-Joseph était en plein développement. Une belle demeure de style anglo-normand, lambrissée de planches verticales sur les côtés et de bardeaux de cèdre sur la façade, les y attendait. Luce fut impressionnée par la galerie tout autour de la maison, ses lucarnes à croupe et ses fenêtres de larges dimensions.

—Il nous restera seulement à installer un garde-fou tout le tour de la galerie pour que nos petits ne se blessent pas en tombant, suggéra Luce.

—Tu imagines, six grandes chambres! Deux enfants par chambre, sans être cordés.

—Tu prévois qu'on aura une dizaine d'enfants, toi?

—Pourquoi pas? Il t'en faudra, des filles, pour t'aider à entretenir cette grande maison-là.

—Et nos garçons, eux?

—On les fera instruire. Comme mon père l'a fait pour ses fils.

—Pas nos filles?!

—Pas besoin, Luce! Fonder une famille et prendre soin de son mari et de ses enfants, ça ne demande pas d'instruction.

—Il nous en faut pour prendre de bonnes décisions et comprendre ce qui se passe dans notre société.

—En autant que vous vous y intéressez.

—C'est le cas. Par exemple, ma mère m'a dit qu'elle était allée voter pour l'élection des députés.

—C'était un petit exercice de démocratie sans trop de conséquences : les membres des deux conseils étaient nommés par le gouverneur.

—Il fallait quand même que celles qui ont voté soient un peu informées pour choisir le bon candidat !

—La plupart du temps, leur mari leur dit pour qui voter.

—Je trouve ça révoltant qu'on se fasse dicter ainsi notre façon de faire. Je te préviens, Pierre, je n'accepterais pas que tu le fasses avec moi.

—Tu es une femme particulièrement intelligente et très débrouillarde, Luce. Ce qui n'est pas le cas de la majorité des mères de famille.

—Je ne suis pas instruite comme je l'aurais souhaité. J'aurais aimé apprendre à écrire de beaux livres d'histoires qu'on aurait publiés. Comme les écrivains français l'ont fait. Mais non. Tant que les autorités religieuses et royales considéreront que l'instruction est dangereuse et que les maîtres ambulants ne doivent s'intéresser qu'aux garçons, nous, les femmes, en sommes réduites à nous débrouiller seules pour apprendre autre chose que les services à la famille.

Pierre secoua la tête, l'air grognon.

Comme toutes les filles de la petite bourgeoisie, Luce avait appris de son entourage que son premier devoir consistait à pratiquer les valeurs morales chrétiennes. Au couvent, les religieuses lui avaient enseigné à écrire et à discourir sur divers sujets, mais elle devait se montrer modeste en société. En matière d'arts, elle devait se limiter à la musique, à la broderie et au dessin.

—Ce qui m'a toujours chiffonnée, c'est qu'on nous impose d'épouser un homme de notre rang, et surtout, de travailler à dorer sa réputation.

—Ça va de soi, il me semble, rétorqua Pierre. Nous, les hommes, sommes au front, mais c'est vous, les femmes, qui nous formez à occuper cette position avec honneur.

En effet, les écoles d'arts et métiers existaient depuis un siècle, mais elles ne dispensaient que des cours de maçonnerie, de menuiserie, de cordonnerie et d'autres travaux manuels. L'école de mathématiques et d'hydrographie, fondée par les Jésuites dans la même période, dispensait l'enseignement de ces deux matières seulement.

—C'est dommage que la majorité de nos habitants soient occupés aux travaux agricoles ou forestiers. Carleton a bien essayé de rehausser leur niveau d'instruction ; il a même prévu un financement pour nos écoles, mais on dirait que ça n'intéresse que peu de jeunes hommes, déplora Pierre.

—Mon père a toujours dit que ces beaux discours n'étaient qu'un moyen déguisé pour mieux nous assimiler.

—N'empêche que beaucoup plus d'enfants y auraient appris la lecture, les mathématiques et combien d'autres disciplines. Il a été question d'une université d'État aussi. Ton oncle a été un des premiers à s'y opposer…

—On peut le comprendre : il ne voulait pas d'une université qui ne soit pas catholique.

—Pendant que la chicane dure entre les autorités britanniques et le clergé, notre peuple reste ignorant.

—Pas tout le monde, Pierre. Dans ma famille comme dans la tienne, plusieurs sont instruits. Puis, moi, je sais que j'aurais du talent…

—Tu peux toujours composer des textes quand tu as du temps libre.

—Des textes qui vont servir à quoi ?

—Si tu développais des connaissances en histoire et en politique, tu pourrais peut-être publier des chroniques… écrire des discours pour des événements publics.

—Ce n'est pas ce genre d'écriture qui m'intéresse. J'aimerais écrire sur ce qui se passe dans le cœur des gens.

—Ma pauvre chérie, ça me semble du temps perdu.

Luce se tut. Son attention se porta sur son bambin endormi dans ses bras. « J'aimerais que tu deviennes médecin, mon p'tit homme, comme ton grand-papa Lajus. Mais je n'accepterais pas que tu sois examinateur : c'est trop dangereux. Un jour, je te raconterai tout ce qui lui est arrivé pour avoir dénoncé les charlatans. Ton papa le sait, lui. En plus de son travail d'avocat et de député, il cherche les méchants qui nous ont fait du mal. Ils vont être punis. »

—Tu es bien triste tout à coup, ma belle Luce. Tu m'as dit que tu l'aimais, pourtant, notre future maison.

—Elle est déjà à nous ?

—Depuis une semaine, oui.

—J'aurais aimé que tu m'en parles avant de l'acheter.

—Ça aussi, c'est une affaire d'hommes.

—On n'est pas obligés de faire comme tout le monde. Je trouverais normal qu'on prenne les décisions ensemble, d'autant plus que tu as dû la payer avec une bonne partie de ma dot.

La remarque, incontestable, n'en blessa pas moins Pierre, qui aurait souhaité ne plus jamais être humilié par ses maigres ressources financières. Il s'en tint à un haussement de sourcil pour ne pas engendrer une dispute. Faire diversion lui sembla judicieux.

—Bon, il faut que j'aille m'occuper de régler la pénurie d'écoles pour nos enfants canadiens-français, moi !

De fait, les quatre mille francophones ne bénéficiaient que d'une école, alors que la population anglophone en comptait une par cinq cents habitants.

—Je comprends qu'ils en voudraient plus.

—Les plus instruits, oui. Mais les autres ne voient pas beaucoup d'intérêt à envoyer leurs enfants à l'école. Sachant bien que les carrières intéressantes leur seront refusées, ils préfèrent les entraîner jeunes à des travaux manuels. Puis, comme ce sont les autorités britanniques qui contrôlent les budgets accordés à l'éducation, elles privilégient forcément les anglophones.

Toujours mal à l'aise avec cette querelle des langues, Luce demeura pensive.

—Il me semble que mon oncle Jean-François était en faveur des études poussées, fit-elle remarquer.

—Oui et non. C'est lui qui a fait échouer le projet d'université d'État, tu t'en souviens ?

—Il m'a déjà expliqué son inquiétude face à une université mixte. Pas sûre qu'elle aurait respecté autant les droits des francophones que ceux des anglophones !

—Il voulait surtout s'assurer de jouer un rôle important dans les nominations et les règlements, lança Pierre, se dirigeant vers la sortie, manifestement désireux d'en finir avec cette conversation.

En effet, sans dire non au projet, l'évêque Hubert avait proposé plutôt de soutenir les institutions déjà établies. Il avait même allégué que le collège des Jésuites, abandonné entre les mains de la garnison, pourrait être transformé en université, et se financer à même les fonds appartenant aux Jésuites. Au jugement de Mgr Hubert, ce collège allait de droit au peuple canadien et, de ce fait, devrait être placé sous l'autorité de l'évêque de Québec.

Luce mesurait de plus en plus l'écart entre sa compréhension des questions sociopolitiques et celle de son mari. Quiconque s'engageait en politique devait-il le faire au détriment de sa famille ? Auprès de qui s'informer? Elle ne fréquentait ni les parlementaires ni leurs épouses. Pierre demeurait la seule personne qui pouvait l'éclairer. Mais serait-il objectif au sujet de l'équilibre à maintenir entre responsabilités familiales et devoirs de représentant des élus?

Le moment de revenir à ces questions se profila un matin de décembre 1798. Une tempête balayant la ville de Québec, Pierre ne put sortir de chez lui. Planté devant la fenêtre de l'entrée, les mains dans les poches, il se balançait sans répit des talons aux orteils en ronchonnant. Étrivée, Luce tenta de le distraire.

—Savais-tu, Pierre, que beaucoup de gens croient qu'un homme politique ne peut pas être un bon père de famille?

La question le saisit.

—J'espère que tu n'es pas de ceux-là… Je t'ai épousée parce que tu m'as laissé croire que tu comprenais mon engagement social. Une mission aussi noble que le sacerdoce…

Pierre s'arrêta, se tourna vers son épouse et éclata de rire avant de poursuivre:

—Comment te dire? Je te parle de sacerdoce et, en même temps, je me sens comme habité par un démon.

—«Un démon»! Mais qu'est-ce que tu veux dire, pour l'amour du bon Dieu?

—Oui. Le démon de la politique. Des questions me hantent, même la nuit. Une force maligne veut faire de moi le sauveur de notre peuple canadien-français.

—Pourquoi plus toi qu'un autre député?

—Parce que nos deux familles font partie de l'élite, tu le sais bien. Elles sont d'une classe capable d'apporter l'équilibre des pouvoirs et de le maintenir. Ils ne sont pas si nombreux, les parlementaires francophones qui entretiennent de bonnes relations avec leurs collègues anglophones. Moi, je le fais sans problème.

Son regard, implorant la compréhension, incita Luce à ne pas revenir sur cet autre équilibre, celui qu'elle souhaitait le voir atteindre, entre son travail et ses devoirs envers sa famille.

La passion de Pierre trouvait son assouvissement dans un cadre beaucoup plus large que celui de la famille Lajus-Bédard. Sa vraie famille s'étendait à tout le peuple du Québec. Non pas qu'il fût indifférent aux événements qui touchaient ses proches, mais ses plus grands combats comme ses plus belles victoires se déroulaient sur la scène politique.

Après un long moment de réflexion, Pierre reprit:

—C'est pour ça que je tiens tant à ce que nos fils soient informés et instruits. Je t'en fais la promesse, Luce, je ferai tous les sacrifices nécessaires pour leur payer des études. En attendant qu'ils aient l'âge, je compte sur toi pour les préparer à occuper un rang social digne de nos familles.

Luce esquissa un sourire énigmatique.

—Ta mère l'a fait pendant que ton père se dévouait auprès des malades, et voilà que tes deux frères se dirigent vers la prêtrise… Tu vois comme son travail porte fruit.

—Tu n'obligerais quand même pas nos enfants à faire des études s'ils n'y étaient pas intéressés…

Pierre s'amusa de la remarque de Luce :

—Tu sais bien qu'avec des parents comme toi et moi, la question ne se posera pas. Ils se sentiront privilégiés de se faire instruire et de pouvoir choisir un métier honorable.

Sa main posée sur la sienne, avec une voix de velours, elle lui annonça qu'il aurait un enfant de plus à faire instruire. D'où son inquiétude face à la désaffection qu'il manifestait face au métier pour lequel il avait fait des études, le seul qui pourrait apporter de l'eau au moulin. Ravi de cette nouvelle, Pierre nuança les perceptions de Luce :

—Tu as raison, la pratique du droit m'intéresse de moins en moins. Mais n'oublie pas que ma formation m'est fort utile pour faire non seulement de la politique, mais du journalisme aussi. Un métier qui pourrait devenir payant, tu sais. Tu me fais penser que j'ai une chronique à écrire. J'allais l'oublier.

Sur ce, Pierre gagna la chambre où il avait installé son bureau. Il mit un peu de temps à faire les cent pas d'une fenêtre à l'autre. L'indice d'un litige à régler, devina Luce.

À l'instar du gouverneur Milnes et de Jacob Mountain, le premier évêque anglican de Québec,

Pierre Bédard s'inquiétait du manque d'instruction de la population canadienne. Le prélat Mountain soutenait que les Canadiens étaient ignorants et qu'ils ne faisaient aucun progrès dans l'apprentissage de la langue de leur pays. Pour pallier cette lacune, il proposait l'accès gratuit aux écoles, avec des enseignants anglais payés par le gouvernement. Le Conseil exécutif avait approuvé cette proposition.

Derrière cette démarche, le député de Northumberland voyait un moyen déguisé d'assimiler les Canadiens. Comment convaincre l'Assemblée de l'urgence d'ouvrir des écoles gratuites pour la population francophone? Pierre traça les grandes lignes de son plaidoyer et, pour se détendre, plongea ensuite dans ses livres de mathématiques, science qui le passionnait, même s'il n'avait jamais eu l'occasion de l'enseigner ni de la mettre à profit. Il déplorait que les grands algébristes n'aient pas cherché à appliquer leur savoir à d'autres sciences.

*   *   *

Juin était propice aux rassemblements familiaux. Plus souvent qu'autrement, c'était les Lajus qui recevaient le couple Bédard. Enceinte depuis tout près de neuf mois, sans inconfort ni risque de fausse couche, Luce nourrissait pour son mari l'espoir de voir naître une petite fille. Seul le Dr Lajus prédisait l'arrivée d'un autre garçon, faisant remarquer que la maman portait ce bébé de la même façon qu'elle avait porté Pierrot.

—Peu importe, avertis-moi dès l'apparition des signes, fit-il promettre à sa fille. Si je ne suis pas à la maison, je serai à l'Hôtel-Dieu.

—Ou chez les Récollets, ou dans une famille, ou sur la route…

—Non, Luce. Je ne me promène plus d'un bout à l'autre de Québec. À mon âge, les dix-huit malades logés dans le monastère me suffisent.

—Serait-ce que vous avez aussi abandonné votre travail d'inspecteur ? demanda le jeune René-Flavien, rentré du Petit Séminaire pour les vacances d'été.

—Je cherche un remplaçant…

—Je ne connais pas grand monde qui accepterait une tâche aussi risquée et ingrate, riposta Pierre, qui avait accompagné son épouse.

—À ce que je sache, la pratique du droit n'est pas exempte de charlatans. Il vous faudrait un inspecteur, à vous aussi.

—Vous avez raison, monsieur Lajus. J'irais même jusqu'à dire que les avocats qui réussissent à gagner leur vie autour de nous sont majoritairement ignorants et charlatans.

Luce écarquilla les yeux, stupéfaite. « Qu'en est-il de mon mari ? J'avais l'impression que son métier lui rapportait une bonne somme d'argent. Jamais il ne m'a reproché de trop dépenser. Puis cette maison qu'il a achetée… par caprice, je dirais. À moins qu'il tienne à m'offrir autant d'aisance financière que lorsque j'étais chez mes parents ? Une sorte d'orgueil… Si c'est le cas, ce n'est pas rassurant. Il a quarante-cinq ans, sa santé est chancelante, ses nerfs sont fragiles. S'il fallait qu'il parte et me laisse avec des dettes… Papa regretterait de m'avoir encouragée à l'épouser. »

Le repas terminé, le petit Pierrot manifestait des signes de fatigue. Luce décida de l'emmener dormir dans la chambre de ses parents. À peine y était-elle entrée que des douleurs au ventre l'alertèrent. Or, l'accouchement n'était pas prévu avant deux ou trois semaines. De fausses contractions étaient possibles. Mais en déposant le bambin sur le lit, Luce sentit la membrane utérine se rompre. Le travail était commencé, là, chez ses parents, selon les souhaits du Dr Lajus.

—Le plus beau cadeau que tu m'auras jamais fait, ma belle Luce. Allonge-toi et prends de bonnes respirations le temps que je prépare le nécessaire, dit le médecin, aussi fébrile qu'à sa première mise au monde.

—Le cadeau est pour moi, pa… pa. Elles sont rares, les mamans à…

Une autre crampe la secoua.

—Concentre-toi sur ta respiration, ma belle Luce. Je reviens dans deux minutes.

Angélique avait eu le temps de préparer des serviettes et un bassin d'eau fraîche, qu'elle présenta à son mari venu chercher sa mallette de médecin.

—Tiens-toi proche de la chambre. Il se pourrait que j'aie besoin de ton aide.

Un long gémissement le ramena vite auprès de Luce.

«Je n'ai pas à m'inquiéter», se répétait Angélique, confiante en la compétence de son mari et en l'intervention de la Vierge Marie. Sur son bras, deux layettes, un petit bonnet et une couche de coton blanc, le tout pour recevoir son deuxième petit-enfant.

Puis, plus un son ne vint de la chambre. L'angoisse poussa Angélique à entrebâiller la porte.

—Le pire est fait. Tout va bien maintenant. Viens voir le beau bébé que Luce vient de nous donner.

Un petit joufflu, au teint rosé et à la chevelure d'ange venait de naître.

Tremblante d'émotion, Angélique prit le nouveau-né et l'épongea avec tendresse, lui murmurant des mots d'amour et de reconnaissance.

—Bravo, ma belle Luce! Tu ne pouvais faire mieux, dit-elle à sa fille épuisée mais heureuse.

—Tu peux rentrer, ton petit garçon est né sans problème, cria René-Flavien à Pierre qui, anxieux, avait multiplié les allers-retours entre la maison et l'écurie.

Le pas lourd, les épaules ballantes, la mine déconfite, muet comme une carpe, Pierre avança jusqu'à la première marche du perron, s'y assit et, les coudes posés sur ses cuisses, la tête blottie entre ses mains, attendit. Ses beaux-parents pensaient qu'il se précipiterait dans la chambre. Flairant la cause de son désenchantement, ils s'abstinrent d'intervenir. Bien que somnolente, Luce regrettait que son mari tarde tant à se manifester. «Il est trop déçu pour venir nous voir tout de suite. Dire qu'il n'avait choisi qu'un nom pour ce bébé : celui de sa mère. J'espère qu'il s'en remettra en voyant le joli minois de ce petit garçon. »

—Après mon mariage avec ta mère, c'est le plus bel événement de ma vie! déclara le Dr Lajus, en s'adressant à sa fille.

—Je pensais que ma naissance en avait été un aussi.

—Oh! c'est que je l'ai ratée… Tu étais trop pressée de venir. Quand je t'ai vue, tu avais déjà dix heures.

Même en l'absence de Pierre, les éclats de rire fusaient dans la chambre.

—Tu avais eu le temps de te faire coquette, quand même, nuança François.

La famille Lajus, entourant le nouveau-né, était à chercher des ressemblances à l'un et l'autre quand Pierre entra dans la cuisine. François et René-Flavien l'y rejoignirent. Angélique apparut, le nouveau-né collé à sa poitrine.

—Tout s'est bien passé, à vous entendre, présuma Pierre.

—Regarde ce petit trésor, dit Angélique en le lui présentant.

Pierre le prit dans ses bras et découvrit son visage, incapable d'émettre le moindre commentaire.

—Sa maman va bien? demanda-t-il pour voiler sa déception.

—Et comment! lança le Dr Lajus.

Pierre se dirigea lentement vers la chambre où son épouse les attendait.

—Que vous êtes beaux! s'exclama-t-elle.

—Si je comprends bien, il faudra se reprendre? marmonna Pierre en lui tendant son fils.

Les bras ouverts, le cœur brisé, Luce retint les larmes qui gonflaient ses paupières.

—Viens voir ta maman, mon petit Elzéar.

Surpris et offusqué qu'on ait choisi le nom de l'enfant sans lui, Pierre allait quitter la chambre quand son épouse le rappela. Quelque peu honteux, il se tailla une place sur le bord du lit. Faute de paroles appropriées, il caressa le front de sa femme et posa un baiser sur sa joue. Luce ne put retenir le sanglot qui montait dans sa gorge.

—Laisse-moi un peu de temps, la pria-t-il.

—Depuis plusieurs mois déjà, je pensais à ce prénom pour lui. Je n'osais pas t'en parler vu que tu souhaitais tellement avoir une fille. Dans les livres que Mgr Hubert nous a légués, j'ai appris qu'Elzéar signifiait «protégé de Dieu». Il a été canonisé, tu sais.

Pierre sourcilla de dépit.

De la cuisine, plus un mot. Un silence glacial en plein mois de juin. Le jeune René-Flavien, de six ans le cadet de Luce, n'y comprenait rien. Témoin de son embarras, son père lui susurra :

—Il ne faut pas vouloir tout contrôler, dans la vie. Quand on attend un enfant, que ce soit un garçon ou une fille, on doit se réjouir qu'il naisse en santé et que la maman se porte bien. J'ai assisté à tellement de drames…

Le vieil homme essuya du revers de sa main ridée les larmes qui glissaient sur ses joues.

—Je peux vous laisser Pierrot pour la nuit? demanda son gendre, prêt à quitter la demeure des Lajus.

—Puis ta femme aussi, ajouta Angélique. On les gardera avec nous tout le temps nécessaire. Va te reposer, Pierre.

Le lendemain matin, le Dr Lajus eut du mal à quitter la maison. Après avoir bercé le nouveau-né pendant une bonne demi-heure, non rassasié de ce contact combien particulier, il annonça qu'il se contenterait d'une brève tournée de ses malades pour revenir très tôt.

—Si je suis chanceux, je devrais être ici bien avant le souper, précisa-t-il.

Luce l'attendait avec impatience. Contrairement aux coutumes établies, elle était sortie de son lit et tenait à partager le repas avec sa famille et son garçonnet de deux ans pendant que le jeune Elzéar dormait.

Des fenêtres ouvertes se firent entendre en milieu d'après-midi le crissement des roues devant la maison, le cri du charretier et les pas pressés de François.

—T'as eu des problèmes? s'enquit son épouse, accourue à son arrivée.

—Pas moi, mais une fillette de cinq ans, sauvée de justesse. Une maladie sauvage comme le croup. Mortelle, dans bien des cas.

—Ça s'attrape?

—On ne le sait pas encore. Par précaution, je dois enlever mes vêtements avant d'entrer dans la maison.

—Je te rejoins dans l'écurie…

Il tardait à François de revoir son petit-fils, jugeant que la maman était prête à entendre ce qu'il lui avait dissimulé la veille.

—Un deuxième enfant sauvé en vingt-quatre heures, répondit-il à Luce qui le questionnait sur son retard.

—Un autre!? Racontez-moi.

Le médecin décrivit d'abord la vue de la fillette suffoquée.

—Il arrive des choses étranges dans la vie… dans celle d'un médecin, en tout cas, laissa-t-il tomber, la voix feutrée, le regard ailleurs.

—Vous m'inquiétez, papa. Expliquez-vous!

François tendit les bras. Luce lui rendit son fils enfin assouvi. La petite tête du bébé reposant au creux de son coude, c'est à lui qu'il s'adressa:

—Mon petit homme, tu sauras que c'est presque un miracle que tu sois avec nous aujourd'hui. Si grand-papa n'avait pas vu à temps le cordon qui allait t'étrangler, tu…

Sa voix s'éteignit. Luce devina.

—Pierre le sait?

Le docteur lui assura que non.

—Il faut le lui dire.

—Je le ferai.

—Non, laissez-moi le lui apprendre.

—Je ne trouve pas les mots pour expliquer ce que je ressens pour ce petit bonhomme. C'est comme si nous étions aimantés. La chaleur qu'il m'envoie direct au cœur… Il me fait pleurer alors que je ne suis aucunement triste. Au contraire : en regardant ton fils, j'imagine facilement tous les mots d'amour qu'il a dû entendre de ta bouche, toutes les caresses qu'il a ressenties, tout… avant même que son papa le connaisse.

Et, de nouveau penché sur lui :

—Avant longtemps, tu pourras me dire, toi aussi, que tu m'aimes. Me le montrer, à tout le moins. Dors bien, mon ange !

Un autre bambin l'attendait dans la cuisine. Pierrot avait, lui, les moyens de réclamer tendresse et attention.

—Un vrai p'tit Bédard, celui-là, s'écria-t-il en le soulevant au bout de ses bras.

—À vingt-six mois, il donne déjà des signes d'une grande intelligence, nota Angélique.

—Ça, il le doit à son grand-père Lajus ! blagua François.

—Et sa tendresse, à sa grand-maman Angélique, renchérit-elle, profitant de l'absence de Pierre pour se congratuler.

* * *

Le temps doux de ce début octobre 1799 ayant incité plusieurs résidants à ouvrir leurs fenêtres, des rumeurs se propageaient dans le voisinage du 15 de la rue St-Joseph. Des éclats de voix angoissées. La femme qui les lançait ne pouvait être autre que l'épouse de Pierre Bédard.

Dix minutes plus tôt, la calèche d'un homme d'âge mûr s'était arrêtée devant leur demeure. L'individu en était descendu et se trouvait encore à l'intérieur.

—La religieuse est venue chez nous, lui apprit le boulanger Bédard, parce qu'elle ne savait pas où rejoindre ton mari. Elle ne voulait pas causer un trop gros choc à ta mère, vu qu'elle est toute seule à la maison.

—On a encore attaqué un des nôtres?

—Ce n'est pas ça... Il paraît que le personnel de l'Hôtel-Dieu a tout fait pour le sauver.

—Mais de qui parlez-vous? hurla-t-elle, exaspérée.

—De notre meilleur chirurgien...

—Je ne vous crois pas.

Le grand-papa Bédard aida sa bru à habiller les enfants pour les emmener au domicile du Dr Lajus. Angélique n'eut pas à interroger sa fille pour savoir qu'un drame venait de se produire. Les deux enfants apparemment en forme, mais Luce dévastée, Angélique conclut qu'un des Lajus était en danger. Ses deux fils au Petit Séminaire, son mari, au travail... La crainte que ce fût son gendre lui sembla improbable.

—À son âge, il fallait s'y attendre un peu, avança le boulanger.

—Mon mari? Impossible! Il était en pleine forme!

—C'est vrai. Je l'ai vu hier, protesta Luce.

Le désarroi de Pierre-Stanislas se fit plus convaincant que ces quelques mots. Angélique enlaça Luce et toutes deux laissèrent couler leur peine.

Le grand-père Bédard aurait souhaité que le jeune Pierrot ne fût pas témoin de leur chagrin, mais il devait aussi veiller sur le poupon endormi dans un fauteuil du salon.

— Monsieur Bédard, voulez-vous envoyer quelqu'un chercher mes fils au Séminaire et les emmener auprès de leur père ? le pria Angélique.

— Je veux aller voir papa tout de suite ! exigea Luce.

Les deux enfants furent donc emmenés chez les Bédard et confiés aux bons soins de leur tante Marie-Josèphe, qui était maintenant âgée de quinze ans. Luce sortit atteler la jument et, accompagnée de sa mère, fila sans dire un mot vers l'Hôtel-Dieu. Les deux femmes allaient apprendre des religieuses soignantes que le Dr Lajus avait eu le temps de leur confier des messages à faire à son épouse et à sa fille.

Du regard, toutes deux suppliaient l'infirmière de leur révéler les dernières paroles de François.

— « Je pars en paix. Je ne dois rien à personne, même pas un pardon. Tout a été fait. Dites à ma fille de renoncer à… Je t'attends, ma douce Angélique », leur rapporta-t-elle.

— Voulez-vous les répéter doucement ? Je veux les écrire, la pria Luce.

Une autre soignante s'approcha et se présenta :

— Je suis la directrice de l'hôpital. Je tiens à vous rassurer : le Dr Lajus a vu venir la crise. L'infirmière qui l'accompagnait dans sa tournée des malades l'a aidé à s'allonger sur le premier lit disponible. M. l'aumônier a répondu rapidement à notre appel, et il a pu lui donner les derniers sacrements. Votre mari était très serein, madame. Je prie pour que sa paix vous habite.

—Vous connaissez sûrement la douleur de perdre un père, mais pas celle de perdre un mari, répliqua Angélique.

—Je ne connais ni l'une ni l'autre…

Les deux femmes endeuillées se pincèrent les lèvres pour ne point lui adresser de reproches.

—J'aimerais que vous nous laissiez seules avec lui, exigea Luce.

Le temps d'aller fermer la porte demeurée entrouverte, Angélique retrouva Luce penchée sur la dépouille mortelle de son père, encadrant son visage de ses fines mains et lui redisant son amour en sanglotant. Elle n'avait que vingt ans. Qu'elle fût épouse et mère ne compensait en rien la perte de son père.

—Vous avez été pour moi le papa idéal : affectueux, tendre, généreux, amusant et fier. Je veux vous retrouver dans chacun de mes fils. Comme vous, papa, Pierrot et Elzéar seront instruits et voués à une belle cause. Ils seront la fierté de la famille. De là-haut, veillez sur eux. Aidez-moi à les guider dans le droit chemin. Aidez-moi à comprendre mon rôle d'épouse, j'en ai tant besoin. Laissez-moi maman encore longtemps, très longtemps. Vous l'aurez à vous seul pour toute l'éternité, celle que vous avez tant aimée. Elle vous a fait l'honneur en plus de vous donner des enfants. Si c'est en votre pouvoir, papa, aidez-moi à lui ressembler !

De l'autre côté du lit, Angélique venait prendre la place qu'elle avait toujours occupée dans le cœur de son mari, la première. Luce la lui laissa pour aller accueillir son mari qui entrait dans la chambre. Pierre enlaça son épouse endeuillée et lui chuchota les mots les plus tendres qu'elle ait entendus de sa bouche :

—Je sais que tu viens de perdre un être irremplaçable, ma petite femme chérie. Je le regrette de tout mon être. Je voudrais tellement t'épargner le chagrin, la déception. Et pourtant, je sais que je t'en cause. Je t'en demande pardon. Donne-moi encore un peu de temps, et je serai peut-être capable de devenir pour toi le mari que le Dr Lajus a été pour ta mère. Tu es tellement plus douée que moi pour apporter aux autres bonheur et amour. Si ça pouvait s'enseigner…

En pleurs, Luce lui rappela qu'elle n'avait que vingt ans et qu'elle craignait que semblable sort soit réservé à ses enfants. Moins d'un mois avant le décès de François, Pierre avait célébré ses trente-sept ans, alors que ses deux fils étaient encore des bambins.

—Je me battrai pour vivre le plus longtemps possible, pour toi et pour tous les enfants que nous aurons, lui promit-il.

Trop spontanée, cette promesse lui coupa le souffle. Il venait de s'engager à traverser tant d'autres années à se justifier, à se battre et à pourvoir aux besoins de sa famille. Son regard dévia vers la dépouille du Dr Lajus, qu'il pria de lui venir en aide. « De là-haut, ma mère et vous, donnez-moi le courage et la santé qui si souvent me font défaut. »

Confiant d'être exaucé sur-le-champ, il proposa à sa belle-mère de s'occuper de louer un corbillard pour transporter la dépouille du Dr Lajus chez eux et de préparer les planches sur lesquelles la déposer dans le grand salon.

—Ma petite sœur Marie-Josèphe sait comment habiller les fenêtres, elle va venir nous aider.

Il allait de soi qu'Angélique fasse la toilette de son défunt mari, le parfume et le revête de ses plus beaux habits. La température trop clémente en ce début octobre ne permit l'exposition que pour une journée et demie, après quoi la cérémonie religieuse fut célébrée en la cathédrale de Québec, avec le décorum digne de la noble famille en deuil. Les prêtres, frères de Pierre, concélébrèrent l'office liturgique avec le successeur de Mgr Hubert, Pierre Denaut, ancien vicaire général de Montréal.

Luce avait insisté pour que seul son fils aîné soit confié à Marie-Josèphe Bédard pendant les funérailles. Assise entre sa mère et son mari, elle avait gardé dans ses bras son poupon, Elzéar. Plus d'une fois, elle avait éprouvé l'étrange impression que le meurtrier de son frère se trouvait dans l'assistance, que son regard était fixé sur elle, sur sa famille placée dans le premier banc de la cathédrale, tout près de la balustrade. Des frissons lui avaient parcouru le dos pendant le défilé vers la table de la Sainte Communion. Était-il du nombre de ceux qui frôlaient son banc, observant sans être remarqué la mère et la sœur de sa victime? «Ça prend un tueur qui n'a aucune conscience pour aller communier sans avoir demandé pardon pour son crime», songea-t-elle. Au cimetière, cette perception se fit plus envahissante encore.

—Jette un œil autour de nous, avait-elle chuchoté à l'oreille de son mari.

—Mais pourquoi?

—Le tueur… Tout à coup que…

Pierre avait regardé derrière eux, confirmant ne pas le connaître, puis son bras était venu se poser sur ses épaules pour la protéger de ce meurtrier fantôme.

—Ne crains rien, je suis là, ma chérie.

Sa sérénité avait quelque peu rassuré Luce.

Le lendemain, elle voulut en causer avec lui, le presser de faire progresser l'enquête sur un homme étrange qu'elle lui avait désigné dans la foule, mais il l'interrompit, accusant la fatigue et le chagrin d'être responsables de ce qu'il qualifia de divagations. Dépitée, Luce résolut d'en parler à sa mère au moment opportun. «Plus le temps s'écoule, plus on dirait que Pierre oublie sa promesse. Qu'il me dise, chaque fois que je le questionne, qu'il a des soupçons ne me suffit pas.»

Les raisons d'aller vivre quelques semaines avec Angélique affluaient. Luce n'eut nulle justification à fournir à son mari, qui l'y encouragea, évoquant le réconfort que l'une et l'autre s'apporteraient. Il promit de passer les saluer de temps en temps, question aussi de leur prêter main-forte en cas de besoin.

—Il ne faudrait pas que ces deux petits bons-hommes ne reconnaissent plus leur papa, ajouta Pierre, soulevant son fils aîné au bout de ses bras et le posant au sol pour jouer à la toupie avec lui.

—Et Elzéar ?

Accompagné de son aîné, Pierre alla sortir son bébé du lit. Il s'assit par terre pour jouer avec ses fils, sous le regard étonné et attendri de Luce. Du coup, elle crut que son père inspirait à son mari le goût de s'amuser avec ses petits. Il lui en avait donné l'exemple tant de fois.

—Promets-moi, Pierre, de venir nous voir souvent chez mes pa… chez maman. Puis, reste alerte au sujet du mystérieux…, le pria-t-elle.

* * *

À la demande de leur mère, Jean-Baptiste et René-Flavien retardèrent leur retour au Séminaire. Leurs propos imprégnés d'amour, et de foi en Dieu et en son paradis, l'aidèrent à traverser ses deux premières semaines de deuil. Plus encore, la présence de Luce et de ses deux enfants la distrayait de l'immense vide créé par le décès de son mari. Les visites ponctuelles de Pierre, sa compétence d'avocat et son dévouement la libérèrent de nombre d'affaires post mortem.

—Madame Lajus, votre mari vous a-t-il laissé des papiers… autres que son testament ?

—Ce qui reste dans sa mallette est confidentiel.

—Vous êtes sûre qu'il n'y a rien d'autre ? J'aurais aimé y jeter un coup d'œil.

—Il n'en est pas question, Pierre.

—Comme vous voulez, madame Lajus. Je ne voulais pas vous offenser. C'était pour vous rendre service…, expliqua-t-il en tirant sa révérence.

Témoin stupéfait, Luce flaira une énigme. « Des dettes cachées ? Des confidences compromettantes ? D'autres menaces ? » Angélique fuyait son regard. Heureusement, les enfants lui offrirent la diversion souhaitée.

La fin de cette journée s'écoula dans les préparatifs du souper et dans les soins à apporter aux deux enfants. Mais un malaise persistait entre Luce et sa mère. « Comment l'aborder sans l'importuner ? Qu'est-ce qu'elle cacherait que je ne sais pas déjà ? Une confiance totale a toujours existé entre nous deux… Que ça m'inquiète ! Pauvre Pierre ! Il a dû être vexé de se faire rabrouer ainsi. »

De quelque côté qu'elle se tournât, Luce ne trouvait d'ancrage. Son père, cet homme à qui elle s'était confiée sans retenue, lui manquait atrocement. Sur ce plan, même s'ils avaient été proches, ses frères ne pourraient jamais le remplacer. Mgr Hubert aussi était parti. Une grande détresse la rejoignit entre ses draps. Pour seule consolation : son poupon qui réclamait la tétée. Cette nuit-là, Luce le garda dans son lit. Elle tissa, autour d'elle et de son petit, un cocon de bien-être, s'y enferma, espérant y demeurer jusqu'au lendemain matin. Mais la pensée qu'à quelques pas de sa chambre sa mère s'était cloîtrée dans sa souffrance tailla une brèche dans son confort. Dans la maison du Dr Lajus : deux femmes torturées, chacune sur son île. Deux enfants qu'elles croyaient immunisés contre la douleur des adultes les entourant.

Au fil de ces jours moroses, le bambin de deux ans se montra de plus en plus irritable, et Elzéar, pleurnicheur.

—Vous vous ennuyez de votre papa, présuma Luce avant d'annoncer à sa mère son intention de regagner son domicile.

Il n'en fallut pas plus pour qu'Angélique fondît en larmes.

—Ne fais pas ça, Luce. Donne-moi encore quelques jours! J'ai tellement besoin de compagnie… et c'est toi qui m'apportes le plus de réconfort.

—Je vous laisserai tout le temps qu'il vous faut, maman.

—Ce soir, quand tes petits seront endormis, j'aimerais que tu ailles présenter mes excuses à ton mari. Et pourquoi n'en profiterais-tu pas pour passer la nuit avec lui?

—Mais, Elzéar?

—Je lui donnerai un biberon s'il se réveille.

Ce soir-là, Luce prolongea l'allaitement de son bébé, et pour le sustenter, et pour l'envelopper de quiétude.

Lorsque Pierre entendit les sabots du cheval dans l'allée, il se précipita sur le perron. La crainte qu'un des enfants soit souffrant le gagna aussitôt. Luce s'empressa de le rassurer.

Leurs retrouvailles furent chaleureuses. Les épreuves vécues depuis l'automne les avaient rapprochés. Ces moments d'empathie réciproque s'étaient faits rares dans leur vie conjugale. Leurs corps enlacés, leur intimité était empreinte de béatitude. Leurs gestes, guidés par l'intensité de leur désir, épousaient leurs attentes.

À son réveil, le lendemain matin, Luce ne se sentit nullement dérangée par cette nuit écourtée. Il lui tarda toutefois de revoir ses enfants et sa mère, à qui elle accorda une autre semaine de réconfort.

* * *

Les tempêtes de décembre étaient sur le point de s'abattre sur Québec quand Angélique supplia Luce de revenir avec ses enfants pour passer de nouveau quelques jours à la maison familiale.

—Qui pourrait mieux comprendre une mère tourmentée que sa fille. Depuis la mort de ton père, c'est le chaos dans ma tête, avait-elle plaidé.

Après avoir pris connaissance de la correspondance de son défunt mari, Angélique ne parvenait plus à se libérer l'esprit des révélations qu'elle y avait trouvées. D'apprendre que c'était son mari qui était visé par le tueur la plongeait dans un imbroglio de révolte et de détresse. Les motifs du crime lui crevaient le cœur. Une cruauté inouïe. Comment résister au désir de vengeance qui l'habitait alors que son mari lui avait fait promettre d'accorder son pardon à l'assassin et de ne jamais révéler son identité à leurs enfants?

Dans l'attente de cette invitation, les inquiétudes frôlaient le cauchemar chez Luce. Deux mois de cogitation, d'atermoiement et d'ambivalence s'étaient écoulés depuis son retour à la maison. Les suppliques d'Angélique ne présageait rien de lénifiant.

Il allait de soi d'attendre que les enfants fussent endormis pour qu'Angélique se livre enfin à ses confidences. À la nuit tombée, la veuve mit une grosse bûche dans l'âtre, en approcha deux chaises berçantes et, de la main, invita Luce à venir l'y retrouver

—Qu'est-ce qui vous tourmente tant, maman?

—La peur et les doutes. Par moments, je me sens comme une petite fille en danger. Le moindre bruit m'affole.

—Ça m'est arrivé pendant les funérailles de papa. J'ai éprouvé des sensations étranges. Comme si le meurtrier d'Olivier était dans l'église et nous fixait d'en arrière.

—Moi aussi! C'est curieux, quand même, reconnut Angélique.

—Pierre devrait tout faire pour l'épingler. Cet homme mérite la prison à vie… La pendaison, même.

—Ce n'est pas ce que ton père souhaitait. Après avoir été informée du meurtre, la milice a emprisonné Abel Willard, ce vagabond débarqué de la Nouvelle-Angleterre, le temps d'apaiser les esprits et de trouver le vrai coupable. Mais l'Américain s'est enlevé la vie en prison avant que la lumière soit faite sur le crime. Ton père a beaucoup déploré cette décision de la milice. Il l'a écrit dans une lettre qu'il m'a adressée après sa première crise cardiaque et qu'il gardait sous clé comme bien d'autres secrets.

—Je peux voir? demanda Luce, présumant que sa mère accepterait de lui révéler les secrets de son père.

—Pas maintenant. Ce serait dommageable pour bien du monde, dit-elle, déjà partie chercher d'autres bûches.

Déçue, Luce eut le temps de ruminer avant que sa mère revienne s'asseoir près de l'âtre. Elle avait pleuré : ses yeux rougis en témoignaient.

—Je prie mon frère d'intercéder auprès du bon Dieu pour que nous n'ayons rien à nous reprocher sur notre lit de mort.

—À quoi faites-vous allusion, maman?

—Aux intentions qu'on prête aux autres sans savoir… et qui pourraient nous faire commettre de graves erreurs.

—Comme celle de la milice par rapport au prisonnier Willard?

—Oui. Et comme celle que toi et ton mari pourriez commettre en voulant condamner le coupable à l'échafaud.

—Il nous a enlevé Olivier, maman. En plus, il a tourmenté papa tout le reste de sa vie.

—Tant de choses se cachent derrière ce qu'on sait…

—Je n'aurais jamais imaginé que vous et moi en arriverions à une telle mésentente.

—J'aimerais que tu comprennes que j'agis ainsi pour vous protéger, toi, ton mari, tes enfants et toute notre famille.

—Je ne comprends plus rien…, se plaignit Luce.

—Allons dormir. Cela nous fera du bien.

Dans les bras l'une de l'autre, les deux femmes prirent le temps d'éponger leur chagrin avant de se séparer pour la nuit.

Le craquement du plancher réveilla son fils aîné. Son tour était venu de passer le reste de sa nuit collé à sa maman. « Qu'il est difficile de devenir une grande personne ! J'ai vingt ans et j'aimerais tellement avoir gardé l'innocence de mes deux ans. La confiance et la joie de vivre m'habitaient comme elles t'habitent, mon petit Pierrot. Je voudrais pouvoir, moi aussi, me réfugier dans les bras de ma maman en tout abandon, sans reproches, sans agressivité, sans peur. Mais je crois que ce n'est plus possible. Il ne me reste plus qu'à être pour toi et ton frère une maman rassurante, encourageante, consolante, stimulante, paisible autant que possible. Je ferai tout pour que vous ne souffriez pas de mes peines et de mes déceptions… pas plus que de celles de votre père. »

* * *

Depuis le décès du Dʳ Lajus, Pierre cherchait en Luce la jeune femme qu'il avait épousée. Mystérieuse, évasive, parfois même tourmentée, elle lui échappait chaque fois qu'il cherchait à savoir ce qui pouvait bien la ronger ainsi. Un soir de février, alors qu'elle semblait plus sereine, il tenta une hypothèse :

—Tu m'inquiètes, Luce. Serais-tu déçue que je n'aie pas encore trouvé l'assassin de ton frère?

—Pour être franche avec toi, oui. Mais je dois comprendre que tu ne peux pas mettre tout ton temps à le chercher. Tu as tellement à faire comme député et père de famille…

—Mais je me suis engagé à le saisir au collet et à…

—Laisse tomber… pour le moment. Il est plus urgent de préparer une place à notre troisième enfant à la fin de l'été.

Bouche bée, Pierre s'enferma dans un long silence chargé de réflexions et d'inquiétudes. Luce crut qu'il en perdrait le souffle, mais il se ressaisit. Il l'enlaça, s'interdisant, cette fois, de souhaiter la bienvenue à la fille qu'il espérait de tout son cœur.

—Ménage-toi. Si j'engageais une bonne pour faire l'entretien de la maison et s'occuper des garçons? Tu pourrais te reposer et t'adonner aux choses que tu aimes tant et dont tu t'es trop souvent exemptée depuis la naissance de nos enfants.

—Je ne dis pas non. J'aimerais que Marie-Josèphe revienne de temps en temps faire un peu de cuisine aussi!

—Bonne idée! Elle adore nos petits et elle est très habile pour les besognes ménagères. Quand on pense qu'elle n'avait que sept ans et qu'elle se chargeait déjà de toutes les tâches en plus de servir notre mère alitée… Tu as remarqué aussi que Pierrot se lance à sa rencontre aussitôt qu'il la voit?

—C'est une perle, ta sœur. Elle mériterait d'épouser un homme qui prenne bien soin d'elle.

—À l'exemple de mon père, qui fut un modèle en ce sens, dit Pierre sur le point de s'accorder le même hommage.

*   *   *

Les affaires de l'Assemblée législative, l'urgence d'offrir aux concitoyens des outils et des lieux d'instruction captèrent toute l'attention de Me Bédard, et rognèrent sur sa présence à la maison. Luce ne s'en plaignait pas trop : la compagnie de sa belle-sœur et les visites occasionnelles de sa mère compensaient, même si leur relation était demeurée boiteuse depuis leur différend de décembre. L'une et l'autre en étaient profondément affectées, sans trouver le moyen d'y remédier.

À l'approche du 5 mai, Angélique allait offrir à Luce un cadeau d'anniversaire très attendu. Avant même de franchir le seuil du 15 de la rue St-Joseph, elle sentit une agitation peu commune de l'autre côté de la porte. Marie-Josèphe Bédard était là, ne sachant que faire des deux enfants qui pleuraient à fendre l'air. Leur maman, accroupie dans un coin de la cuisine, gémissait de douleur.

—Au secours, maman ! cria Luce. Mon bébé veut sortir…

—Habille les enfants, Marie-Josèphe, et sors dans la cour avec eux, ordonna Angélique.

Et, se tournant vers sa fille, elle constata qu'elle avait perdu ses eaux et que le travail était avancé.

—Tu en es à combien de mois, d'après toi?

—Six. Seulement… six! hurla-t-elle, désespérée.

Angélique courut chercher oreillers, couvertures et linges. Sur le poêle, elle déposa une bouilloire remplie d'eau puis retourna auprès de sa fille qu'elle tenta de calmer de son mieux.

—Garde espoir, Luce. Ton père en a sauvé des dizaines, de bébés prématurés. Demandons-lui son aide.

Cette évocation eut un effet lénifiant sur les deux femmes. Une poussée incontrôlable expulsa le fœtus, laissant voir une petite tête aux cheveux roux. Angélique se porta au secours du nouveau-né, qu'elle entoura de ses chaudes mains, et recommanda à la maman de pousser une autre fois.

—C'est une fille. Elle vit!

—Non! Elle n'a pas pleuré, s'inquiéta Luce.

—Je la dégage de ses sécrétions et tu vas l'entendre!

Un filet de voix s'échappa de la bouche de la petite Bédard, toute frémissante. Angélique la couvrit avec d'infinies précautions avant de la déposer sur la poitrine de sa maman.

L'urgence de la nourrir et la trop grande faiblesse de la petite firent craindre le pire. À l'aide d'un compte-gouttes, Angélique parvint à faire glisser dans sa gorge le précieux lait maternel qui seul pouvait la sauver.

—Si elle passe à travers les trois prochains jours, elle va survivre, comme disait ton père.

—Maman, s'il vous plaît, envoyez quelqu'un chercher Pierre tout de suite, la supplia Luce, de peur que la petite ne vive que quelques heures.

Marie-Josèphe s'en chargea, laissant à Angélique le soin de veiller sur toute la maisonnée.

L'arrivée de Pierre fut fracassante. La nervosité le poussa à ignorer les bras de ses fils tendus vers lui. La fièvre de voir sa fille l'obnubilait.

—Elle est sauvée…, présuma-t-il, pressé de voir son visage.

—Attention, Pierre. Elle est très faible et si petite!…

Des larmes ruisselèrent sur la main de Luce qui tenait relevé un coin de la layette.

—Tiens bon, ma petite Hélène. Ton papa t'attend depuis si longtemps!

—Hélène! C'est un beau nom. Tu ne devais pas lui faire porter celui de ta mère?

—Oui, mais en voyant ce beau petit visage, c'est celui-ci qui m'est venu à l'idée. Je peux la prendre?

—Pas tout de suite, Pierre. Elle est trop fragile. Demain, peut-être.

Résigné, il s'adressa à sa petite:

—Je comprends que tu voulais faire plaisir à ton papa en arrivant très vite, mais tu n'étais pas obligée de mettre ta vie en danger comme ça.

Luce ne se souvenait pas d'avoir vu une telle exaltation, une telle aménité chez son mari. « Petite

Hélène, fais-moi le cadeau de rester en vie. Fais-le pour que ton papa soit pour toujours comme je le vois aujourd'hui!» la pria sa maman.

Angélique, témoin du bonheur des parents, avait résolu de ne pas les quitter avant de s'être assurée que ses services n'étaient plus requis. Lorsque vint le temps de rentrer chez elle, elle dut rapporter le cadeau d'anniversaire de Luce, la coutellerie d'argent de sa grand-mère Hubert. L'atmosphère de ce 5 mai ne se prêtait plus à ce geste… «J'aurai bien d'autres occasions de la lui offrir», se dit-elle.

Hélène avait cinq jours. Au regard de Luce, sa survie ne tenait qu'à un fil. Mais aux dires d'Angélique, qu'elle avait fait ramener auprès d'elle, la petite avait traversé la période critique des bébés prématurés.

—Elle peut s'en sortir si on continue de lui faire avaler du lait avec un compte-gouttes à toutes les heures, jusqu'à ce qu'elle soit assez forte pour téter.

—J'aimerais mieux mourir que de la perdre, murmura Luce, le cœur broyé.

—Je t'en prie, ne parle pas comme ça! Tu as deux petits garçons en pleine santé qui ont besoin de toi.

En lutte contre la désespérance, la jeune maman, toujours alitée, pressa sur sa poitrine son poupon chaudement emmailloté. La tête de la petite nichée dans son cou, elle pouvait ainsi ressentir son souffle sur sa peau, preuve de sa survie.

—Je vais aller vous préparer un bon plat de truite fraîche. Je crois que ton mari s'en régalera lui aussi.

D'un signe de la tête, Luce approuva.

* * *

« Mais qu'est-ce que c'est ça ? » demanda Pierre à son fils aîné.

En entrant du travail, il trouva dans sa chambre le contenu du sac à main d'Angélique, éparpillé sur le plancher.

—On ne fouille pas dans les affaires de grand-maman, mon petit Pierrot.

Parmi les mouchoirs brodés, un chapelet, une enveloppe rondelette bourrée d'argent, deux autres, l'une destinée à Angélique et l'autre, fripée, cache-tée, adressée d'une main malhabile au Dr François Lajus. À une extrémité, la trace d'une lame de cou-teau. La tentation était forte pour Pierre d'en prendre connaissance, mais la discrétion le lui interdisait. « Que Mme Angélique traîne ces papiers avec elle n'est pas banal, sans compter qu'elle pourrait se faire voler tout cet argent. La lettre qui fut envoyée au docteur cache peut-être des informations précieuses… »

Pierre résista à la tentation de l'ouvrir avant de la glisser dans la poche avant de sa veste, et ramena son petit fouineur dans la cuisine. Le souper était servi.

L'avocat se hâta de vider son assiette de poisson et insista pour aller lui-même porter le plateau à sa douce. Il l'accompagna allègrement tout au long de son repas, jasant du quotidien avant de lui poser la question qui lui brûlait les lèvres :

—Crois-tu que la discrétion a ses limites, toi ?

—C'est à un avocat, et non pas à moi, qu'il faut poser ce genre de question.

—Mais l'avocat n'est pas infaillible.

Pierre n'avait pas l'habitude de causer de futilités. Luce soupçonna que derrière cette question s'en cachait une autre de taille.

—Et si tu allais droit au but ?

—Par exemple, si une indiscrétion rendait un très grand service à qui la commettait ?

Refusant de répondre, Luce se montra agacée.

—Pour ma part, je crois que l'acte est circonstanciel, déclara Pierre, d'un ton téméraire.

—Tu veux dire ?

—Qu'il dépend des motifs, de l'importance de l'information divulguée, de ses conséquences sur les personnes concernées…

Luce haussa les épaules. Son apparente indifférence poussa son mari à lui dévoiler la découverte faite avant le souper.

—Tu n'as pas le droit de faire ça, Pierre Bédard ! cria Luce, outrée. Ce serait malhonnête !

Un frisson traversa le dos d'Angélique qui, à deux pas de la chambre de Luce, se préparait à mettre les bambins au lit. Son cœur battait la chamade. Il fallait pourtant calmer Pierrot, épouvanté par ces cris. La peur au ventre, elle ne parvenait pas à chantonner pour endormir les tout-petits. S'il fallait que, sans faire exprès, Pierre ait mis la vie de la petite en danger.

—Veux-tu venir t'occuper de tes garçons, deux minutes? lui demanda Angélique.

—J'ar-ar-rive…

En le croisant entre les deux portes de chambre, Angélique le fustigea du regard. Transi, Pierre ne put émettre le moindre son. «On dirait qu'elle a deviné que j'ai cette lettre dans ma poche…»

—Marie-Josèphe, viens t'occuper des garçons, s'il te plaît. Je vais finir de laver la vaisselle à ta place, choisit-il, pour se donner le temps de replacer l'enveloppe dans la bourse de Mme Lajus.

Angélique referma la porte de la chambre derrière elle.

—Ta petite? susurra-t-elle, la peur au ventre.

—Elle va bien, maman. Je pense…

—Tu n'es pas sûre?

—J'espère ne pas l'avoir effrayée…

—Laisse-moi voir.

De ses mains moites d'appréhension, Angélique la porta sur son cœur, vérifia sa respiration… qu'elle jugea un peu trop lente.

—Ses petits pieds sont froids. Il faut la réchauffer et la faire boire.

Était-ce la colère qui avait soudainement tari le sein de Luce?

—Qu'est-ce qu'on va faire, maman? La mort de notre fille serait le comble de la malchance!

—Calme-toi, Luce et concentre-toi sur elle. Ne pense qu'à elle en pressant ton mamelon entre tes doigts.

Il tardait que le lait maternel redonne sa vigueur à la petite Hélène.

—Je vais dormir avec toi pour quelques nuits, proposa Angélique. Ta fille demande une surveillance constante. Je vais veiller sur elle pour que tu puisses dormir et je te réveillerai quand il sera temps de la nourrir.

Le soulagement de Luce n'avait pas de nom.

«Tôt ou tard, je finirai bien par savoir ce qui a mis ma fille dans une telle colère», pensa Angélique.

La méfiance qu'elle avait éprouvée à l'égard de Pierre dès les premières rencontres résistait aux actes de générosité, de tendresse et de bravoure qu'il avait accomplis, surtout depuis la naissance de la petite Hélène.

CHAPITRE IV

Après dix jours de combat, la petite Hélène était partie, laissant derrière elle affliction et dépit. Les relations entre Luce et son mari s'alourdissaient d'une rancune que ni l'un ni l'autre ne trouvait le courage d'expliquer.

Durement éprouvé, Pierre avait attribué leurs malheurs à la résidence qu'ils habitaient depuis moins de trois ans. «On dirait une maison hantée, tant on a vécu de malheurs depuis que nous l'habitons. Trois décès d'êtres chers, c'est trop! se dit-il, sans trouver l'humilité de partager cette étrange impression avec son épouse, encore moins avec des collègues. Il me semble plus digne d'un père de famille d'alléguer ne pouvoir mettre le pied ici sans voir le corps inanimé de ma petite Hélène. Quand je pense qu'elle est partie sans que personne ait pu le prévenir! Toute seule comme une grande fille! Ma consolation sur mon lit d'agonisant sera de penser que je la reverrai sous peu et que je n'en serai plus jamais séparé. »

À l'automne 1800, Pierre emmenait son épouse et leurs deux fils vivre au 18 de la rue Mont-Carmel, tout près de la rue Haldimand.

—Même si elle est un peu moins grande, tu verras, elle est solide et chaleureuse! clamait-il.

—C'est la dernière fois que tu me fais déménager, bougonna Luce avant de gagner son lit.

—On se rapproche de ta mère: ça devrait te faire plaisir!

—Oui, mais pas autant que si ça revenait comme avant... entre toi et moi. Tu comprends?

Cet aveu désarma Pierre.

—Je ne demande pas mieux, mais tu es si rancunière, Luce, que je me sens perdu d'avance.

—Je travaille beaucoup à me remettre des déceptions que tu m'as causées. J'éprouvais une telle admiration pour toi...

—Tu parles de déception... Tu imagines celles que j'ai vécues? Les deux sont mortes.

—Tu me tiens responsable de la mort de nos deux filles! C'est affreux! Je ne peux pas croire que tu le penses vraiment, Pierre. Et ta mère? C'est de sa faute si elle a perdu quatre filles?

—Maman se reposait beaucoup quand elle attendait un bébé. Tandis que toi, tu te permets tout, même de monter à cheval. C'est dangereux! Tu aurais pu accoucher prématurément en faisant ça. J'étais surpris que ton père ne te l'ait jamais interdit. À moins qu'il ait ignoré que tu prenais ce risque, ou que tu n'en faisais qu'à ta tête?

—Mais si ta mère prenait tant de précautions, pourquoi les a-t-elle perdues quand même, ses filles?

—À part la petite Marie-Anne, elles ont toutes vécu plus de dix mois.

—La peine n'était pas moins grande, vous avez eu encore plus le temps de vous y attacher.

L'avocat à la verve si remarquable devant un public était sans mots devant les doléances de sa femme.

—Viens donc dormir, le pria Luce, les bras ouverts.

Pierre s'y réfugia.

—Je sais que je n'ai pas raison et je m'en excuse, mais c'est comme une obsession que cette tendance à te considérer responsable de la mort de nos deux filles.

—Toi qui es si intelligent, comment expliquer que tu n'arrives pas à te raisonner? Tu sais bien que je suis aussi attristée que toi de la perte de nos bébés. Que je n'ai rien négligé pour les rendre à terme.

—Je le sais…

—Si on se concentrait maintenant sur les deux petits bouts de chou qui ont la vie sauve?

Leur étreinte, à la fois sincère et douloureuse, prit fin dans un silence éloquent de regret et de pardon.

Pierre chercha à se distraire de ses déboires familiaux dans la course au pouvoir politique. Mais les conquêtes n'étaient pas faciles. Largement plus cultivé que l'ensemble de ses concitoyens, il se désolait du manque d'érudition de la population : « Mettre des bibliothèques à la portée des gens pourrait leur inspirer le goût d'apprendre, sans compter que je m'attirerais ainsi plus de votes. Pour cette cause, j'ai des chances d'obtenir l'appui de Luce, dont la soif d'apprendre est intarissable », crut-il. L'espoir du député de Northumberland s'appuyait sur le fait que les parlementaires canadiens formaient les deux tiers de la Chambre d'assemblée du Bas-Canada et qu'il avait l'appui de Joseph Papineau. Ce dernier n'avait-il pas fortement incité ses compatriotes à signer les pétitions que le parti constitutionnel ne cessait d'envoyer en Grande-Bretagne, revendiquant pour les Canadiens les mêmes droits politiques que pour les sujets britanniques ? Ce brillant parlementaire n'avait-il pas réussi à les convaincre que la préservation de leur nationalité se trouvait au cœur même des institutions qu'ils redoutaient tant ? Élu député de Montréal, Papineau avait siégé dès la première session de la Chambre d'assemblée, en décembre 1792. En 1801, l'Assemblée législative, à l'instigation de l'évêque Jacob Mountain, adoptait enfin la première loi scolaire du Bas-Canada.

Ce vent de progrès enchantait Luce. À la faveur du sommeil des enfants, elle avait questionné un soir son mari sur les pouvoirs et limites de la

Chambre d'assemblée, ainsi que sur la faisabilité de son projet de multiplier les maisons d'enseignement.

—C'est un projet très acceptable, et réaliste, commenta Pierre, ravi de partager son idéal, ses inquiétudes et ses ambitions politiques avec la femme de sa vie. Dans chaque paroisse, il y aurait une école élémentaire gratuite et, dans chaque comté, une maison d'enseignement supérieur. L'État permettrait la confessionnalité à ces écoles publiques, les seules sur lesquelles il aurait autorité. Il reviendrait aux commissaires de chaque paroisse de choisir les maîtres et les méthodes d'enseignement. Par contre, une fois la construction des établissements achevée, l'Institution royale en deviendrait propriétaire.

—Je devine que ça ne fait pas l'affaire des évêques catholiques?…

—Il était prévisible que le clergé n'approuverait pas un système sur lequel il n'aurait pas juridiction. Par la voix de Mgr Plessis, il a réclamé un système scolaire confessionnel où l'autorité de l'Institution royale serait divisée en deux: chaque nationalité exercerait ses compétences sur les écoles relevant de sa religion.

—Ce serait normal, jugea Luce.

—Bien sûr! Ma plus grande déception est de constater que cela ne se réalise pas, même si cela a été entériné par l'Assemblée législative.

—Pourquoi?

—Trop d'objection de la part du clergé et des francophones. Si on ne réussit pas à ouvrir plus d'une quarantaine d'écoles en région rurale, c'est un échec, admit Pierre, indigné.

—Finalement, ton travail de député ne t'apporte pas plus de satisfaction que ta pratique du droit, constata Luce.

—Le travail d'avocat serait plus rentable si je m'y consacrais à plein temps, mais c'est la politique qui m'intéresse plus que tout. Dommage que ce ne soit pas payant. Même si je travaille tout près de soixante heures par semaine, j'arrive à peine à vous apporter assez d'argent pour subvenir à vos besoins.

Luce en convenait, mais elle s'abstint d'accabler davantage son mari. Son silence le contraria.

—Si je n'écrivais pas si mal, je me résignerais à aller chercher des revenus comme simple copiste, évoqua-t-il, plongeant dans un cahier d'algèbre qu'il gardait toujours à portée de la main.

—Et les mathématiques, c'est payant?

—Non, mais ça me calme et ça développe mon intellect… tout autant que les récits de philosophie et de sciences.

—Je n'y comprends rien…

—Les scientifiques et les philosophes consacrent leur temps à chercher des solutions; ils en trouvent et ils les appliquent. Si je pouvais adapter leurs idées à la politique…

Luce le laissa à ses distractions, constatant les différences entre ses moyens de trouver un apaisement et les siens: elle se tournait vers la famille d'abord, et les loisirs culturels et ludiques quand la possibilité lui en était donnée. Rarement elle avait vu Pierre se pencher sur ses fils endormis, caresser leur visage, leur offrir un câlin avant d'aller au lit. «Faut-il croire qu'il n'en retire pas le même bonheur que moi? Ils sont beaux, nos fils, en bonne santé et de caractère heureux. Pourquoi leur père ne les considère-t-il pas comme une réussite et ne s'en nourrit-il pas pour calmer ses insatisfactions au travail? Tous les métiers comportent leurs inconvénients. Papa le savait bien. À la différence qu'il a toujours accordé plus d'importance au bonheur de soigner les malades qu'aux problèmes que son travail lui causait. Et pourtant, ils étaient drôlement plus graves que ceux que rencontre mon mari en politique», considéra Luce, déterminée à en discuter avec sa mère, qui était attendue pour le dîner.

Angélique n'hésita pas à lui donner raison:

—Ton père avait beaucoup de talent pour le bonheur, alors que ton mari a presque toujours le moral à marée basse.

—Je me demande si ce n'est pas un peu de ma faute…

—Pas du tout, Luce. Au contraire: tu lui procures beaucoup plus de raisons d'être heureux que malheureux.

—Pourtant, quand je l'ai connu, c'était un homme plein d'entrain.

—Ils le sont tous quand ils veulent séduire une fille.

Luce hocha la tête.

Angélique se ravisa pour ne pas chagriner sa fille. D'emblée, elle reconnut que son gendre avait bonne réputation, qu'il était perçu comme un parlementaire passionné et convaincant. Un des rares députés à proposer des réformes favorables à la population francophone tout en manifestant une sincère loyauté envers la Grande-Bretagne.

—Les tracas financiers minent sa bonne humeur, confia Luce.

—Je m'en doutais bien. Je l'offenserais si je te donnais un peu de l'héritage que ton père nous a laissé?

« Je me suis donc trompée en présumant qu'elle me cachait des dettes que papa aurait pu laisser… »

—C'est à vous, cet argent-là, maman.

—À toi aussi, puisqu'à ma mort, tu deviendras la seule héritière.

—Et mes frères?

—Une fois ordonnés prêtres, c'est à l'évêché de subvenir à leurs besoins.

Des ridules au front, Angélique parut soudain embêtée. Elle saisit son sac à main et en examina le contenu; en y replaçant certains effets, une enveloppe sur laquelle Luce reconnut le nom de sa mère tomba sur le plancher. D'un geste nerveux, Angélique se pressa de l'attraper et de l'enfouir dans sa bourse. Elle en sortit une autre, fort dodue, de laquelle elle retira quelques billets qu'elle fit glisser entre ses doigts pour les compter.

—C'est pour les besoins de votre famille. Pas pour des affaires, spécifia-t-elle en les présentant à sa fille.

Une fois sa gratitude exprimée, Luce ne put retenir la question qui lui brûlait les lèvres :

—Toujours ces mêmes enveloppes que vous gardez avec vous… jour et nuit. Elles renferment des secrets ?

—Tout le monde finit un jour ou l'autre par avoir ses secrets. Ton père aussi en avait.

—Si je n'éprouvais pas autant de respect et d'affection pour vous, maman, je pense que je trouverais le moyen de découvrir ce que vous nous cachez.

—Pourquoi t'encombrer d'informations qui ne te rendraient pas service ?

Angélique venait de piquer la curiosité de sa fille.

—Vous faites bien de ne pas les perdre de vue, vos enveloppes ! lança Luce avec un air fripon.

—Compte sur moi. Je vais tout emporter dans ma tombe.

Ces dissimulations déplurent à Luce.

—J'emmène les petits jouer dehors, annonça-t-elle pour ne pas lui laisser d'emprise sur son humeur.

—Pendant ce temps, je vais vous cuisiner de bons petits plats, décida Angélique, heureuse de voir sa fille retrouver sa jovialité.

De la fenêtre, elle observait Luce qui, avec ses enfants, redevenait la petite fille qu'elle avait été avec ses jeunes frères. Son plaisir de jouer à la cachette derrière la corde de bois, autour du chêne qui dominait la cour avant ou sous l'escalier de l'entrée n'avait d'égal que l'euphorie de ses deux petits-fils. Elzéar, la chevelure aux reflets roux comme celle de sa maman, allait avoir deux ans et démontrait déjà une vigueur digne des Lajus. Pierrot, son frère aîné, plus massif et prudent, faisait preuve d'un esprit analytique hérité de son père. À quatre ans, il voulait connaître le nom des plantes qui émergeaient des langueurs hivernales, comprendre la formation des nuages et celle des bourgeons sur le point d'éclore dans les lilas. Angélique déplora que Luce n'ait pas eu la chance d'avoir des sœurs. «Connaîtra-t-elle le bonheur d'élever des filles? De leur apprendre, non seulement la coquetterie, mais la danse, la musique et tout ce qui ferait d'elles de jeunes femmes instruites, épanouies et considérées dans la société? S'il est un regret que j'emporterai dans ma tombe, c'est celui de ne pas avoir insisté pour que mon mari engage des maîtres ambulants qui l'auraient instruite au sujet de tout ce qui piquait sa curiosité. Ainsi occupée par ses études, elle aurait été moins hantée par la volonté de venger la mort de son frère. Cinq ans après ce drame, elle ne semble pas y avoir renoncé. Je vois bien, lors des sorties que nous faisons ensemble, qu'elle est constamment préoccupée par la rencontre possible de celui qu'elle soupçonne. Comme si un criminel n'aurait pas la prudence d'éviter de se faire voir par des proches de sa victime!» La veuve Lajus craignait toujours que des gens mal intentionnés, interrogés par sa fille, lui suggèrent des noms par simple vengeance personnelle.

Les cris de joie des enfants accrochèrent un sourire à ses lèvres et ramenèrent la lumière dans son regard.

* * *

Contrairement à l'année 1802, peu fertile en projets et réformes parlementaires, la suivante en fut une de rebondissements, certains tragiques, tant sur le plan familial que professionnel. Pour échapper à la détresse qui habitait son épouse à la suite de la perte de sa troisième fille, celle-là, comme la première, morte avant la naissance, Pierre se lança dans un projet sans précédent : diriger le Parti canadien, formation très active dans la colonie britannique du Bas-Canada. Cela lui donnait la tribune qu'il recherchait. Son éloquence était à son meilleur lorsqu'il argumentait avec le Parti bureaucrate, son seul ennemi à l'Assemblée législative du Bas-Canada. Les membres de ce parti, majoritairement anglophones, étaient minoritaires à cette chambre, mais majoritaires aux conseils législatif et exécutif formés sur ordre du gouverneur Robert Prescott. L'ambition de Pierre Bédard se résumait à faire élire le Conseil législatif et à rendre le Conseil exécutif imputable face aux élus.

Luce osa un jour lui suggérer de se vêtir avec plus d'élégance et d'adopter un maintien qui soit harmonisé à ses fonctions au sein du gouvernement.

—Mon père disait toujours à mes frères : « Si vous voulez inspirer la confiance, gardez le dos droit, les épaules redressées et la tête haute. » Tu occupes maintenant un poste qui l'exige, Pierre.

—En politique, ce sont les idées qui comptent, répliqua-t-il.

—Je serais portée à croire que toutes ces idées fabuleuses emmagasinées dans ta tête et ces richesses que tu portes en ton cœur, il faut les présenter sur un joli plateau pour que les gens les apprécient à leur juste valeur. Je comparerais la prestance à l'emballage d'un cadeau, ajouta-t-elle, rieuse.

—Voilà que madame se mêle de donner des leçons d'élégance à son homme!

—Des leçons de dignité, corrigea Luce.

—Si tu savais l'effet que tu as sur moi quand tu te montres joyeuse comme avant…

—Avant quoi, Pierre?

—Tu le sais bien.

La tristesse éclipsa de nouveau la gaieté dans le regard de Luce. Chagriné, Pierre crut tout réparer en la portant dans le lit où il souhaitait lui faire l'amour. Mais sa jeune épouse se recroquevilla sur son ventre encore meurtri par sa dernière fausse couche.

—Tu as mal? s'inquiéta-t-il, couvrant son dos de sa robuste poitrine, ses bras se nouant autour des jambes de Luce repliées.

—Y'a pas que mon ventre qui soit endolori: tout mon corps, de la tête aux pieds, l'est.

—Explique-toi, ma petite femme.

Luce se tourna vers son mari. Ses fines mains posées de chaque côté de son visage réclamaient son attention et sa compréhension.

—Ma tête est fatiguée d'essayer de comprendre pourquoi tant d'épreuves ont fait basculer ma vie en moins de dix ans. Je n'en peux plus de voir le petit berceau se vider presque aussitôt occupé. Les gémissements de ma petite Hélène n'ont pas quitté mes oreilles. Après s'être bercée dans mon ventre, chacune de mes filles est partie en emportant avec elle un morceau de mon cœur… Ce sont des plaies qui ne guérissent pas. Je n'en peux plus, Pierre. Je ne veux pas m'exposer à revivre tant de souffrances dans quelques mois. Donne-moi le temps de me soigner… à tous les points de vue. J'ai besoin de rire sans qu'une douleur ou un mauvais souvenir vienne m'écorcher !

Pierre l'écoutait sans broncher.

—Heureusement que nous avons déjà deux beaux garçons et que nous pourrons en avoir d'autres quand tu te seras remise.

Luce refoula son commentaire : reprocher à son mari son peu de présence à la maison risquait de l'accabler alors que ses avancées en politique le stimulaient.

—Je veux avoir retrouvé ma forme avant de porter un autre enfant.

—Tu penses que nous avons bien du temps devant nous ? Oublierais-tu que je suis déjà dans la quarantaine ? Je ne voudrais pas que nos enfants me prennent pour leur grand-père.

—Papa avait bien l'âge d'être mon grand-père et ça ne m'a jamais causé de problèmes. À mon avis, c'est une petite contrariété comparée aux risques de te retrouver seul avec des enfants orphelins de mère…

—Ne parle pas comme ça, Luce ! Tu me fais peur. S'il fallait que tu tombes malade comme ma mère l'a été pendant des années, je serais le plus malheureux des maris.

—Ça n'arrivera pas si on laisse ma matrice se reposer un bout de temps.

—Se reposer?

—Oui. Qu'on ferme la manufacture de bébés pour huit ou dix mois, au moins.

Pierre tourna le dos à son épouse, se couvrit la tête avec son oreiller et grommela, refusant de formuler distinctement sa réplique. Sa nuit fut agitée. Celle de Luce aussi, mais pour des motifs qu'elle devait taire pour ne pas l'accabler davantage.

Le lendemain midi, au fait de la dernière fausse couche de Luce, Joseph Bédard, de passage à Québec, était venu la réconforter. Elle l'invita à occuper avec elle la balançoire qu'elle avait fait installer dans le jardin, juste derrière un bosquet.

—Ça ne peut pas tomber mieux! J'ai un précieux conseil à te demander, Joseph.

—Avec plaisir, ma chère Luce. En autant que j'ai la compétence pour le faire. Je ne suis qu'un simple avocat.

—Ce n'est pas sur ce plan que j'ai besoin que tu m'éclaires, Joseph.

—Je t'écoute.

—Je me demandais, même si tu es de onze ans plus jeune que Pierre, si tu te souvenais assez de lui pour me dire s'il était grognon quand il vivait avec la famille?

Joseph grimaça.

—Je n'ai jamais vraiment porté attention à ses humeurs, je t'avoue. Par contre, je me souviens qu'il était trop sérieux pour que je trouve du plaisir à me tenir avec lui. J'espère qu'il n'est pas bourru avec toi...

—Sombre. Souvent tourmenté. Peu présent. Même quand il est à la maison, son esprit est ailleurs.

—Je ne comprends pas comment il peut faire. Tu es si charmante, si brillante, si raffinée. Je t'aurais bien mariée, moi, si tu n'avais pas préféré mon frère.

—Ne fais pas ce genre de blague, Joseph.

—Je ne blague pas, Luce.

La balançoire s'immobilisa. La réciprocité de leurs sentiments envahit leurs regards, puis leurs gestes. Un effleurement de leurs lèvres, interrompu juste avant qu'ils ne le regrettent.

—Tu as eu plus d'une occasion de m'exprimer tes sentiments et tu ne l'as jamais fait, Joseph Bédard. J'ai tant souhaité...

Luce quitta la balançoire, salua Joseph d'un signe de la main et fila vers la maison. Joseph ne pouvait repartir sans entrer saluer sa sœur. Leur échange fut bref.

—Tu m'excuseras, Marie-Josèphe, j'ai des urgences à régler. Merci pour tous les services que tu rends à notre charmante belle-sœur.

Debout près de la fenêtre, un coin du rideau de la fenêtre levé, Luce le vit s'attarder sur le siège de sa calèche, fixer la maison, en attente, pour finalement reprendre la route.

« Que la vie est bête, parfois! Y'a rien à comprendre! Me changer les idées, c'est que j'ai de mieux à faire », conclut Luce, prévenant Marie-Josèphe de son absence pour une trentaine de minutes.

—Je vais à la librairie. Veux-tu que je te rapporte un roman? lui offrit-elle.

—Si tu penses connaître mes goûts, j'en serais ravie!

« Des biographies de saintes, peut-être, vu son exceptionnel dévouement », pensa Luce.

*   *   *

L'été 1803 resterait gravé dans la mémoire de Luce.

À son retour du travail, Pierre sortit une petite enveloppe de la poche de son veston, en tira un feuillet et annonça:

—Joseph nous invite à son mariage!

Luce figea sur place. Elle feignit de ne pas avoir bien entendu et lui demanda de répéter. Pierre relut le texte.

—Le 20 septembre.

—Ah, bon!

—Quelle idée de marier une fille de Montréal! Les Bédard vont se faire rares à la noce, déplora Pierre.

—Une fille de Montréal! On n'a même pas su qu'il en courtisait une, balança Luce pour dissimuler son véritable désarroi. Sais-tu son nom?

—Marie Geneviève Scholastique Hubert Lacroix. Et elle a tout juste vingt ans.

—Hubert? Sais-tu si elle est parente avec ma mère?

—Aucunement! Puis, quelle importance? Le futur marié est un Bédard, pas un Lajus, ni un Hubert, ni un Lacroix.

—Bien non! Où avais-je la tête?

Secouée par la nouvelle de ce mariage, et surtout par le silence de Joseph, Luce prétexta une cueillette des légumes nécessaires à son potage pour filer au jardin. Accroupie entre les rangs de carottes et d'oignons, le regard accroché à la balançoire vide au bout du potager, elle libéra les sanglots qui l'étouffaient. Un déchirement dont elle n'avait pas appréhendé la profondeur. Trop cruel! Insoutenable! Seule la mort pourrait l'en délivrer. La sienne ou celle de… «Luce Lajus, tu n'as pas le droit de souhaiter la mort de quiconque, même pas la tienne», lui semblait-elle entendre de la bouche de son oncle Mgr Hubert, du haut de son éternité. «Faut-il arguer que souhaiter est une chose et prédire en est une autre?» pensa-t-elle, ayant trop souvent entendu son mari craindre que ses nombreux ennuis de santé, hérités de sa mère sans doute, le feraient mourir prématurément. Mais, comme il était traité d'hypocondriaque par ses proches, et ce, depuis une trentaine d'années, rares étaient les personnes qui, pour l'avoir observé lors d'événements mobilisateurs ou gratifiants, le prenaient au sérieux. Saurait-il oublier ses bobos et se rendre à Montréal pour assister aux noces de son jeune frère? Quoi qu'il en soit, il était inimaginable pour Luce d'être présente au mariage de Joseph Bédard, sa première flamme. « Je trouverai bien un prétexte pour en être exemptée, se disait Luce. Si je n'écoutais que mes bas instincts, je me réjouirais d'apprendre que cette Geneviève n'est même pas jolie. Pire encore, qu'elle ne lui donnera pas d'enfants. Mais je déraisonne ! Jalouse d'une femme que je ne connais pas, jusqu'à lui souhaiter du malheur ! Mon Dieu, si vous m'entendez, pardonnez-moi. Et vous, Vierge Marie, pouvez-vous comprendre ma souffrance ? Il était tellement de mon goût, Joseph ! Je n'ai pas cessé de l'aimer. Puisse son mariage m'aider à guérir de ce mal ! L'avenir me permettra peut-être de découvrir les défauts de cet homme et de m'en détacher définitivement. »

Un tantinet plus sereine, Luce reprit ses charges d'épouse et de mère sans que son mari soupçonnât son désarroi.

—Si tu m'accompagnais, Luce, je serais tenté de faire le voyage, émit Pierre, songeur.

—Une question : en avons-nous les moyens ?

—À toi de décider. C'est toi qui veilles au grain.

—Si tu y tiens, vas-y avec les autres membres de ta famille. Déjà, ce sera moins coûteux.

—Tu as raison. On a du mal à joindre les deux bouts. Joseph comprendra…

« Tu ne pourrais dire plus juste, Pierre », eût-elle répondu si elle n'avait craint de susciter des soupçons.

*　*　*

Dans l'esprit de Pierre, aux soucis familiaux venait s'ajouter la question des prisons. Abordée l'année précédente, elle était morte au feuilleton. Le député ne pouvait tolérer l'insalubrité de ces lieux de détention d'où, faute de véritable programme correctionnel et d'organisation de l'espace, le détenu sortait plus enclin aux crimes que le jour de son incarcération. Même si la construction de prisons à Québec et à Montréal s'avérait urgente, le projet était sans cesse reporté à la session suivante, faute de trouver un terrain d'entente sur son financement. À cet effet, Pierre s'éleva contre l'idée de taxer les terres, proposant plutôt de percevoir un impôt sur le commerce en général. Des débats musclés s'ensuivirent, au terme desquels la proposition du député Bédard fut approuvée par la Chambre et sanctionnée par le gouverneur. Cette victoire souleva la colère des marchands, qui déblatérèrent contre Pierre et menacèrent de recourir à tous les moyens imaginables pour attaquer les Français et saboter leur influence.

—Après quarante-sept ans de possession, il serait temps que la province devienne anglaise, soutenait un chroniqueur du *Mercury*.

L'absence de moyens pour répliquer aux diatribes saugrenues des journaux adversaires irritait Pierre. La création d'un hebdomadaire faisant écho aux intérêts et idéaux des francophones s'imposait. Mais en ces temps la vie des journaux était de courte durée. À preuve, *The Montreal Gazette*, qui avait vu le jour en 1796, n'avait survécu qu'un an. *Le Magazine de Québec*, fondé par John Neilson, avait cessé de paraître dix-huit mois plus tard. Les journaux anglophones se portaient mieux, mais Pierre rêvait d'une publication qui permît aux Canadiens d'exprimer librement leurs opinions et de dresser des ponts, non seulement entre Montréal et Québec, mais aussi entre francophones et anglophones. N'en donnait-il pas l'exemple, comptant parmi ses amis John Neilson et Andrew Stuart? Avant qu'il n'ait pu trouver des complices pour fonder le journal dont il rêvait, les anciens émigrés loyalistes et les marchands de Québec créaient le *Quebec Mercury*. Pierre rageait.

Les attaques de ce journal contre les Canadiens furent telles que, le 22 novembre, trois collègues, dont Jean-Thomas Taschereau, se joignirent au député Bédard pour lui donner la réplique dans *Le Canadien*. Ce modeste hebdomadaire de quatre pages, dont les principaux rédacteurs gardaient l'anonymat, se porta à la défense de la population francophone; il donna l'occasion à Pierre Bédard d'exposer son idéal politique et d'expliquer sa stratégie. François Blanchet, Denis Benjamin et Joseph-Louis Borgia s'y impliquèrent généreusement. Une guerre de plumes s'engagea, non seulement contre le *Quebec Mercury*, mais aussi contre le *Courrier de Québec*, journal fondé par deux ennemis personnels de Pierre: le juge Pierre-Amable De Bonne, son adversaire dans le comté de Northumberland, et Jean-François Perrault. Ce dernier, protégé du juge De Bonne, avait été nommé greffier de la paix et protonotaire à la Cour du banc du roi à Québec, et ce, même s'il n'avait pas terminé sa formation d'avocat. Une injustice, aux yeux de Pierre.

D'un commun accord, les collaborateurs du *Canadien* privilégièrent la prose acerbe et l'ironie pour riposter aux adversaires qui cherchaient à tourner en dérision tout ce qui était français.

Pierre estimait que les avantages de la liberté de la presse primaient les inconvénients.

—Tous savent très bien que je veux instruire le peuple, lui inspirer le goût des sciences et des arts, lui faire mieux connaître notre langue…

—Se pourrait-il qu'on te soupçonne de pousser les francophones à la révolte? lui demanda le Dr Blanchet.

—Impossible!

* * *

Dans la jeune vingtaine, Luce affichait une maturité de beaucoup supérieure à celle des autres femmes de son âge. Pendant cette période très active de la vie de son mari, elle avait perdu trois autres filles, toutes prématurées. Un peu par dépit, elle refusa dès lors de se consacrer entièrement à sa famille. La complicité de sa mère lui permit de s'investir dans les Salons des Dames du Bas-Canada pour y causer de littérature, tout en s'exerçant à l'art de la conversation et à l'usage du bon vocabulaire hérité de la tradition française. Chez la noble Marguerite de Lanaudière, dont le salon était situé au coin des rues Saint-Louis et Desjardins, elle se lia d'amitié avec cette seigneuresse au franc-parler qui faisait dans la comédie avec une habileté exceptionnelle. C'est là qu'elle rencontra Marie-Anne, la sœur de Marguerite, qui recevait chez elle des membres de la bourgeoisie canadienne et de nombreuses épouses de dirigeants. Toutes deux avaient en commun d'avoir vécu plusieurs grossesses et d'en avoir mené à terme moins de la moitié. Leur chagrin, exprimé en des termes judicieusement choisis pour les circonstances, s'habillait de gravité. Des expériences de femmes qui ne trouvaient de réelle empathie que chez d'autres femmes.

Angélique avait été d'un grand secours pour sa fille à ces occasions, mais sa compréhension des épreuves, noyée de ses croyances judéo-chrétiennes, se traduisait uniquement en appels au courage et à la résignation. Ce qui suscitait chez Luce une montée de révolte qu'elle devait refouler pour ne pas l'offenser. S'en ouvrir à son mari risquait d'attiser sa propre colère. Par contre, Marie-Anne, plutôt dévote et appréciée du clergé, n'avait pas perdu pour autant sa compassion. Épouse de François Baby, richissime juge de paix du district de Québec, président suppléant du Conseil législatif et membre du Conseil exécutif, elle recevait chez elle l'élite de la société, et ce, avec une simplicité qui compensait fort gracieusement le panache de ses invités. Les dames se présentaient vêtues de tenues dernier cri : une robe dont le devant s'ouvrait sur un jupon taillé dans le même tissu que le reste, une chemise de toile fine avec des dentelles ou de la mousseline au cou et aux poignets. Toutes des tenues fort volumineuses. Aux pieds, des souliers dont les talons en bois étaient recouverts de cuir ou de tissu. Sur leur tête, une coiffe en mousseline ou en toile fine, garnie de dentelles et de rubans brodés. En soirée, elles couvraient leurs épaules d'un joli mantelet.

Luce savait donner à ses tenues une élégance qui convenait aux milieux aisés autant qu'aux modestes, d'où son aisance en toutes circonstances. Excellant en ironie courtoise, elle adorait ces échanges où l'on commentait, entre autres, les écrits de Joseph Quesnel, poète et dramaturge.

M. Quesnel était connu pour sa pièce *Colas et Colinette,* portée à l'affiche du théâtre Patagon au début de l'année 1805 par la compagnie du Théâtre de société de Québec. De passage en cette ville, Quesnel, reconnaissant, avait livré aux comédiens amateurs un traité d'art dramatique en vers, qui fut publié dans *La Gazette de Québec* sous le titre *Adresse aux jeunes acteurs.* Ses conseils, toujours d'actualité, témoignaient de ses connaissances et de son bon goût. À cette occasion, d'ailleurs, Ignace-Michel-Louis-Antoine de Salaberry avait suggéré à l'imprimeur John Neilson de publier l'œuvre dramatique de Quesnel. Fils de Michel de Salaberry, officier de marine, Ignace-Michel-Louis-Antoine était lui-même officier dans l'armée et dans la milice, seigneur et juge de paix. Lié d'amitié avec le prince Augustus, il bénéficiait largement du favoritisme colonial et impérial. Le prince et sa maîtresse étaient respectivement parrain et marraine de son fils cadet. Depuis

1801, il était affecté au poste de surintendant adjoint des Abénaquis de Saint-François.

Pierre Bédard s'était réjoui de l'adhésion au Parti canadien d'un homme de son prestige. Jusqu'à ce que Salaberry sème la discorde à l'Assemblée en recommandant la construction, dans chacun des districts, d'une nouvelle prison financée par le gouvernement. Malgré l'opposition féroce des marchands britanniques, le projet de loi avait été sanctionné par le lieutenant-gouverneur, Sir Robert Shore Milnes.

Il allait de soi que le salon de Salaberry fût un lieu de réunion très recherché où se côtoyaient des membres du clergé, du gouvernement et de la noblesse seigneuriale, mais au salon de Marguerite, point de membres du clergé.

Les dames réunies désignèrent leur hôtesse pour la lecture de l'*Épître à M. Généreux Labadie*, un poème de Quesnel qui semblait adressé non seulement à Labadie, mais aussi aux époux de ces dames, tous des politiciens passionnés.

Toi qui trop inconnu mérites à bon titre,
Pour t'immortaliser, que j'écrive une épître,
Toi qui si tristement languis en l'univers,
Labadie, c'est à toi que j'adresse ces vers.
Quand je vois tes talents restés sans récompense,
J'approuve ton dépit et ton impatience;
Et je tombe d'accord que nous autres rimeurs
Sommes à tort en butte à messieurs les railleurs.
Je sais qu'à parler vrai, ta muse un peu grossière

Aux éloges pompeux ne peut donner matière ;
Mais enfin tu fais voir le germe d'un talent
Que doit encourager tout bon gouvernement,
Qui de chaque sujet distinguant bien la classe,
Met le rimeur toujours à la première place.

Après chaque passage lu à haute voix, ces dames faisaient des gorges chaudes des politiciens. Pour cause, ces railleurs reconnus dans la société levaient le nez sur les poètes et les dramaturges, qu'elles idolâtraient.

Quesnel pouvait en témoigner, lui qui en 1789 avait fondé sa troupe, le Théâtre de société, avec quelques amis, dont Louis Dulongpré, musicien, professeur et régisseur de théâtre, mais aussi Pierre-Amable De Bonne et Jean-François Perrault, deux adversaires du député Bédard. À l'hiver 1789-1790, le Théâtre de société avait joué six pièces, dont *Colas et Colinette,* opéra-comique entremêlé de quatorze airs chantés : ce fut un franc succès. Le curé de Montréal n'avait pas tardé à dénoncer les spectacles et à déclamer en chaire que l'Église refusât l'absolution à ceux qui y assisteraient. Fondateurs et acteurs avaient protesté auprès du vicaire général, qui avait demandé conseil à Mgr Hubert ; ce dernier avait condamné la conduite du curé de Montréal et avait donné son aval aux plaignants, tous des hommes en vue dans la société.

Luce rappela cet événement aux dames du salon.

—Je suis la nièce de cet évêque, dont les prises de positions furent souvent controversées, et j'en suis fière. Il faut bien du courage pour exprimer ses avis, surtout pour un religieux dont le supérieur ne partage pas les opinions.

Toutes convinrent que les personnes en autorité, soit politique, soit religieuse, devaient en faire preuve et méritaient l'admiration du public. Puis, d'un commun accord, elles reprirent la lecture du poème de Quesnel.

> *Pour nous, cher Labadie, dans ce pays ingrat,*
> *Où l'esprit est plus froid encore que le climat,*
> *Nos talents sont perdus pour le siècle où nous sommes;*
> *Mais la postérité fournira d'autres hommes,*
> *Qui goûtant les beautés de nos écrits divers,*
> *Célébreront ma prose aussi bien que tes vers.*
> *Prédire l'avenir est ce dont je me pique,*
> *Tu peux en croire enfin mon esprit prophétique:*
> *Nos noms seront connus un jour au Canada,*
> *Et chantés de Vaudreuil à Kamouraska.*

Les éclats de rire provoqués par le dernier vers ouvrirent sur des échanges spontanés.

—Dire que j'ai tant rêvé de publier mon recueil de textes! Avoir su que mon cousin le faisait pour certains auteurs, je me serais risquée à le lui présenter...

L'occasion était toute désignée pour que Luce fît l'éloge de John Neilson qui, avec son frère Samuel, avait hérité d'une somme considérable et de l'imprimerie de son oncle, William Brown. Venu d'Écosse alors qu'il n'avait pas encore vingt ans, il avait fait preuve d'un talent remarquable à la succession de l'imprimeur de *La Gazette de Québec*. En 1792, son frère avait été l'instigateur de la première publication périodique illustrée de Québec, *The Quebec Magazine / Le Magasine de Québec*, une revue bilingue mensuelle dont il avait confié la rédaction à Alexander Spark, ministre de l'Église presbytérienne de Québec. Parmi les soixante-douze pages du premier numéro, on trouvait également une gravure de la ville. La revue avait présenté une chronique des naissances, des mariages et des décès, en plus d'une liste des prix à la consommation. Depuis l'âge de douze ans, Luce comptait parmi les clientes les plus fidèles de la librairie de John. Elle appréciait non seulement la diversité des titres offerts, mais aussi la courtoisie de ce bel Écossais aux traits fins et au regard lumineux.

—À notre prochaine rencontre, je vous apporterai l'une de ces pages où l'on retrouve des extraits d'ouvrages portant sur divers sujets comme l'astronomie, l'hygiène, la poésie, l'histoire, la météorologie. C'est très intéressant !

—Mais où avez-vous pris une si belle culture, madame Bédard ? s'intéressa Marguerite.

—Luce Lajus Bédard, corrigea-t-elle, avant de répondre à la question. Des livres que me conseillait mon cousin John Neilson, mais aussi de mes parents et des religieuses qui m'ont enseigné. Elles m'ont appris le bon français, le calcul, le catéchisme et un peu d'histoire, mais elles ne m'ont pas montré comment écrire. Quand je le leur demandais, elles me faisaient composer des prières ou envoyer des lettres à des confidents imaginaires. Comme elles me donnaient toujours une note parfaite, sans commentaires, je doute qu'elles se soient donné la peine de les lire.

Toutes en rirent. L'intelligence et la clairvoyance de la fille de feu le Dr Lajus n'avaient pas tardé à se démarquer dans ce milieu mondain. Les encensements de ces dames compensaient ceux qui lui avaient tant manqué depuis le décès de son père.

—Et moi, continua une participante, je vous apporterai *L'almanach des dames* publié par M. Plamondon et dédié à Rosalie Amiot, son épouse. On y trouve aussi un poème de Joseph Quesnel.

*   *   *

Le désordre, tant sur le plan familial que social, excédait Pierre. Malheureusement, la veuve Lajus, ayant accepté de remplacer sa fille lors de ses sorties mondaines, priorisait le soin des enfants à la tenue de la maison. Pierre avait retrouvé depuis une épouse plus épanouie, plus affirmée, mais aussi plus contestataire. Pour ne pas attiser la controverse en présence des enfants, il faisait diversion en abordant les frictions auxquelles la scène politique l'exposait. Par exemple, il ne tolérait plus que les élections, en plus de s'éterniser, ne se tiennent pas à date fixe dans tous les districts du Bas-Canada. Il reprochait également aux auteurs du *Mercury* d'alimenter les querelles ethniques.

Le député Bédard doutait que la demande d'un salaire permanent pour les députés, telle que formulée dans *Le Canadien*, fît l'unanimité. Par contre, que la nomination d'un agent du Bas-Canada à Londres fût approuvée en Chambre le réconfortait.

Au cœur de cet été 1807, Henry Craig succéda à Prescott comme gouverneur des provinces de l'Amérique du Nord. Cette désignation inquiéta d'autant plus le député Bédard que Craig, imbu de sa supériorité anglo-saxonne, s'entourait de trois secrétaires exécutifs redoutables : l'évêque anglican Jacob Mountain, Jonathan Sewell, juge en chef de la province, et Herman Ryland. Tous trois étaient de farouches dénonciateurs des libertés accordées au Parlement par la Constitution britannique. Le député de Northumberland, spécialiste des principes fondamentaux du gouvernement parlementaire anglais, clama haut et fort qu'il revenait au législateur de façonner et de contrôler le pouvoir, et que l'exécutif ne pouvait gouverner sans la confiance du Parlement. Ce qui semblait compris par la majorité de la population.

En cette période, les milices canadiennes, averties de se tenir prêtes en cas d'attaque des États-Unis, formèrent le premier bataillon de Québec. Leur colonel clama :

—C'est une belle occasion de montrer, à la face de tout l'univers, votre loyauté envers l'Empire britannique.

Le 19 septembre, *Le Canadien*, dans le même esprit, conseillait les troupes dans un article qui plut tant à Pierre qu'il tint à en faire la lecture à son épouse, sur un ton des plus enflammés :

—« Il faut un accord parfait et une détermination ferme et durable, de la part des Anglais et des Canadiens, d'être à l'avenir indulgents les uns envers les autres, et de se traiter comme des frères qui veulent verser jusqu'à la dernière goutte de leur sang pour la cause commune. »

Luce sursauta.

—Tu serais prêt à mourir pour ?…

—Laisse-moi finir et je t'expliquerai.

—Bon… Je t'écoute.

—« Plus de ces animosités qui avilissent et dégradent ! reprit Pierre. Plus de ces distinctions choquantes qui humilient et indisposent ! Plus de ce titre distinctif d'anciens et de nouveaux sujets ! Tout cela tourne au détriment des sages mesures qu'on pourrait prendre pour le bien général. Nous voilà arrivés au jour de la conciliation. Soyons tous amis, si nous voulons vaincre nos ennemis ! Soyons unanimes : que l'envie et la jalousie ne viennent jamais troubler l'harmonie ! »

—On dirait un sermon de feu mon oncle, Mgr Hubert ! Mais c'est très, très bien. Il faudrait appliquer ces principes à notre vie quotidienne, renchérit Luce, affairée à préparer le souper.

Ils poursuivirent leur échange, au grand bonheur de Pierre. Profitant de son exceptionnelle bonne humeur, Luce porta à son attention une cause qui lui était chère : celle des trois Indiens et du fils du chef huron de Lorette, tribu qu'elle estimait particulièrement depuis son premier accouchement.

—De qui as-tu appris tant de choses à leur sujet?

—Je suis toujours en contact avec plusieurs femmes huronnes de Lorette. C'est elles qui m'en ont parlé. Il semble que Craig, le nouveau gouverneur, aurait refusé de rembourser leurs frais.

Les mâchoires de Pierre s'étaient crispées.

—Ce n'est pas juste: ils y allaient pour réclamer leur dû. Ces terres leur appartenaient, et c'est normal qu'ils veulent les reprendre pour les cultiver.

—À mes yeux, oui, mais les autorités se renvoient la balle. Il me semble que ce serait au gouvernement exécutif du Bas-Canada d'en décider.

—Si ce M. Craig savait tout ce que les Hurons nous apportent, il les aiderait.

—Il a plus important à faire! Comme la guerre paraît inévitable entre l'Angleterre et les États-Unis, il s'emploie à consolider les fortifications de la province, notamment ici, à Québec.

—Pendant ce temps-là, des peuples restent sans aide! Quand je pense qu'on a cru qu'il verrait à ce que nous soyons traités avec justice…

—Tu te trompes, Luce. Craig ne protège pas que la population anglophone: il travaille à améliorer les relations des autorités avec tous ceux qui les côtoient, les Hurons et les Iroquois inclus.

—Je comprends que les femmes apprécient beaucoup plus nos voisins hurons que les hommes. Tant de bébés, d'enfants et de mères ont été sauvés par leur médecine. Jamais je n'oublierai que notre Pierrot leur doit la vie.

—Si ton père t'entendait!…

—Je suis sûre qu'il m'entend et qu'il approuve. Du paradis, il comprend mieux que ses connaissances médicales et celles des tribus autochtones étaient complémentaires.

—Les sages-femmes huronnes étaient-elles près de toi quand tu as accouché de nos filles?

—Quatre fois, Pierre. Ça prouve qu'elles ont fait aussi bien que nos médecins, que papa, même.

—La prochaine fois, je voudrais que tu sois suivie par un médecin dont la réputation n'est plus à faire et qui t'examinerait dès les premiers mois. Peut-être que, par des analyses sanguines, il pourrait diagnostiquer ce qui provoque chaque fois la perte de ton bébé.

Luce resta muette. La tête inclinée pour ne pas exposer son regard à son mari, elle taisait son désir de ne plus avoir de grossesses.

—Te rends-tu compte, Pierre, que tu devras travailler jusqu'à soixante-cinq ans pour faire instruire nos enfants? Déjà que tu y arrives difficilement pour Pierrot et Elzéar…

Accoudé à la table, en quête de courage pour exprimer le fond de sa pensée, Pierre triturait sa chevelure.

—Si tu y mettais un peu du tien, Luce…

—Tu veux dire quoi, au juste?

—…

—Si tu fais allusion à l'héritage de papa, c'est non. Pour nous accommoder, maman a déjà assez rogné sur l'argent que son mari lui a laissé. Elle n'était pas obligée de le faire. Si la société refuse que les femmes travaillent, alors ce sont les hommes qui doivent subvenir aux besoins de la famille.

—Ce n'est pas ma faute si les charlatans d'avocats viennent nous voler les causes payantes. Puis, je fais ce que ma santé me permet de faire, Luce.

—Et tu penses qu'elle va s'améliorer dans l'avenir?

—Mon père a plus de soixante-dix ans, et il fait encore son pain.

—Oui, mais il ne s'est jamais plaint de quelque malaise que ce soit et il a un bon moral, lui. Puis ta mère... elle ne s'est pas rendue à soixante ans, et je l'ai toujours connue malade.

—Pauvre elle! Pas un médecin ne comprenait sa maladie. Tout ce qu'on trouvait à dire, c'est qu'elle souffrait des nerfs.

—Et toi, Pierre, tu la comprenais?

—C'était ma mère, rétorqua-t-il, pressé de se replonger dans son cahier de mathématiques.

Luce se pencha sur son petit Isidore qui, à peine âgé de sept mois, faisait ses premiers pas. Voulut-elle attirer l'attention de son père sur ses exploits que Pierre ne leva la tête qu'une fraction de seconde, visiblement agacé.

—J'espère que nos garçons vont tenir de leurs deux grands-pères, lança Luce, déçue du peu d'intérêt de son mari pour les progrès de leur fils.

Pierre dévisagea son épouse et la pria de s'expliquer.

—J'espère qu'ils seront forts, vaillants et joyeux.

Comme il ne répondait pas, elle passa à un sujet plus trivial.

—Le temps que j'aille chercher du maïs dans le potager, surveille la cuisson du poisson, s'il te plaît. La courge est déjà prête.

«On dirait bien qu'elle ne comprend pas tout le courage et la ténacité que ça demande de travailler pour sa nation. Une nation que je rêve de voir forte, libre et vigoureuse. Qu'elle se batte sans se lasser pour défendre ses droits et son honneur. Qu'est-ce que je ne donnerais pas pour que mon corps, ma démarche et mon regard reflètent tout ce que je porte de conviction et d'aspiration dans mon cœur!».

Planté devant le miroir de la commode, Pierre ne pouvait nier son air balourd avec ses épaules voûtées, son regard éteint et sa bouche déconfite. Un souvenir revint le hanter : à sa sortie du bureau l'été précédent, il avait croisé un groupe de jeunes femmes qui, sitôt derrière lui, s'étaient mises à glousser. Il avait osé tourner la tête et avait aperçu l'une d'elles se moquer de sa démarche, provoquant les éclats de rire de ses compagnes. «Je comprends que certaines personnes ne se gênent pas pour me ridiculiser quand elles me rencontrent. Ce n'est pas juste. Je suis le seul de la famille que la nature a si peu choyé. Quand on pense que Joseph séduisait toutes les filles qu'il rencontrait, tant il est charmant.

Au moins, je suis le plus intelligent, et aussi le plus engagé… »

—Ça brûle, Pierre! C'est trop te demander que de surveiller une chaudronnée?

—La chaudronnée ou les p'tits? Un vrai nid d'abeilles autour de moi. Je ne peux pas être à deux endroits en même temps!

—Je le fais bien, moi! lui cria Luce.

Pierre lança sa cuillère de bois dans l'évier et s'élança vers la porte. Apeurés, les enfants s'agrippèrent à leur mère.

—Non! Ne te sauve pas, Pierre. Dis-moi plutôt ce qui te tracasse tant, aujourd'hui?

Cette délicatesse le chamboula. Profondément ému, il parvint à balbutier:

—Rien de grave, ma chérie. Un grain de sable comparé à l'immense bonheur que me procurent la belle femme que j'ai mariée et les charmants enfants qu'elle m'a donnés.

Il entoura de ses bras la taille de Luce, lui offrit ses baisers avec ferveur.

« Quel drôle d'homme! Je n'aurai pas assez de toute ma vie pour le comprendre. »

Le repas se déroulait dans une savoureuse sérénité quand Pierre regarda son épouse et cita en latin:

—*Fiat justitia ruat caelum.*

Luce fronça les sourcils, un sourire moqueur aux lèvres.

—C'est la devise de notre journal, lui révéla-t-il.

—Et ça veut dire?…

—*Qu'advienne la justice même si le ciel s'écroule.*

Luce rumina et reprit à haute voix :

—Autrement dit, la justice à tout prix ?

—C'est ça ! Il faut s'attendre à ce que bien des nuages planent sur la tête des rédacteurs : *Le Canadien* s'apprête à livrer une lutte féroce contre les journaux hostiles à notre race et à notre foi.

—Si je comprends bien, tes devoirs de politicien prennent presque toute la place. Il en reste peu pour ta famille, et encore moins pour l'engagement que tu avais pris en me demandant en mariage.

—Je fais ce que je peux, je te le jure. Mais l'enquête… Depuis le temps ! Après la mort de ton père, j'ai cru qu'on trouverait des indices. Mais si peu ! Puis, la coquille s'est refermée… Comme l'attitude de ta mère à mon égard, d'ailleurs. La méfiance qu'elle avait envers moi à notre mariage, elle l'a encore, et je ne sais pas pourquoi. J'ai l'impression qu'elle nous cache des choses. Peut-être pas à toi…

—Oh, oui ! Je me demande si elle ne serait pas courtisée par un charmant monsieur… Elle se pomponne parfois comme si elle se préparait à une sortie galante. L'autre fois, j'ai cru voir une enveloppe qui lui était adressée tomber de son sac à main.

—Mais c'est son droit. Elle est libre. Serait-ce qu'elle craint de te déplaire si tu apprenais qu'elle fréquente un autre homme…

—Laisse tomber. On gaspille notre salive, rétorqua Luce, troublée à la pensée que sa mère puisse aimer quelqu'un d'autre que François Lajus.

—Pour en revenir à l'enquête, sans complice, c'est voué à l'échec, allégua Pierre.

—Mais moi, je suis ta complice. Et si tu t'y mettais, je pourrais en trouver d'autres parmi mes connaissances.

Le silence couvrit leurs réflexions. Pierre semblait tourmenté.

—Il y a une chose qui m'agace bien gros.

—De ma part?

—Bien non, Luce. Certaines personnes que je croise jettent sur moi un sourire... suspicieux. Comme si...

—Et comment tu expliques ça? l'interrompit Luce.

—Leurs chuchotements me portent à croire qu'elles ont la réponse qu'on cherche depuis douze ans. Je le ressens. Je voudrais bien les approcher, les questionner, mais je crains d'être ridiculisé.

Flair ou hallucination? Luce lui suggéra de foncer, quitte à se faire repousser.

—Je ne me résigne pas à la pensée qu'un meurtrier jouisse de sa liberté sans être jamais épinglé. Tu te rends bien compte qu'on ne peut compter sur aucun de nos proches pour lui mettre la main au collet avant qu'il trépasse...

Pierre comprit que Luce ne soupçonnait pas sa mère de connaître le nom du meurtrier. «J'aurais été porté à croire que, depuis la mort du Dr Lajus, Angélique en gardait le secret... Une promesse qu'elle aurait faite à son mari. Les lettres qu'elle garde dans son sac à main me l'indiquent. Mais, à bien y penser, elle est si proche de sa fille que, si ç'avait été le cas, elle aurait répondu à ses questions. Elle l'aurait déchargée de ce poids qui l'accable depuis plus de dix ans. »

—Tu m'accuseras de folie si tu veux, Luce, mais j'ai remarqué plus d'une fois à l'église qu'un homme, fin cinquantaine, se place quelques bancs derrière ta mère, un peu en biais, et qu'il l'observe étrangement. Il était là aussi aux funérailles de notre petite Hélène. Dès que je me tournais pour l'observer, il baissait la tête ou se cachait la figure avec ses mains, comme pour mieux prier, mais… J'aimerais bien trouver un moyen de l'aborder sans que rien ne paraisse et le faire parler, mais il quitte toujours l'église pendant que le prêtre donne la communion.

—Serait-ce le même que j'avais aperçu pendant les funérailles de papa?

—Je ne pourrais pas te dire, je n'avais pas porté attention, cette fois. Mais c'est bien possible!

—Ce ne serait pas Arthur Thibault?

—Je ne connais pas cet homme.

—C'est lui qui m'a ramenée chez mes parents après être allé chercher la Huronne qui m'a accouchée de notre Pierrot. Un grand maigre, l'air un peu débraillé, presque pas de cheveux sur le crâne…

La mine réjouie de son mari l'inquiéta.

—Sois prudent, Pierre. Nos instincts ne sont pas toujours de bons conseillers, tu sais.

* * *

Le vent de prospérité qui soufflait sur Québec depuis 1806 avait attisé le désir d'une plus grande démocratie chez les parlementaires et leurs électeurs. La petite bourgeoisie se sentait plus outillée pour négocier avec l'aristocratie financière. La majorité au Parlement sentait qu'elle acquérait du pouvoir pour orienter ses politiques. Monarchie britannique et démocratie sociale semblaient de plus en plus conciliables. Tout pour déplaire au gouverneur Craig, qui qualifiait les représentants canadiens d'incultes et d'orduriers. Ces mêmes parlementaires n'ignoraient pas que Craig et ses alliés souhaitaient l'abrogation de la Constitution de 1791 et l'exclusion d'une majorité de Canadiens de la Chambre. Il suffisait au gouverneur d'obtenir une augmentation du cens électoral pour y parvenir. En revanche, les députés francophones souhaitaient l'exclusion des juges de la Chambre d'assemblée, dont Pierre-Amable De Bonne, un grand ami de Craig. Ce dernier en fut si outré qu'il prorogea la session et cassa le Parlement.

Au début de mai 1808, Pierre Bédard s'engageait avec ferveur dans la campagne électorale. L'occasion se présenta de dénoncer les sommes d'argent versées par le gouvernement à des candidats, dont près de quatre mille piastres accordées au juge De Bonne. Dans son journal, *Le Canadien*, il demanda qu'une indemnité fût attribuée aux députés. Luce, qui appuyait d'emblée cette requête, le soutenait d'autant plus qu'elle avait du mal à joindre les deux bouts. Une autre raison de se réjouir de cette campagne électorale lui vint des dames qui fréquentaient le salon de Marguerite de Lanaudière : enfin, un certain nombre de femmes militaient activement et se faisaient entendre. L'une d'elles tira à boulets rouges sur le juge De Bonne, l'accusant de représenter indignement leur roi et de ne pas garder en mémoire tout ce qu'elle avait fait, quatre ans auparavant, pour qu'il soit élu député dans la circonscription de Québec. Pour ces dames, les motifs importaient peu, l'essentiel étant de prendre la liberté de s'exprimer publiquement.

Pierre argua que, si le gouverneur avait le droit de dissoudre la Chambre, c'était aussi le droit des électeurs de voter pour les mêmes représentants. Ce qui fut fait. Le Parti canadien fut réélu majoritaire, avec trente-six francophones contre quatorze anglophones. Le secrétaire du gouverneur Craig ne tarda pas à faire connaître publiquement ses appréhensions quant à ce qu'il appelait la « démagogie de l'Assemblée ».

Moins d'un mois après ces élections, Pierre Bédard et quatre de ses compagnons et journalistes du *Canadien* se virent démis de leur poste de capitaine de milice. La raison invoquée se résumait à un manque de confiance envers ceux qui publiaient des propos diffamatoires contre le gouvernement, semant ainsi la zizanie entre les deux partis qui le composaient.

Pierre et ses amis ramenèrent en chambre la question de l'illégitimité de nommer des juges députés. Leur argumentation s'appuyait sur le fait que l'influence de la magistrature, mise au profit d'un parti politique, facilitait la corruption du peuple et des juges eux-mêmes. Nul ne pouvait présumer de leur probité. Une majorité de vingt votes fut recueillie en faveur de leur proposition. De leur côté, les adversaires déploraient que la Chambre se prive des connaissances et des lumières des juges. Pierre leur avait rappelé qu'il n'en restait plus que deux dans la Chambre, et qu'il dénoncerait celui qui oserait briguer les suffrages aux prochaines élections.

Tourmenté par les problèmes politiques, et visiblement à bout de nerfs, Pierre s'en prit un jour à son fils aîné d'une façon que Luce jugea excessive.

—On s'enlève le pain de la bouche pour te faire instruire, et toi, tu viens nous présenter des résultats scolaires minables! Pour ta punition, tout le temps des vacances, tu vas rester dans la maison chaque soir après le souper.

—Ça me dérange pas! rétorqua Pierrot sur un ton arrogant.

—On ne manque pas de respect à son père, mon garçon. Excuse-toi tout de suite.

—J'ai pas manqué de respect. J'ai juste dit la vérité. Comme vous le faites souvent quand vous vous fâchez contre vos collègues.

En retrait au fond de la cuisine, Luce serrait dans ses bras le petit Isidore, apeuré par les éclats de voix de son père.

—Dis quelque chose, Luce, sinon je l'étripe, menaça Pierre.

—Avoue, Pierrot, que tu n'as pas travaillé beaucoup pendant ces derniers mois. Un gars intelligent comme toi est capable de réussir tous ses examens sans problème. Qu'est-ce que tu faisais pendant tes heures d'étude?

—Je dessinais et je lisais des livres d'histoire, maman. Y'a que ça que j'aime faire.

—Tu dessineras quand tu auras terminé tes devoirs et tes leçons, lui ordonna son père. Demain, je vais rencontrer ton maître et, compte sur moi, tes résultats scolaires vont redevenir à la hauteur de tes talents. Maintenant, va réfléchir dans ta chambre.

Le pas lourd mais la tête haute, Pierrot obtempéra. Son regard mendiait l'intercession de sa mère, qui ne lui retourna qu'un battement de cils. Le lendemain matin, Luce offrit à son mari d'aller elle-même rencontrer les responsables du Petit Séminaire. Déjà replongé dans ses tracas de député, Pierre accepta son offre sans réticence.

« J'aurais cru qu'il se serait empressé de connaître les résultats de ma visite au Petit Séminaire», se dit Luce qui, deux jours après l'entrevue, n'avait pas encore été questionnée. Avant qu'il ne parte pour rejoindre ses collègues au local du journal, Luce lui en fit rapport en des termes succincts et positifs.

—D'après son professeur, Pierrot aurait simplement voulu attirer l'attention, notant que les élèves en difficulté en obtenaient beaucoup plus que les autres. Il lui a avoué quand il s'est entretenu avec lui dans son bureau. Mais il soupçonne aussi qu'il commence à contester l'autorité… comme la plupart des garçons de son âge.

—Tu devras être plus ferme avec lui, Luce.

—Et toi, plus modéré, peut-être.

* * *

Un coup de théâtre eut lieu alors, instigué par le gouverneur Craig qui, le 15 mai 1809, annonça une fois de plus la prorogation de la session, alléguant que les membres avaient trahi sa confiance en ne travaillant pas à garder l'harmonie entre les deux partis et en ne consacrant pas leur temps à remplir les obligations auxquelles ils étaient soumis.

Luce tremblait pour son mari et leurs trois fils. «Comme si je n'avais pas assez de craindre l'assassin de mon frère!» Elle avait appris, non sans effroi, que le gouverneur considérait les dirigeants du Parti canadien comme des individus de classe inférieure, des démagogues assoiffés d'honneur et de profit, des révolutionnaires à mater, quoi. Luce reprochait au *Canadien* de pousser le sarcasme trop loin. Le secrétaire du gouverneur avait d'ailleurs classé les députés en deux clans : les bons et les mauvais, ces derniers regroupant les démocrates et les sans-culottes.

—Je trouve que les rédacteurs de votre journal contribuent à la violence de cette campagne électorale, reprocha-t-elle à son mari.

—Elle est à la mesure de l'irrespect avec lequel on nous traite.

—Je comprends que l'évêque Panet ait interdit à ses curés de se mêler de politique. Elle est devenue si haineuse! Je souhaite que nos fils n'ambitionnent pas de devenir des parlementaires.

—Je pensais que tu avais compris l'importance de représenter notre peuple pour sauver ses droits.

—J'avais oublié la devise de votre journal, *Fiat justitia ruat caelum*, grommela-t-elle.

—L'avenir prouvera bien que nous avions raison d'agir comme nous le faisons.

De fait, cette élection ramena la majorité au Parti canadien, avec vingt et un membres. Une grande déception pour le gouverneur, qui en attribua la faute au journal *Le Canadien*. Les autorités diocésaines, dont Mgr Plessis, l'appuyèrent, accusant ce « misérable papier » de tendre à exempter le peuple de tout principe de subordination. Il fallait s'attendre à ce que la diffusion de cet hebdomadaire soit interdite par le maître général des postes d'Amérique. Ce geste suscita la rogne des rédacteurs, qui ne ménagèrent plus leurs attaques.

Les appréhensions de Luce trouvèrent leur justification dans ces querelles. La session parlementaire, amorcée dans l'harmonie à la fin janvier, prit une tournure inquiétante dès le mois suivant, lorsque le projet de loi visant à déclarer l'inéligibilité des juges à la députation fut approuvé par dix-neuf députés contre seize. La réaction du gouverneur fut draconienne : pour la troisième fois en trois ans, il cassait le Parlement.

Le climat électoral était des plus explosifs. Par des pétitions, plusieurs réitéraient leur confiance en leur gouverneur. Des rumeurs couraient selon lesquelles des enfants étaient de ce nombre. *Le Canadien* en fit la une de sa publication du 10 mars. Or, ses chroniqueurs étaient loin d'imaginer que le même jour naîtrait un nouvel hebdomadaire pro-gouverneur : *Le Vrai Canadien*. Le juge De Bonne était l'un des deux propriétaires. Pierre Bédard en fut complètement abasourdi. À sa femme, il confia :

—La vengeance n'a plus de fin. Je suis épuisé de me battre contre des imposteurs.

—Des imposteurs ?

—Oui, des hypocrites de la plus belle espèce ! Le juge De Bonne quête l'appui du clergé dans son journal, alors qu'en 1792 il promettait d'assujettir « la mitre et le capuchon », comme il disait.

—Tu sais bien que nos autorités religieuses ne vont pas se laisser acheter comme ça !

—Eh bien, ils l'ont fait, ma chère ! Pire encore : ce journal attaque ma réputation.

—Comment ?

—On me fait passer pour un jacobin… un révolutionnaire borné.

—Ne t'en fais pas avec ça. Ceux qui te connaissent bien vont te défendre. Faut dire aussi que toi, en plus d'avoir fondé un hebdomadaire revendicateur, tu ne ménages pas tes mots.

—Certains de mes collaborateurs écrivent des propos beaucoup plus virulents que les miens.

Pierre ouvrit son porte-documents et en tira une feuille.

— Écoute ça : « Quand oserez-vous donc chasser, / Peuple, cette canaille / Que le gouverneur veut payer / À même notre taille ? »

— Ceux qui ont écrit ça avaient peut-être été insultés les premiers, présuma Luce.

— Peu importe ! Nous devons nous défendre avec dignité, comme tu me le recommandais. Sans dire d'injures. Si on désapprouve une mesure proposée par le gouvernement, il faut le dire avec respect. Demain, je me chargerai moi-même de publier des excuses dans le journal. Ne m'attends pas pour le souper.

Luce le retint, le temps de lui parler de Pierrot.

— D'abord, il se plaint, dans ses lettres, que son père ne lui envoie pas assez d'argent…

— Il a tout ce qu'il lui faut, à ce que je sache. Pourquoi plus d'argent ?

— Pour un projet avec ses amis l'été prochain.

Luce tira d'un tiroir du bahut la dernière lettre de son fils aîné et pointa un paragraphe, qu'elle lut tout haut.

— « Vous savez comme Montréal m'attire ! Enfin, on aura un navire qui nous prendra à Québec pour nous emmener jusqu'à Montréal. Vous avez entendu parler de *L'Accommodation* ? C'est un bateau à vapeur que messieurs Molson et Jackson ont fabriqué. Si vous pouviez me prêter le montant nécessaire pour un aller-retour, je vous le rembourserais à la fin de l'été. Je prévois de faire des travaux d'entretien, ici, au Petit Séminaire. Je sais que papa ménage ses dépenses, mais peut-être qu'il comprendra l'intérêt d'un étudiant à développer sa culture. Dommage que son important labeur ne soit pas mieux rémunéré. »

—J'ai hâte de le voir au travail, celui-là! Il a besoin de se fouetter plus qu'il ne l'a fait dans le passé s'il veut se trouver un métier payant.

—Au risque de te surprendre, je ne doute pas du tout de l'avenir de Pierrot. Il est aussi intelligent que son père et aussi débrouillard que sa mère, rétorqua Luce pour dissiper la mauvaise humeur de son mari.

—Un voyage… À son âge…, ronchonna Pierre. Un garçon aussi exigeant a besoin d'être soumis à l'autorité paternelle.

—… et maternelle. Tu sais que j'ai toujours souhaité que nous voyions tous les deux à l'éducation de nos enfants.

Sur le point de franchir le seuil, Pierre tourna la tête vers son épouse dans l'intention de lui adresser quelques mots, qu'il retint finalement. D'un signe de la main, il signifia que c'était sans importance.

—Ce n'est plus un enfant, quand même! lui rappela Luce.

Sitôt le petit Isidore endormi, Luce s'attabla pour rédiger une lettre afin de prévenir son fils aîné.

… Ton père fait son gros possible, mais il en a plein les bras avec le journal qu'il a fondé, lequel lui cause bien des soucis. Certains parmi les rédacteurs

profitent de leur anonymat pour publier des textes hai-
neux. Tu devines que nos ennemis s'en prennent à ton
père et l'accusent de tout ce que colporte Le Canadien,
vu qu'il en est la tête dirigeante.

Pour ce qui est de l'argent qu'il te manque pour
des activités au collège, je m'en charge.

Je suis très fière de tes résultats scolaires des der-
nières semaines, mon beau Pierrot.

Ta maman qui t'adore

Sa missive terminée, elle songea à une autre, qu'elle pourrait écrire à Elzéar. « Les compliments viennent plus aisément sur papier. Je l'aime tant, ce petit homme si ouvert à tout, si attentionné à l'égard de ses compagnons, plus encore envers les Hurons de son âge ! Comme si, à sa naissance, les mains de mon accoucheuse avaient laissé une empreinte sur son esprit. La moindre injustice à leur égard le met en colère, et il se précipite à leur défense comme si c'étaient ses frères de sang. Je ne serais pas étonnée qu'il choisisse pour carrière le droit ou la prêtrise. Mais j'aimerais mieux qu'il soit avocat et qu'il soit nommé juge… pas trop loin de chez nous. Il y a assez de Pierrot qui est entiché de l'étranger. La Nouvelle-Angleterre, Montréal, tout ce qui se publie sur ces régions, il le lit. Je n'aurais pu lui offrir plus beau cadeau de fin d'année scolaire que ce voyage en train à Montréal avec son oncle Joseph. Il est si charmant, ce Joseph ! Il n'a peut-être pas l'âme missionnaire de son frère, mais il a tellement meilleur caractère et il est si élégant ! On le croirait issu de la noblesse française. Peut-être que si j'étais née en Europe, je serais plus instruite et fortunée que je le suis. »

Ses rêveries la portèrent dans son lit où, l'oreiller de Pierre pressé sur sa poitrine, elle se voyait dans les bras du genre d'homme qu'elle avait rêvé d'épouser avant de rencontrer Mᵉ Bédard : un homme de belle apparence, aimant la vie, la musique, la danse, les fantaisies ; aussi tendre et courtois que courageux. Ses caresses : du velours sur sa peau. Ses baisers : brûlants, inassouvissables. Son corps : sculpté pour le sien. Donnés l'un à l'autre, leur ivresse les eût enchaînés jusqu'au petit matin.

À l'aube de ses trente ans, Luce s'autorisait enfin des fantasmes autrefois interdits. Leur goût de miel et la douce chaleur qui coulait dans ses veines la disposèrent aux avances de son mari, venu la rejoindre peu avant l'aurore. Sitôt satisfait, Pierre tomba dans un profond sommeil. Luce lui en aurait voulu si elle n'avait eu le sentiment de l'avoir trompé de la façon la plus sournoise, la plus honteuse qui soit. Mais s'en confesser ne lui parut pas souhaitable. Aborder la question des fantasmes avec les femmes du salon de Marguerite, les amener à des aveux sur le sujet, lui sembla moins lourd et plus adéquat.

Pour ne pas écourter les heures de sommeil dont son mari avait besoin, Luce projeta d'aller passer la matinée chez sa mère. Elle se hâta d'habiller son dernier-né et de lui servir à déjeuner, l'invitant, d'un doigt sur la bouche, à ne pas faire de bruit. Son sac à main en bandoulière, des vêtements de re-change pour son bambin sous le bras, elle sortit sur la pointe des pieds.

—Luce! Où vas-tu? entendit-elle, alors qu'elle n'était qu'à quelques pas de la maison.

—Maman nous attend, mentit-elle.

—Accorde-moi quelques minutes. C'est très important. Je vais chercher un papier que j'ai écrit… Je voudrais ton avis.

« Pourquoi tient-il tant à me faire lire ses chro-niques? Pour s'attirer des compliments, peut-être. Mais il doit bien en recevoir de ses collègues, et ils sont mieux placés que moi pour lui donner des conseils. »

—C'est une réalité que je voudrais enfin faire comprendre à notre nation. J'ai pensé utiliser une comparaison… Écoute: «Les institutions britan-niques nous permettent un certain apprentissage de la liberté alors que, sous le Régime français, nous n'étions rien…»

Ennuyée, Luce ne tarda pas à l'interrompre:

—Je m'excuse, mais tu sais bien que je ne connais pas grand-chose en politique. Tes collabora-teurs sont là pour te conseiller adéquatement.

—Mais ce n'est pas un étranger, qui te demande conseil: c'est ton mari! Tu devrais l'accueillir aussi bien que tu l'as fait cette nuit… À moins que…

Pierre posa un regard déçu et attristé sur son épouse, qui ne demandait qu'à filer son chemin.

CHAPITRE V

L'atmosphère tumultueuse de la scène politique se propagea dans nombre de foyers, dont celui de Pierre et de Luce. Les vœux de paix et de prospérité, prononcés du bout des lèvres pour le Nouvel An 1810, semblaient voués à la stérilité. Pierre Bédard et Jean-Thomas Taschereau, têtes fortes de la Chambre, étaient officiellement devenus les ennemis jurés du gouverneur Craig.

—J'ai aussi de grands et fidèles amis, confia Pierre pour rassurer son épouse. Certains sont comme des frères pour moi. Me Denis Benjamin Viger, par exemple. Nous partageons la même admiration pour les institutions britanniques et la même répulsion envers les Américains.

—Une répulsion? Tu y vas fort! Bien des citoyens de chez nous n'auraient pas détesté devenir américains!

—J'espère que tu n'es pas de ceux-là. Si tu savais comme notre nation est menacée… Elle l'est depuis longtemps par les marchands anglophones, mais l'immigration américaine est encore plus à craindre. Les institutions britanniques, elles, favorisent l'épanouissement de la culture canadienne-française et la promotion de l'élite francophone. Ce n'est pas rien, ça! Jamais les Américains ne nous accorderaient de tels privilèges! Ils s'acharneraient plutôt à nous assimiler au plus vite.

Luce n'osa répliquer.

—Pour revenir à Viger, tu sais qu'il collabore avec notre journal depuis ses débuts? J'ai pour lui une grande estime, même si certains de mes collaborateurs prétendent que sa plume est parfois un peu trop sarcastique.

Tout de go, Pierre prit son veston et sortit d'une poche une page du *Canadien*.

—Dans son pamphlet du 28 janvier, il reprochait à l'éditeur du *Mercury* de nous prendre pour des… attends, je vais te donner les mots exacts: débauchés, ignorants, pourceaux, ivrognes…

—J'en ai assez entendu, l'interrompit Luce.

—Ce texte a le mérite d'être clair, au moins! reprit Pierre, faisant allusion à la position de Craig qui, devant son public, avait fait semblant de s'étonner d'apprendre que les Canadiens désiraient former une nation à part.

—Ce n'est pas si clair que ça!

—C'est vrai que nous utilisions souvent l'expression «nation canadienne» en tenant pour acquis que tous les lecteurs en comprennent le sens.

Du haut de ses quatre ans, Isidore, qui avait suivi les propos de ses parents, s'adressa à son père:

—Vous avez dit de gros mots, tantôt… Pourquoi maman me punit, moi, quand je dis «cochon», mais pas vous?

—Ce n'est pas ton papa qui a dit ça. C'est un monsieur que tu ne connais pas… Toi, tu dois rester gentil avec tout le monde.

—Je n'aime pas ça quand vous vous disputez tous les deux, balbutia-t-il en faisant la moue.

Luce lui fit une accolade et promit, d'un clin d'œil conciliant à son mari, que ça n'arriverait plus.

Si Isidore abhorrait les querelles, son père avait appris à en réparer les excès, émanassent-ils de ses plus proches collaborateurs.

Comme il s'y était engagé envers Luce, il réfléchit longuement à sa réaction au couplet séditieux que les anti-Canadiens avaient publié, où ils traitaient les membres de l'Assemblée de canailles, notamment. Il était prévu que, le 14 mars, *Le Canadien* publierait ce texte de Pierre Bédard: *Si on veut désapprouver une mesure du gouvernement, il faut le faire avec respect, et de la manière que la Constitution et la liberté britannique nous le permettent. Nous prions nos partisans de bien remarquer que nos antagonistes sauront bien montrer ces passages malheureux à toute l'Angleterre, sans jamais révéler le plus court extrait qui nous serait favorable; tout ce que nous demandons, c'est de soutenir nos droits. Ainsi, nous serons appuyés en Angleterre, malgré le ministère de ce pays, lorsqu'on verra que nous soutenons ces droits avec fermeté, énergie et sans tomber en faute.*

—Je me sens en paix, confia-t-il à son épouse ce soir-là, sachant qu'il venait de faire réparation d'honneur auprès des Canadiens et des autorités britanniques.

—Tu devrais avoir droit de regard sur les écrits de tes collaborateurs avant qu'ils soient publiés.

—Jamais ils n'accepteraient ça.

Pierre rangea le papier dans sa poche et se retourna vers son épouse, le regard amoureux. Elle se livra à ses caresses, croyant le moment venu de lui confier son vœu le plus cher.

—Je vois bien que c'est la discorde qui te rend grincheux. Tu devrais abandonner la politique…

—Pour faire quoi?

—Reprendre la pratique du droit et l'enquête… Tu es trop sensible pour être toujours au front.

—Je me sentirais bâillonné, privé du moyen le plus efficace de faire valoir mes opinions, si je renonçais à mon poste de député.

—Je te suggère d'y réfléchir quand même: le bonheur de ta famille vaut peut-être de ne plus te battre en public.

Pierre fronça les sourcils.

—Je n'en suis pas sûr, dit-il.

Puis il s'excusa pour prendre quelques minutes dans son bureau avant d'aller dormir.

Luce se mit au lit, son espoir à marée haute.

Moins d'une semaine plus tard, affligé d'une violente migraine, Pierre ne put se présenter à la Chambre d'assemblée. C'était samedi, jour où les absences se faisaient encore plus fréquentes qu'en semaine. « Luce sera heureuse que je passe un peu de temps avec elle aujourd'hui », pensa-t-il. Pierre n'aurait pu présumer du sujet sur lequel le Comité exécutif se pencherait en cette matinée du 17 mars ; encore moins de la visite inopinée, au milieu de l'après-midi, de deux constables.

—Nous avons des informations importantes à vous livrer, annonça l'un d'eux.

Catastrophé, Pierre les garda dans l'entrebâillement de la porte et prévint Luce :

—Une affaire urgente à régler au journal…

Il attrapa un veston en emboîtant le pas des constables vers la rue Saint-François. Une carriole de dignitaires, suivie d'une autre, d'usage commun, étaient alignées devant la porte des bureaux du journal *Le Canadien*.

—Ces gens-là se sont introduits dans mes bureaux ? Sans y être invités ? Mais qui sont-ils ? demanda Pierre, de plus en plus énervé, à l'un des deux constables.

—Vous verrez bien ! répondit-il tout en le précédant dans le vestibule.

« Des soldats armés ! » Pris en étau entre la délégation armée et trois membres du Conseil exécutif, qui affichaient des airs triomphants, Pierre les dévisagea un à un.

—Je me souviendrai de vous, messieurs Tho-mas Dunn, François Baby et John Young, martela Pierre. Qui vous a permis d'entrer dans nos locaux de cette façon ?

—Des ordres du Conseil exécutif.

—Pour quelles raisons ?

—Vous êtes accusé de pratiques traîtresses, maître Bédard.

—« Traîtresses » ! Ai-je bien entendu ? Pas plus tard que la semaine dernière, dans mon journal, je lançais un appel au respect et à la reconnaissance envers nos institutions britanniques.

Que des haussements d'épaules. Que des rictus d'indifférence.

Des bruits insolites guidèrent Pierre jusqu'au local de l'imprimerie. Sa stupéfaction fut à son comble quand il y découvrit Thomas Allison, juge de paix et magistrat, accosté de deux autres constables. Avant qu'il n'ait eu le temps de le ques-tionner, le juge ordonna à ses hommes d'aller cher-cher l'imprimeur.

—Pour l'amener où ? s'inquiéta Pierre.

—En prison, maître Bédard, annonça celui qui, plus tôt en matinée, en l'absence du député Bédard, avaient signé un mandat d'arrêt contre Charles Lefrançois, l'imprimeur du *Canadien*.

—Mais il n'a rien fait de mal !

—La complicité est aussi grave que l'acte, dé-clara le juge de paix.

—Ça ne se passera pas comme ça ! vociféra Pierre.

Sur le point d'aller chercher de l'aide, Pierre aperçut des officiers, les bras pleins de sacs.

—Mais… ce sont nos documents! Où allez-vous avec ça?

—On n'a pas le droit de vous le dire: ils sont saisis.

Deux autres s'emparèrent du matériel d'impression. Le numéro du jour: annulé.

Désemparé, Pierre accourut chez François Blanchet, un de ses proches collaborateurs. De passage à Québec, Jean-Thomas Taschereau, cofondateur du *Canadien,* s'y trouvait aussi. Leur consternation n'avait pas de voix.

—Prenons un peu de temps pour réfléchir avant de réagir, convinrent-ils.

Pierre vouait une admiration sans bornes au Dᵣ Blanchet. Élève du Petit Séminaire de Québec, il avait effectué un stage en médecine avant d'être reçu bachelier du Columbia College de New York. Depuis 1801, il pratiquait la médecine et la chirurgie au Bas-Canada, où il formait aussi de jeunes médecins. Comme Pierre, il avait été fait membre du Premier Bataillon de milice de la ville de Québec, mais à titre de médecin. En 1808, tous deux avaient été destitués de leur grade par le gouverneur Craig à cause de leurs liens avec le journal *Le Canadien.*

Quant à Mᵉ Jean-Thomas Taschereau, formé lui aussi au Petit Séminaire de Québec, il avait pratiqué le droit tout en travaillant comme l'assistant de son père, brave voyer du district de Québec. Au cours des six dernières années, il était demeuré fidèle au Parti canadien, d'où son implication dans la fondation du journal *Le Canadien*. Réélu dans Dorchester et dans Leinster, il n'avait pas eu le temps de choisir entre les deux circonscriptions : la dissolution du Parlement ne lui en avait pas laissé le temps.

De la rue s'éleva un bourdonnement inhabituel. Les trois hommes se précipitèrent à la fenêtre : à leur grand désarroi, une patrouille sillonnait la ville. Le Dʳ Blanchet sortit pour demander des explications.

—Ils auraient reçu le mandat de fouiller la ville et d'arrêter tous les conspirateurs, rapporta-t-il à ses collègues.

—Je vais rentrer à la maison avant qu'elle passe dans notre rue. Ma femme en serait très ébranlée, annonça Pierre.

Ils se donnèrent rendez-vous le lendemain, au local de l'imprimerie, avec tous les collaborateurs du *Canadien*.

Paradoxalement, au domicile familial des Bédard et Lajus, la joie régnait. Luce avait passé une partie de l'après-midi à jouer dans la neige avec Isidore. Ils s'apprêtaient à terminer la sculpture d'un bonhomme de neige lorsque Pierre survint.

—Venez, tous les deux ! Il faut rentrer…

—Mon bonhomme n'est pas fini, papa !

—On va le finir tantôt. Venez !

Luce comprit qu'un événement fâcheux venait de se produire. À son fils qui rechignait, elle promit sa collation préférée : une pointe de tarte au sucre.

Adossée à la porte refermée derrière eux, Luce écouta le récit de son époux, une crampe au ventre.

—C'est insensé d'arrêter l'imprimeur! Il ne fait que transférer vos textes, émit-elle.

—Nous allons le tirer de là avant longtemps, compte sur moi!

Cet engagement ne libéra pas Luce de la consternation semée par cette nouvelle.

—Du sang-froid, un esprit éclairé et du courage: c'est tout ce qu'il nous faut pour surmonter la crise, reprit son époux.

—Je crains le pire... Tu es un des plus engagés dans ce journal, Pierre. Pourquoi on te ménagerait? J'ai peur qu'on t'envoie en prison, toi aussi.

—Impossible, Luce! Penses-y bien. Si on m'emprisonne, on devra mettre au cachot une dizaine d'autres collaborateurs. Le gouverneur sait bien qu'il provoquerait un tollé chez les Canadiens français. Un soulèvement général, même!

—Je ne voudrais pas faire vivre ça à nos fils pour tout l'or du monde. Quel déshonneur ce serait pour eux que leur père soit en prison!

—Tu le vois comme une honte, mais quand c'est pour une cause louable comme la mienne, ça pourrait, au contraire, leur inspirer une grande admiration.

Luce réfutait de tout son être la prédiction de son mari. En 1796, elle avait épousé un homme de noble profession, qui s'adonnait à la politique en dilettante, croyait-elle alors. Tout comme la médecine, le droit se situait très haut sur l'échelle sociale, d'un seul cran inférieur au travail des dignitaires du clergé. De ce fait, le couple Bédard-Lajus et leurs enfants étaient destinés à un avenir prospère. La perspective d'une cascade d'échecs et d'humiliations l'angoissait terriblement.

Les critiques dont Pierre faisait l'objet depuis la fondation du Parti canadien, et plus encore depuis le lancement du journal du même nom, avaient, au cours des dix dernières années, émoussé les sentiments amoureux de Luce pour son mari. En compagnie de cet homme capable d'une tendresse étonnante, elle avait vécu plusieurs moments heureux, mais depuis quelques années les soucis et les privations avaient pris le dessus. Toutefois, un attachement difficile à définir persistait. Homme d'exception dans la société, Pierre Bédard mettait tout son savoir et ses capacités au service de la démocratie, Luce en convenait. Par contre, son engouement pour les institutions britanniques lui semblait frôler le fanatisme. « Quoi qu'il en soit, je lui dois mon soutien », se ressaisit-elle.

Le lendemain de la confiscation, Bédard, Blanchet et Taschereau apprirent que tout ce qui appartenait au journal avait été entreposé dans une des voûtes situées sous la salle d'audience du Conseil. Ils se rendirent d'abord sur la rue Saint-François pour délibérer au sujet de la libération de l'imprimeur et de la récupération des biens confisqués. À une dizaine de pas du bâtiment, Pierre figea.

—Regardez! cria-t-il en pointant le cadenas placé sur la porte.

Redoublant d'efforts pour en forcer l'ouverture, ils durent se résigner à abandonner la partie, non sans crier leur révolte. Les trois hommes décidèrent ensuite de se présenter à la salle d'audience. Cette fois, leur démarche porta fruit. Les membres du conseil siégeaient, concentrés sur les papiers trouvés la veille dans l'imprimerie du *Canadien*. De son propre chef, Pierre fit irruption dans la salle et tenta hardiment d'interrompre les parlementaires, clamant ses droits de propriétaire du journal. En moins de cinq minutes, il était expulsé du local et, du même souffle, menacé d'emprisonnement. Le Dr Blanchet invita ses deux amis à se réfugier à son domicile, à Charlesbourg.

—On sera deux pour te défendre si jamais ils osaient passer à l'acte, plaisanta-t-il, complice.

Ce dimanche, Luce joignit sa mère, à qui elle apprit les événements de la veille et avoua ses dispositions à cet égard. Angélique tremblait pour sa fille et ses petits-fils.

—C'est comme si j'avais toujours su que ça arriverait!

—Vous faites allusion à son journal?

—C'est ça, mentit Angélique, appréhendant un dénouement plus tragique.

«Tant mieux si elle ne le voit pas venir», se dit-elle, faisant diversion en retournant aux projets de tricot et de tissage, qu'elle avait entrepris pour occuper les derniers mois hivernaux.

Dans l'espoir d'y trouver son mari, Luce retourna à son domicile tôt après le souper. Le petit

Isidore, accablé par un début de grippe, fut mis au lit dès leur arrivée.

—Je ne veux pas dormir seul, maman.

—Mais tu le fais tous les soirs, comme un grand garçon !

—Je sais, mais je voudrais que vous restiez près de moi en attendant papa.

Sa mère l'exauça, serrant contre sa poitrine cet enfant qui appréhendait les malheurs avec intensité. Lorsque Pierre entra, tard dans la nuit, Luce tenta de dégager ses bras, mais son fils attrapa sa main et poussa un gémissement qui la retint au lit. La porte de la chambre délicatement entrebâillée, le profil de Pierre se dessina à la lueur d'une chandelle, puis s'évanouit.

Après cette journée éprouvante, Pierre avait espéré trouver du réconfort en entrant chez lui. Or, le lit nuptial inoccupé lui fit redouter les réactions de son épouse. Les visites de plus en plus fréquentes de Luce chez sa mère l'inquiétaient. Conscient des soucis que ses combats et déboires pouvaient lui causer, il craignait qu'elle confiât à Angélique des états d'âme dont il serait imputable. «Rien pour gagner l'estime de ma belle-mère», déplora-t-il.

Les excuses de Luce, le lendemain matin, un baume sur le cœur de son mari.

—Une journée à nulle autre comparable, résuma-t-il en préambule au récit de ce dimanche.

Luce l'écouta sans broncher. Puis elle ne put résister à la tentation d'émettre une conclusion qu'elle jugeait indéniable :

—Il est grand temps que tu te retires de la vie politique, Pierre! Toutes ces histoires te grugent à vue d'œil. On n'a qu'une vie et on ne peut récupérer le passé.

—Je comprends et j'apprécie ta bienveillance, ma chère Luce, mais abandonner mon journal et mes collègues, ce serait comme abandonner mes enfants. Une lâcheté!

«Mais tu as déjà commencé à les abandonner», retint-elle de justesse.

La désolation de son épouse fut trop évidente pour ne pas lui faire regretter cet aveu.

—Je vais aller en discuter avec mes bons amis, inventa-t-il pour fuir la morosité de ce matin du 19 mars.

—Tu ne veux pas te reposer un peu avec nous? Il est juste dix heures.

—Si je pars maintenant, je pourrai revenir plus tôt... pour le dîner, peut-être.

Pour la énième fois, Luce s'habilla de résignation et d'espoir. Elle regardait son mari partir vers l'écurie quand elle aperçut une carriole s'arrêter devant leur demeure. Pierre rebroussa chemin pour saluer MM. Blanchet et Taschereau, et prévenir son épouse de leur départ urgent pour le Parlement.

—Des rumeurs courent depuis hier, Pierre. Le gouverneur accuserait *Le Canadien* de pousser le peuple à une rébellion. Même qu'il travaillerait à mettre le clergé de son bord.

—Qu'est-ce que tu veux dire, Blanchet?

—Mgr Plessis assisterait à une réunion spéciale du Conseil exécutif aujourd'hui.

—C'est ce qu'on appelle un coup bas, reconnut Pierre.

—Le deuxième depuis samedi…

Déterminés à connaître les raisons de cette convocation, les deux hommes convinrent d'aller au-devant de l'évêque à sa sortie du Parlement. L'attente risquait de se prolonger quelques heures, estimait Taschereau.

De la fenêtre de sa cuisine, Luce les regarda s'éloigner, s'accrochant aux indices d'un retour printanier hâtif. « Deux autres mois, et on verra des pousses vertes imiter les perce-neige. Les oiseaux babilleront de joie en retrouvant les arbres qui ont hébergé leurs petits l'été précédent. Isidore sera heureux de faire des trous dans la terre du potager pour y cacher ses semences. Puis, Elzéar et Pierrot reviendront égayer notre maison : elle en a bien besoin, surtout ces jours-ci… Leur compagnie repoussera cette solitude qui m'envahit. Moi qui reproche à Pierre d'être pessimiste, voilà que j'ai du mal à imaginer un avenir heureux pour notre petite famille. Les ennuis s'enchaînent et s'aggravent. Ceux de Pierre, en réalité. Mais comment faire pour qu'ils ne nous ruinent pas ? Si papa était là il pourrait me conseiller, lui qui semblait avoir une solution pour chaque épreuve. »

Le bruit de pas assurés dans l'escalier arrachèrent Luce à sa réflexion… Elle se précipita à la porte, de peur qu'Isidore soit dérangé dans sa sieste.

« Des constables ! » Sur le point de s'écrouler, elle dut rassembler tout son courage pour se ressaisir aussitôt, comme un cheval fouetté.

—Que puis-je faire pour vous, messieurs ? demanda-t-elle, les épaules droites et la tête haute.

—Votre mari…

D'un signe de la main, Luce pria les constables de sortir sur la galerie et les suivit, en prenant soin de refermer la porte derrière elle.

—Mon petit garçon dort, vous comprenez ?

—Allez chercher votre mari, madame.

—Il doit être au Parlement, comme d'habitude.

—On va devoir fouiller la maison…

—Pas question ! Vous allez effrayer mon fils. Je vous jure que mon mari n'est pas ici. Il est parti vers dix heures avec le Dr Blanchet et M. Taschereau.

—Où sont-ils allés ?

—Au Parlement, comme je vous l'ai dit.

L'un des deux constables tira de la poche de son veston un papier qu'il brandit sous le nez de Luce. En lettres majuscules, aux caractères gras : **MANDAT D'ARRESTATION**, lut-elle, stupéfaite.

—Mais qu'a-t-il fait de mal ?

—Si vous ne le savez pas, madame, lui le sait.

—Si vous avez caché votre mari, sachez que vous serez arrêtée pour complicité, la prévint l'autre constable.

—Allez au diable ! lança Luce au policier, qui lui ordonna de répéter à haute voix ce qui lui semblait une grossière injure.

D'un pas, elle franchit le seuil, ferma la porte sur ses indésirables visiteurs et la verrouilla. Son corps s'écroula le long du mur jusqu'au plancher, sur lequel elle se recroquevilla. Ses pensées dérivaient sur une mer orageuse. La prison, la condamnation, le déshonneur, la pendaison : une spirale à rendre folle. Clouée au sol, elle pria pour que son fils ne se réveille pas... pas tout de suite. Elle avait besoin de temps pour retrouver un peu sa lucidité. «C'est sûrement à cause de la politique. Pierre n'est pas un criminel... à moins qu'il ait été provoqué? Mais par qui? Pas le meurtrier de mon frère! Non! Je délire. Je ne veux plus y penser.»

Réveiller Isidore, atteler la jument et se rendre dans les environs du parlement : c'était la chose à faire. Luce mit son plan à exécution. Plus elle approchait de l'édifice, plus l'agitation s'emparait de tout son être.

—Vous cherchez quelqu'un? lui demanda un officier de la milice.

—Oui : Pierre. Mon mari. Pierre Bédard.

Manifestement embarrassé, l'officier lui fit signe de se pencher vers lui pour éviter que l'enfant entende ses explications.

—Derrière les barreaux, votre mari.

—Je ne vous crois pas. C'est une erreur!

—Il n'est pas le seul, précisa l'officier en guise de réconfort.

Luce reprit la route en direction de la maison des Lajus.

—Je vous laisse Isidore, maman.

—Où t'en vas-tu, énervée comme ça?

—Une affaire pressante… Je vous raconterai à mon retour.

Au 44 de la rue Saint-Stanislas, au-dessus de la porte principale de l'édifice, une inscription que Luce jugea des plus ironiques: *Carcer iste bonos a pravis vindicare possit*. Ses rudiments de latin acquis chez les religieuses lui permirent d'en saisir le sens: *Puisse cette prison venger les bons de la perversité des méchants*. Non moins cynique: le chic de la façade, avec ses pilastres et ses chapiteaux ornés de deux volutes latérales.

L'épouse du prisonnier Bédard essuya une autre gifle lorsque le geôlier refusa de la laisser voir son mari.

—Les procédures ne sont pas terminées, allégua-t-il.

—Qui d'autre a été amené ici aujourd'hui?

—Ça ne vous regarde pas, madame. Allez!

Au moins Luce put-elle connaître le mobile de cette arrestation: les propos insidieux tenus par Bédard et ses complices dans le journal *Le Canadien*.

Sans tarder, elle retourna chez sa mère.

—Tu peux me raconter ce qui arrive? Ne serait-ce qu'à mots couverts? la supplia Angélique, incapable de se concentrer sur les jeux de son petit-fils.

—Où est papa? réclama Isidore.

—Il discute avec ses amis, dans une belle grande bâtisse toute neuve. Il n'aura peut-être pas le temps de venir dormir à la maison.

—On peut rester chez vous, grand-maman?

—Bien sûr!

—Vous allez dormir avec moi, maman?

—Si tu es bien sage, oui.

—Une belle grosse maison neuve… Sur quelle rue, donc? s'enquit Angélique, trop inquiète pour attendre que le bambin soit endormi.

—Saint-Stanislas.

—Pas sur le terrain de la Déroute Royale, j'espère?

Pour toute réponse, Luce n'émit qu'un cillement.

«Incroyable qu'il se retrouve en prison! Quel déshonneur pour la famille! Quelle souffrance pour ses fils! Quelle épreuve pour ma chère fille!»

—Pour longtemps?

Un haussement d'épaules prévisible tint lieu de réponse.

Isidore au lit, le moment des échanges enfin arrivé, Angélique cherchait des paroles qui ne blesseraient pas. Qui ne démontreraient qu'une grande empathie.

—Pas plus tard qu'hier, je lui suggérais d'abandonner la politique… pour se protéger, entre autres, confia Luce.

—Et vos enfants, comment allez-vous les garder loin de cette sale affaire?

—Il est possible qu'ils ne l'apprennent jamais.

—Mais tu rêves, ma pauvre fille!

—Si vous voulez bien garder Isidore demain, je vais m'occuper de faire libérer Pierre au plus vite.

—Mais en vertu de quel pouvoir? Tu n'es ni avocat, ni juge, ni membre de la milice.

—Je sais, mais grâce à mes amies du salon, j'ai des contacts avec certains d'entre eux, et je compte bien m'en servir.

Leur conversation s'éternisait. Angélique, les nerfs à fleur de peau, adoptait un ton de plus en plus belliqueux. Consciente de s'emporter, elle s'en excusa.

—Si on allait se reposer, proposa-t-elle.

Leur accolade dura le temps d'exprimer leur solidarité et leur affection.

* * *

Le boulanger Bédard n'avait pas tardé à prévenir Joseph de l'arrestation de Pierre. Un télégramme à la main, Me Joseph Bédard, député de York, prévint son épouse et prit la route en direction de Québec.

«Devrais-je frapper à la porte de la prison ou me faire conduire directement à Charlesbourg?» hésita-t-il.

—Joseph! Mais entre, le pressa Luce, étonnée.

Sa mallette à la main, Joseph semblait momifié. Les chassés-croisés de leurs regards le tenaient, là, devant cette jeune femme éplorée qu'il aurait serrée dans ses bras s'il n'avait écouté que son cœur. Un imbroglio de pitié et d'admiration, de tristesse et de contentement le clouait au silence.

—Quelques minutes…, accepta-t-il enfin en retirant son paletot, qu'il suspendit à un crochet près de la porte.

Luce l'invita à s'asseoir à la table et lui offrit à manger, politesse qu'il refusa.

—J'ai promis à mon père d'aller souper chez lui.

—Tu as su?

—Oui. À Montréal, trois hommes ont été arrêtés aussi, sous prétexte de trahison. Mais envers quoi? C'étaient pourtant de paisibles citoyens!

—Si j'en crois mon mari, ce Craig fait feu de tout bois tant il a peur d'une rébellion chez les Canadiens français. On n'a pas fini d'en voir avec ce vaniteux qui cherche toujours la bibitte.

—Très juste! approuva-t-il. Si tu n'as pas lu sa proclamation, ne perds pas ton temps. Ce n'est qu'une tentative de justification maladroite! Elle devrait être affichée à la porte de nos églises sous peu. Mais comment est Pierre?

—Au pire, j'imagine.

—Tu n'es pas allée…

—On m'a renvoyée chez moi les deux fois. J'ai demandé à parler au directeur de la prison: même refus.

—C'est inacceptable! Demain matin, je passerai te prendre, et je te jure que tu vas le voir, ton mari.

La vigueur de cet homme dans la mi-trentaine, sa détermination, son élégance lui procurèrent un réconfort… troublant. La raison en déroute, Luce posa la main sur celle de l'homme qui avait encore sa niche secrète au plus profond de son être. Joseph n'avait de commun avec son frère que sa grande intelligence. À quarante-huit ans, Pierre en paraissait dix de plus tant la politique et les déceptions l'avaient affecté. Tel n'était pas le cas de Joseph, qui ne déplorait que la stérilité de son mariage, vieux de sept ans. Il menait de front sa tâche de député et sa pratique du droit avec une aisance enviable. Avec un naturel déconcertant, il enveloppa la main toute délicate de Luce dans les siennes en lui promettant un appui indéfectible.

—Je dois m'arrêter au Petit Séminaire avant de me rendre à Charlesbourg. Il ne faut pas que ce scandale vienne aux oreilles de Pierrot et d'Elzéar.

—Je ne saurais trop te remercier.

—Et ton petit Isidore, lui?

—Chez sa grand-maman, le temps qu'il faudra, en espérant que son père sera libéré sous peu.

—Sinon…

—J'y réfléchis.

—Elles sont rares, les femmes d'aplomb comme toi, Luce, complimenta-t-il, soudain pressé de partir.

Seule au creux de son lit, l'épouse de Pierre n'était plus qu'une épave soumise aux caprices des flots, les uns caressants, les autres orageux. Les heures d'insomnie s'égrenèrent jusqu'au petit matin, inexorables.

Le lendemain, debout devant son miroir, la jeune femme ne voyait plus que l'empreinte des soucis sur sa figure. Le vert émeraude de ses yeux se perdait dans son teint laiteux. Sa chevelure touffue, aux reflets cognac, avait connu la tempête en cette nuit tumultueuse. La replacer en chignon, la parer de peignes de nacre, tonifier ses joues d'un fard pêche: soins qu'elle se prodigua en toute hâte, Joseph n'ayant pas précisé l'heure de son passage.

Comme elle eût souhaité que cette invitation lui fût faite treize ans plus tôt! Avant qu'elle accepte la demande de Pierre. «Ma vie aurait été tout autre. Comme celle dont mes parents avaient rêvé pour moi. Je dois reconnaître que mon désir d'obtenir justice pour le meurtre d'Olivier et de dédommager mon cher papa pour les souffrances qu'il lui a occasionnées ont pesé très lourd dans la balance. Mais Pierre m'a inspiré une grande fierté et il m'a donné trois beaux garçons, une source de grand bonheur dans ma vie. Qui sait si Joseph deviendra père un jour...»

Joseph et Geneviève espéraient encore fonder une famille. Pour qui la procréation était-elle problématique? Luce se plut à présumer que son beau-frère en était la cause. «Mon mariage avec lui m'aurait peut-être privée de ce grand bonheur que m'apporte la maternité?» Du coup, le sentiment de n'avoir pas fait le meilleur choix s'évanouit.

Le cri d'un charretier l'arracha à ses conjectures, et elle se précipita vers la fenêtre. Vite: ses bottes, son manteau et son sac à main. Luce se dirigea allègrement vers la carriole où, surprise!, le boulanger Bédard avait pris place à côté de son fils! Un vague à l'âme effleura Luce. Il convenait que Joseph descendît de la voiture pour l'aider à y monter. Était-ce pure diversion que le patriarche de soixante-seize ans les entretînt du sort réservé à un soldat britannique, campé à Québec, pour avoir tenté de déserter l'armée?

—Mille coups de fouet, c'est un homicide, surtout avec un *cat of nine tails*! clama Pierre-Stanislas, craignant que son fils subisse une semblable répression.

—Doux Jésus, j'espère qu'ils ne feront pas ça à mon mari! s'écria Luce.

De fait, l'armée britannique sévissait contre le moindre écart de conduite, et ce, de façon inhumaine. Une fois de plus, les résidants de la haute ville de Québec allaient être affligés par les cris de douleur en provenance de la cour des casernes.

Au fort George, dans le Haut-Canada, on châtiait la perte d'un vêtement par soixante-quinze coups de ce «chat à neuf queues», et de trois fois plus pour être sorti de la caserne sans permission.

—Comme si ce n'était pas assez, cette torture est infligée devant tout le régiment! s'indigna Joseph.

—J'ai lu que, si le coupable perdait connaissance, on le réanimait en lui lançant de l'eau glacée, renchérit le septuagénaire.

—Qu'est-ce qu'on attend pour abolir ce châtiment? On aurait dû le faire il y a longtemps!

—Est-ce qu'on l'applique aux civils? s'inquiéta Luce d'une voix hachurée.

—On ne fera pas ça à mon frère! clama Joseph, secondé par son père.

Plus un mot.

Puis, une plainte déchira leur silence:

—Pauvre Pierre! soupira Joseph. Il s'est donné corps et âme pour développer l'admiration du peuple pour la Couronne alors que certaines de ses lois ne sont rien de moins qu'infâmes.

—Et certains de ses représentants, injustes et cruels, ajouta le vieillard.

Seule sur la banquette arrière, de nouveau emmaillotée de silence, Luce grelottait d'effroi. Des images horrifiantes lui traversaient l'esprit. Le dos de son mari, une gélatine sanglante sous les multiples coups de fouet. Était-ce pitié ou amour, cette promesse qu'elle se fit de le défendre bec et ongles? Dès qu'elle l'aperçut, les épaules voûtées, le pas lourdaud, le regard fiévreux, ses bras se figèrent. Seuls leurs chuchotements résonnaient dans cet édifice qui incarnait la tyrannie et le pouvoir, avec son ambiance sinistre et son odeur de bois neuf.

—Je vais revenir avec une pommade qui devrait te soulager. Voir si ça a du bon sens de traiter des humains de la sorte!

—Dommage que ce ne soit pas toi qui me l'appliques…

—Cesse de plaisanter. Je compte sur tes amis. Ils vont se faire un devoir de te soigner en attendant que tu reviennes à la maison.

—Tu embrasseras les enfants pour moi.

—Bien sûr, Pierre! Mais s'il n'en tient qu'à moi, ils ne sauront rien de ce que ces crapules te font vivre! trouva-t-elle le courage de lui promettre.

—Ce serait trop triste pour eux?

—Oui, et ils voudront connaître les raisons de ton incarcération. Je veux que ta réputation demeure irréprochable à leurs yeux.

—Je n'ai rien fait de mal…

—Tôt ou tard, ça va venir à leurs oreilles. Ils sauront que tes collaborateurs et toi avez fait des reproches au gouverneur et que vous les avez publiés dans *Le Canadien*. Je ne pourrai pas leur dire que c'est faux.

—Tu as raison. Tout en ménageant nos enfants, il faut leur dire la vérité de manière à ce qu'ils comprennent que leur père n'a pas commis de crime. Qu'il est emprisonné injustement.

L'entente conclue, Luce céda sa place à son beau-père qui, après l'intervention de Joseph auprès du directeur de la prison, avait eu la bonté de lui offrir la priorité. Demeurée seule avec son beau-frère dans la salle d'attente, elle cherchait des mots que l'émotion retenait.

—Notre peuple n'acceptera jamais ce qui arrive à Pierre et à ses amis, émit Joseph, habile à écarter tous propos embarrassants.

—Je comprends maintenant pourquoi mon mari me présentait son rôle dans la société comme celui des missionnaires. Dieu sait qu'ils ont été nombreux à subir le martyre.

—Ça n'ira pas jusque-là, Luce.

—Tu ne trouves pas à voir son dos que c'est déjà commencé?

—On va y voir, mon père et moi. Fais-nous confiance. Tu mérites de vivre en paix.

—Tout le monde le mérite, rétorqua-t-elle, pour ne pas glisser dans un échange trop intime.

Le septuagénaire fit signe à Joseph que son tour était venu. Les bras croisés sur sa poitrine, adossé au cadrage de la porte principale, Pierre-Stanislas refoulait la rage qui crispait son visage. Luce jugea bon de ne pas l'approcher. Elle connaissait ce besoin de silence et de solitude pour l'avoir éprouvé plus d'une fois depuis le décès de son frère.

Pour le retour, Luce fut priée par son beau-père de prendre place sur la banquette avant, aux côtés de Joseph. Elle fut tentée de décliner l'invitation, mais c'eût été inconvenant et suspicieux. Il lui parut plus judicieux de simuler une aisance naturelle. Le regard dirigé droit devant, les lèvres cousues, elle s'interdisait d'amorcer une conversation. Joseph n'ouvrait la bouche que pour diriger le cheval. Ce long silence méditatif entre eux devint vite intenable.

—Pierre m'a informé de vos échanges, annonça Joseph avant de poster la carriole devant le 18 de la rue Mont-Carmel. Et si tu venais passer quelques jours à Montréal avec le petit, le temps que les choses se tassent?

—Tu crois qu'il sera libéré sous peu?

—Dans quelques jours, quelques semaines au plus.

—Comment le sais-tu?

—Une loi accorde une immunité parlementaire aux députés.

—Oh! Dis-m'en plus!

—Sauf en cas de trahison, de faux serments ou de violation de la paix, les députés ne peuvent pas être incarcérés. Pierre n'est responsable d'aucun de ces trois délits.

—J'ai pourtant entendu quelqu'un l'accuser de trahison.

—Mais ça ne justifie pas qu'il soit déjà en prison… sans procès et sans preuves!

Pierre-Stanislas s'impatientait dans la voiture. Les volutes qui s'échappaient de sa pipe, impétueuses, en témoignaient.

—Quand repars-tu pour Montréal?

—Dans deux ou trois jours. J'ai des choses à régler. Ça te donnerait le temps de te préparer…

—Et de bien y réfléchir…

* * *

Après une semaine d'incarcération, Pierre Bédard marqua une victoire inespérée. En dépit des mises en garde du clergé, si timides fussent-elles, et des propos tendancieux du *Mercury*, le Parti canadien fut réélu et les deux frères Bédard obtinrent conjointement le poste de députés de Surrey.

La réjouissance de Joseph et de Geneviève, son épouse, ne trouva qu'un faible écho dans le cœur de Luce, qui avait finalement accepté de séjourner à Montréal. Elle avait tant souhaité le contraire! « Le journal saisi, plus de siège à l'Assemblée, Pierre serait moins anxieux, moins débordé de travail, plus disponible et plus présent, ce qui en ferait un meilleur époux et un vrai bon papa. Mon avenir est un cul-de-sac si mon mari n'est pas libéré sous peu. Que dire à mon petit Isidore quand il va réclamer son père? La vérité fera mal à mes deux grands quand elle les rejoindra, si ce n'est déjà fait. On ne fait pas avaler n'importe quoi à des garçons de treize et presque onze ans… ».

La morosité de Luce échappait au regard de Geneviève, mais elle troubla Joseph.

—Si on allait se promener dans notre beau comté de Surrey aujourd'hui? Il fait si beau!

—C'est vrai! Surrey est devenu aussi le comté de ton mari! s'exclama Geneviève, une femme charmante mais dont la candeur exaspérait Luce.

—À vous de décider, répondit cette dernière, occupée à tempérer les ardeurs de son fils qui sautillait de joie à l'idée de faire une promenade en carriole avec cet oncle des plus sympathiques.

Le lendemain matin, sous un ciel clément de début avril, la diligence de Joseph Bédard longeait le fleuve Saint-Laurent sur un chemin cahoteux. Elle roulait de seigneurie en seigneurie, s'arrêtant de temps à autre pour faire boire les deux vaillants chevaux qui devaient les conduire jusqu'à Verchères, pour le dîner. Un gros panier de provisions avait été soigneusement préparé par Geneviève, femme d'une générosité exemplaire. Campée sur le siège arrière avec son fils, Luce savourait les paysages qui défilaient de part et d'autre du Saint-Laurent.

—Pourquoi papa n'est pas venu avec nous? s'inquiéta Isidore.

—Parce qu'il est très loin et travaille très fort, répondit-elle, surprise des mots qui lui étaient venus spontanément.

—Par là-bas, présuma l'enfant en désignant l'horizon qui coupait le fleuve en direction nord-est.

—Plus loin encore!

Le garçonnet s'avança sur le bord du siège pour être bien entendu de son oncle, à qui il demanda :

—Est-ce qu'on pourrait aller où mon papa travaille, demain?

Consterné, Joseph se tourna vers Luce dans l'espoir qu'elle répondrait à sa place. Un rictus nerveux, un haussement d'épaules, puis le silence.

—Je vais en discuter avec ta maman ce soir, finit-il par articuler.

—N'oublie pas que tes grands frères doivent s'ennuyer de toi, lui murmura-t-elle, pour le préparer au retour à Québec.

Isidore s'endormit et ne se réveilla qu'au village de Verchères, devant le moulin banal.

—Cette construction de pierre date de plus de cent ans, les informa le meunier Joffrion, fier de serrer la main de son nouveau député.

Puis, il fit servir de l'eau et du foin aux chevaux, et invita les visiteurs à grimper l'escalier intérieur pour prendre leur repas à l'aise. Geneviève s'empressa d'ouvrir tout grand son panier de provisions et de le partager avec le meunier et son apprenti. En retour, un cours d'histoire leur fut donné sur les origines de Verchères et de ses principaux atouts : les exploits de Madeleine Jarret de Verchères, l'arrivée de leur premier curé, cinquante ans auparavant, la nouvelle église en remplacement de la petite chapelle…

Le repas terminé, M. Joffrion se fit un plaisir de gravir la petite côte avec son député pour lui faire visiter cet édifice de plus de cinquante pieds de façade par cent trente de profondeur. Empruntant la forme d'une croix latine, il offrait trois portails sur sa façade, et, sur son toit, un clocher à double lanternon. « Impressionnant, pour un si petit village », s'étonna Luce.

—Là-dedans, il y a de la place pour tous les paroissiens actuels et pour tous ceux qui s'ajouteront! se réjouit le meunier après avoir ouvert les portes du sanctuaire.

—Du solide, jugea le député.

—Pour des centaines d'années, monsieur!

Un tantinet embarrassé, il dut expliquer que la décoration intérieure, entreprise par Louis-Amable Quévillon en 1800, accusait une lenteur inhabituelle. Il s'interdit d'en dévoiler la cause, sachant que l'artiste s'éparpillait en réalisant d'importants travaux dans les paroisses de Boucherville, de Lanoraie et de Vaudreuil, tentant même de percer le marché dans la région de Québec et de La Pocatière.

—Ça coûte cher, une belle grosse église comme ça, allégua-t-il, s'attirant, du coup, la sympathie de ses visiteurs.

Avant qu'ils ne prennent le chemin du retour, un thé chaud leur fut offert à la résidence de M. et Mme Joffrion. Cette dernière leur réserva un accueil des plus enthousiastes.

—Avec de bonnes galettes à la mélasse toutes fraîches, ça vous permettra de vous rendre au souper, dit-elle.

Des plus attentionnée envers le jeune Isidore, elle félicita Geneviève pour l'intelligence et le charme du garçonnet.

—Malheureusement, ce n'est pas mon fils.

—Vous êtes sa grande sœur ? présuma-t-elle, en s'adressant à Luce.

—Sa mère…

—Oh, pardon ! Et vous, son papa, désigna-t-elle, son regard tourné vers Joseph.

—Son oncle.

—Mon doux Jésus ! Que c'est mêlant, vos histoires ! avoua Mme Joffrion, compensant ses maladresses par son insistance à leur faire avaler d'autres galettes.

Luce n'en mangea qu'une, s'excusant de ne pas avoir plus d'appétit.

—Vous allez rester maigre comme ça si vous ne mangez pas plus ! Votre amie est en bonne santé, elle, affirma Mme Joffrion, heureuse de voir Geneviève entamer une quatrième pâtisserie.

Mal à l'aise, Joseph annonça que le moment était venu de reprendre la route, malgré les protestations de leur hôtesse.

—Tiens, mets ça dans tes poches, susurra-t-elle à Isidore, des provisions de biscuits plein les mains.

—Elle a toujours eu un grand cœur, expliqua son mari, non moins embarrassé.

Les méprises de Mme Joffrion créèrent un inconfort manifeste entre les deux épouses Bédard.

Le retour se fit dans un silence que seul le crissement des patins sur la chaussée vint ponctuer. Repu, le bambin ne tarda pas à plonger dans un profond sommeil. Sur le siège avant, le couple échangea deux ou trois phrases avant que Geneviève n'imitât Isidore. Luce pouvait enfin réfléchir à son aise : « Je m'en retourne à Québec dès demain », résolut-elle, reportant à une prochaine visite leur balade dans la ville de Montréal.

*   *   *

Les journaux avaient vite répandu la nouvelle. Des amis de Pierre réclamaient un *writ habeas corpus* pour lui et ses compagnons écroués : ils avaient le droit de savoir pourquoi ils étaient arrêtés et de quoi ils étaient accusés. Cette ordonnance émise, ils pourraient être libérés sous caution, puis amenés sans délai devant un juge.

Comme prévu, Luce avait repris le train pour Québec au lendemain de leur visite à Verchères. Confiante en la libération imminente de son mari, elle se réjouissait à la pensée qu'Isidore verrait bientôt son papa et que les deux collégiens ne seraient plus victimes de son déshonneur. « Pierre se souviendra de mes conseils et me donnera raison de l'avoir incité à quitter la politique. On se donnera enfin une autre chance d'être heureux ensemble », croyait-elle. Cette foi en l'avenir, elle l'exprima à sa mère dès le lendemain de son retour rue Mont-Carmel.

—Aux dernières nouvelles, Craig ne céderait pas, lui apprit Angélique.

—Ce n'est pas vrai! Moi qui voyais toute notre famille rassemblée pour le congé de Pâques.

—C'est bientôt, ça!

—Le 22 avril! Les grands devraient revenir du Petit Séminaire dans la journée du jeudi.

—Heu… Tu devrais peut-être les préparer à une déception.

Le ton de leurs échanges avait distrait Isidore de son jeu.

—Qu'est-ce qu'il y a, maman?

—Tout va bien, mon p'tit homme! Retourne jouer.

—Son absence sera moins remarquée si vous venez chez moi pour ce congé, proposa Angélique.

—Ça ne se refuse pas, on est si bien avec vous!

Luce prétexta des courses à faire pour aller parler à Pierrot et à Elzéar dans l'après-midi. Leur sérénité la renversa. Le directeur du pensionnat leur avait appris que leur papa était puni pour s'être conduit comme un héros. Que, bientôt, ses compagnons et lui seraient traités avec justice et qu'on parlerait encore de leur courage dans cinquante ans… cent ans, peut-être. Pierrot exprima même son désir de passer ce congé au collège pour amasser des fonds: à l'occasion du grand ménage du printemps, les autorités du Petit Séminaire embauchaient des étudiants qu'elles rémunéraient symboliquement pour le lavage des fenêtres et des armoires. De son côté, Elzéar avait prévu de retrouver sa famille. Promesse lui fut faite de meubler ces quatre jours de sorties, de bons repas et de jeux.

—Si ton p'tit frère te parle de son papa, dis comme moi : il travaille très loin et très fort et il va revenir dès que son travail sera terminé.

—On a le droit de mentir ?

—Des fois, pour empêcher un enfant de souffrir pour rien, oui.

—Puis on n'est pas obligé de s'en confesser ?

—Non, parce que c'est fait dans une bonne intention.

Après un long moment de réflexion, Elzéar murmura, le cœur gros :

—Ça me ferait du bien de lui écrire…

—Prends le temps qu'il te faut. Je ferai ta messagère, offrit sa mère.

Avec des missives de ses fils pour leur père, Luce anticipa le réconfort qu'en éprouverait son mari et elle se félicita de cette initiative.

* * *

Deux longs mois s'écoulèrent, tissés de conflits politiques et juridiques qui traînaient en longueur. Les vacances d'été venaient à grands pas pour les étudiants et leurs professeurs.

—Je ne peux pas croire que tu seras encore entre ces murs à la fin juin, soupira Luce, lors d'une de ses visites à son mari.

—Des rumeurs circulent selon lesquelles le gouverneur nous présenterait bientôt une confession écrite qu'il faudrait signer pour être libéré.

—Et tu vas la signer?

—Jamais je ne signerai une lettre de contrition quand je ne suis coupable de rien de mal, jura-t-il, au fait que les autorités civiles avaient passé à la loupe tous les papiers saisis dans l'atelier du *Canadien* sans y trouver la moindre trace de conspiration.

—Même pas pour l'amour de ta famille?

—Si ma famille ne comprend pas aujourd'hui qu'il n'y a rien de plus abject pour un homme que de se parjurer, elle le comprendra plus tard. Le souvenir que je veux laisser à mes enfants et à mon électorat, c'est celui d'un homme de conviction et de principe, pas d'un couillon.

—Je ne crois pas que ceux qui viennent d'être libérés seront accusés de lâcheté, répliqua Luce, informée qu'un des prisonniers avait été relâché.

—À chacun sa conscience! Et on ne peut pas empêcher les gens de parler.

—Tu n'as vraiment aucune idée de la date de ta libération?

—Heu… Le jour où je tomberai malade.

—Tu ne l'es pas déjà?

—Pas assez pour me faire mettre dehors. De toute façon, j'ai droit à un procès et, tant que je ne l'aurai pas obtenu, je ne sortirai pas d'ici.

—Pourquoi est-ce si important pour toi?

—C'est la seule façon de prouver mon innocence. Je sais que le gouverneur voudrait que je demande pardon publiquement pour laisser croire à la population qu'il avait raison de m'envoyer derrière les barreaux. Je ne lui ferai pas ce cadeau-là!

Luce éclata en sanglots. Sa patience venait d'atteindre ses limites.

—Pourquoi pleures-tu? Je ne suis pas si malheureux que ça, ici! Je sais qu'un jour tout ça tournera en ma faveur.

D'un geste de la main, Luce lui annonça son départ.

—Mais les enfants?…

Une fois de plus, Luce retourna chez elle, bredouille. Elle eût été pétrifiée si elle avait su que son mari vivait son incarcération avec une certaine délectation: seul dans sa chambre, il pouvait occuper son esprit par les études philosophiques et mathématiques sans être importuné.

«Comment continuer de protéger mon petit Isidore des mauvaises langues qui prendraient plaisir à lui dire la vérité au sujet de son père? Les amis d'Elzéar, et qui d'autre encore?» Luce sollicita les conseils de Joseph. Une semaine plus tard, il lui avait trouvé une maisonnette à Verchères, tout près du moulin banal. Il l'y installa avec Elzéar et Isidore et les plaça sous les bons soins du meunier. Quant à Pierrot, demeuré au Petit Séminaire pour gagner un peu d'argent, Angélique s'était proposée pour le visiter régulièrement et l'inviter à passer les fins de semaine chez elle.

—Je passerai vous voir le plus souvent possible, promit Joseph.

—Tu me tiens au courant pour ton frère, hein? chuchota-t-elle.

Son câlin enveloppant et lénitif la toucha au plus profond de son cœur. Elle regarda Joseph s'éloigner… avec cette nostalgie qu'elle avait tant redoutée. Ses fils étaient déjà sur la grève à cueillir des cailloux. Les cristaux dorés qui nappaient le bleu du fleuve, un prolongement de la béatitude dont Joseph venait de l'imprégner. Une beauté sans limite. Le calme à perte de vue. Une gaieté enfin permise.

La nouvelle de sa présence mit peu de temps à se répandre dans tout le village. Les habitants rivalisaient de générosité à son égard, les uns lui apportant du poisson frais, d'autres, du pain tout fraîchement sorti du four, quand ce n'était pas une belle pièce de viande à rôtir. Savaient-ils qu'elle n'était pas l'épouse de celui qui venait souvent la visiter? Sincèrement, elle n'y tenait pas: cette confusion lui plaisait. D'aucuns eussent facilement admis qu'ils formaient «un beau couple». D'ailleurs, Joseph l'appelait toujours Mme Bédard, sans préciser Lajus, ce à quoi Luce tenait habituellement. L'accueil chaleureux qu'elle et ses fils lui réservaient favorisait la méprise. Invité à partager le dernier repas de la journée, Joseph s'empressait de préparer un feu sur la grève, ce que les enfants adoraient et que Luce encourageait, priant ce feu d'exorciser la flamme qui se ranimait dans son cœur chaque fois que Joseph se trouvait en sa présence. À son insu, Elzéar la protégeait de la tentation qui, la brunante venue, l'envahissait.

—Ce n'est pas dangereux de faire toute cette route à la noirceur, Joseph?

—Pas vraiment! De toute manière, c'était à moi de partir plus tôt.

—Vous devriez vous en *aseter* une tite maison près d'ici, zézaya Elzéar, qui affectionnait de plus en plus son jeune oncle.

—Je ne suis pas sûr que ta tante s'y plairait…

L'évocation de Geneviève freina l'ardeur amoureuse de Luce au moment de dire au revoir à son beau-frère. Son attention se tourna vers Elzéar, qu'elle crut bien disposé à entendre ce qu'elle avait à lui dire :

—Tu devrais t'efforcer de parler moins vite et de mieux articuler…

—C'est pas ma faute, maman.

—Tu les prononçais mieux que ça, avant, tes *j* et tes *ch*. Tu vas avoir tes onze ans dans quelques jours, c'est important que tu t'exprimes bien.

—*Ze* le sais, maman.

Elzéar, la tête retombée sur sa poitrine, la démarche alourdie, se réfugia dans sa chambre. Luce l'imita. La pleine obscurité favorisait sa réflexion. «Se peut-il que l'emprisonnement de son père soit la cause d'une plus grande nervosité… qui le ferait zézayer de plus en plus? Pourtant, ses idées sont claires et son vocabulaire est juste. On dirait qu'il retient quelque chose… une grande peine, une colère… de la honte? Comment le faire parler de sentiments aussi profonds sans que son jeune frère nous entende ? C'est encore un enfant. S'ouvrirait-il plus à son oncle qu'à sa mère ? »

À la faveur de la pluie qui tombait sur Verchères le lendemain matin, Luce écrivit une lettre pour Joseph, sachant bien qu'il ne la recevrait pas avant une semaine. Pour ne pas éveiller les soupçons, elle l'adressa à « Monsieur et madame Joseph Bédard ». Ils y trouveraient des paroles courtoises et une sollicitation :

À votre prochaine visite, Joseph, si le cœur t'en dit, je te laisserais seul avec Elzéar, le temps qu'il faudrait pour découvrir la cause de son problème de langage, de plus en plus frappant. Je me pose bien des questions. Serait-ce la situation de son père ? Mon attitude envers lui ? Quelque chose qui se passerait au Petit Séminaire et qu'il garde secret ?

Une autre missive fut postée à l'intention de Marie-Josèphe pour la remercier de prendre soin de ses biens et lui promettre son retour dans une dizaine de jours.

Le député de Surrey apprit que Blanchet et Taschereau, les deux autres têtes dirigeantes du *Canadien*, avaient été relâchés. Que M. Lefrançois, l'imprimeur, avait aussi retrouvé sa liberté en ce début du mois d'août. Que de la vingtaine d'hommes incarcérés en mars, il n'en restait plus qu'un. Joseph sentit l'urgence d'en informer Luce. Geneviève refusa de l'accompagner, ce qui ne le contraria guère.

—Je ferais mieux de rentrer à la maison sans trop tarder… pour l'accueillir, décida Luce en apprenant la nouvelle. Marie-Josèphe sera heureuse d'être libérée de ses tâches d'entretien.

—Pas sûr que Pierre se soumette aux conditions de son affranchissement.

—Qu'est-ce que tu veux dire?

—Ses compagnons n'ont pas eu de procès…

—Tu es certain que Pierre l'exige encore?

—C'est ce que nous rapportent les journaux, mais on ne sait jamais!

Joseph sortit de la poche de sa chemise un fragment du journal dans lequel on citait une déclaration de Pierre Bédard : *Je ne sortirai d'ici que lorsqu'un corps de jurés aura bien et dûment déclaré mon innocence.*

—Les autorités ne vont pas se lasser de l'entretenir derrière… les barreaux? murmura Luce en voyant le jeune Isidore s'approcher d'eux.

—Ça m'étonnerait tellement que j'ai l'intention de demander à mon frère, le curé Jean-Baptiste, d'aller parler à ton mari. Moi, j'ai fait ce que j'ai pu sans parvenir à le faire fléchir d'un iota.

—Si, en attendant, on allait faire une petite prière à l'église avec les enfants?

Joseph y consentit, mais non sans avoir eu, au préalable, un petit entretien privé avec Elzéar.

—Sur la grève, mon oncle! *Z'y* trouve tellement de belles *sozes.*

—Tu veux dire «de belles choses». Tu peux prononcer ce mot comme moi, Elzéar?

L'enfant grimaça. Accroupi devant lui, Joseph le fit répéter pour constater qu'il pouvait prononcer correctement. Mais il avait pris la mauvaise habitude de parler les lèvres serrées.

—Qui va faire le plus beau « chou » avec sa bouche ? le défia Joseph.

Le défi amusa Elzéar.

—Viens montrer à ta maman que tu es capable de bien dire tes *ch*. Les *j* sont encore plus faciles. Fais-m'en dix.

Elzéar sautillait en répétant « Chou. Je. Chou. Je… » jusqu'à ce qu'il rejoignît Luce, qui n'en croyait pas ses oreilles.

—Mais comment as-tu fait ? demanda-t-elle à Joseph.

—Elzéar te l'expliquera. Maintenant, on grimpe la côte !

Pendant qu'Elzéar se plaisait à faire courir son jeune frère, les deux adultes flânaient. Leurs mains se frôlèrent accidentellement. Un caillou sous sa semelle, Luce eût trébuché si Joseph n'avait porté son bras à sa taille et ne l'avait collée contre sa poitrine… Leurs éclats de rire trahissaient un malaise. Jamais ils n'avaient vécu une telle proximité : bien que fortuite, elle alluma des étoiles dans les yeux de Joseph et couvrit le corps de Luce de chair de poule.

Un aveu qui les dispensait de mots.

Ce soir-là, Joseph quitta Verchères avant le coucher du soleil : Luce ne le retint pas. Pelotonnée dans ses draps, elle se hissa jusqu'au croissant de lune qui argentait le fleuve. Elle s'y accrocha et glissa avec lui jusqu'à la diligence de Joseph. Il l'y déposa. Les bras grands ouverts, son amoureux l'accueillit. Sa bouche, attirée par ses lèvres comme le papillon par les flammes, s'y posa. Des instincts inconnus déchaînèrent ses sens.

—Maman, j'ai mal au ventre!

Isidore venait d'arracher sa mère à un rêve des plus voluptueux. Elle pressa son fils tout contre elle, lui susurra des mots rassurants, et il s'endormit sans délai. Retournée contre le mur, Luce crut pouvoir replonger dans son rêve. Vaine tentative.

Les vacances scolaires tiraient à leur fin. Luce n'allait pas les laisser s'effilocher sans s'accorder de bons moments avec son fils aîné. De retour sur la rue Mont-Carmel, elle le fit venir du Petit Séminaire pour les dix jours qui précédaient la reprise des cours. Pierrot ne se montra nullement réticent. Revoir ses frères et abandonner ses tâches le ravissait. Candidement, il apprit à sa mère qu'il avait rendu visite à son père à trois reprises depuis la fin de juin.

—Avec qui?

—Deux fois avec un prêtre du Séminaire et une autre fois avec grand-maman Angélique.

Stupéfaite, Luce voulut plus de détails.

—C'est normal, d'avoir le goût de voir son père, non?

—Oui, oui. Vous avez jasé de quoi?

—Ça doit rester entre nous deux, qu'il m'a demandé.

« C'est ce qu'on verra », se dit Luce, déterminée à questionner et son mari, et sa mère.

Le retour de ses fils au Séminaire lui permit d'engager une conversation intime avec Pierre.

—Il a bon cœur, notre Pierrot! Il a tenu à s'excuser de sa conduite avec moi, et il a promis de se montrer obéissant et respectueux à l'avenir, révéla Pierre.

—C'est tout? demanda Luce.

—C'est l'essentiel. Le reste ne concerne que lui et moi.

—J'en suis fort heureuse. L'harmonie serait enfin revenue entre vous deux? Qu'est-ce qu'une mère peut demander de mieux? Changement de sujet: tu ne passeras pas l'automne, encore moins l'hiver, dans ce pitoyable trou, j'espère?

—Tout dépend de la date de mon procès.

—Ils vont avoir ta peau si tu continues à t'entêter.

—J'ai droit à ce procès, et je tiendrai mon bout au risque d'en mourir.

—Ne dis pas ça, Pierre. Tu ne nous abandonnerais pas comme ça!

—Mon intégrité doit être reconnue par toute la population. Mieux vaut mourir que de vivre avec l'étiquette de traître sur le front.

—J'aimerais que tu y réfléchisses encore, le pria-t-elle, impuissante à dissimuler son désarroi.

De la prison, elle fila chez sa mère, à qui elle avait confié Isidore.

—Alors, ça s'est bien passé?

—Plus ou moins. Quand vous êtes allée le visiter avec Pierrot, vous a-t-il semblé déprimé?

—Pas plus qu'avant! Je pense que son obstination à blanchir sa réputation soutient son moral.

—Vous croyez tout ce qu'il vous dit?

Angélique posa sur sa fille un regard suspicieux.

—Si tu en venais au but, Luce...

—Qu'il est prêt à donner sa vie pour être innocenté publiquement.

—Bien... c'est ce qu'il a expliqué à Pierrot, en des termes moins crus, tout de même. Il veut que ses fils sachent qu'il ne reculera devant rien pour que la justice triomphe, et que s'il devait en mourir, ils pourront le considérer comme un martyr...

CHAPITRE VI

Luce devait d'autant plus compter sur le soutien financier de sa mère qu'en dépit de ses incessantes démarches, décembre viendrait frapper à sa porte avant la libération de son mari. Pour les familles Bédard et Lajus, le temps des fêtes perdrait tout son sens en l'absence de Pierre.

L'idée, soudainement conçue, d'implorer la clémence du gouverneur ou celle de Sewell, son bras droit, relança la confiance de Luce. « Je maximiserais mes chances si je me faisais accompagner d'un homme influent et bien vu dans la société, songeait-elle lorsque la carriole de John Neilson, s'engagea dans la montée qui menait à l'écurie. Voilà mon cadeau de Noël ! Moi qui étais sûre de ne pas en recevoir cette année… Un homme d'affaires honnête et prospère comme John est la personne toute désignée pour intercéder auprès du gouverneur », jugea-t-elle.

L'accueil de Luce fut des plus chaleureux, mais la réception de John, réservée. Un frein à l'enthousiasme avec lequel elle s'apprêtait à lui révéler ses intentions… Après lui avoir exprimé son empathie, John l'écouta, hochant la tête, visiblement embarrassé.

—Savais-tu que Sewell estime que *Le Canadien* et le parti du même nom se sont toujours opposés avec virulence aux politiques du gouverneur ? En tant que juge en chef, il affirme que la liberté de presse, comme toutes les libertés civiles, est assujettie au bien de la collectivité, et que, si elle nuit au bien public, elle abuse de cette liberté et doit être interdite. Ce juge n'a montré aucun scrupule, il y a quelques mois, lorsqu'il a présidé le tribunal qui a rejeté la requête en *habeas corpus* présentée en faveur de ton mari. Mon intervention ne saurait faire le poids dans sa décision.

—Et dire que je faisais confiance à Sewell, un père de famille exemplaire ! Douze enfants ! Un homme si doux… en apparence, s'indigna Luce en apprenant que Jonathan Sewell, le fonctionnaire le plus puissant de la colonie après le gouverneur, faisait partie des conseillers exécutifs qui avaient ordonné la saisie et les emprisonnements survenus en mars.

—Je ne vois vraiment pas qui pourrait le mieux gagner sa clémence !…

—Pas les curés, ça, c'est sûr! L'abbé Jean-Baptiste Bédard, mon beau-frère, est allé rencontrer les hauts dirigeants avant de se rendre à la prison pour tenter de raisonner son frère : un échec dans les deux cas.

—Chose certaine, tu ne passeras pas le temps des fêtes seule ici avec tes enfants. On va y voir, ma femme et moi.

Luce se serait aussitôt rebiffée si elle n'avait eu une confiance inébranlable en cet homme, le plus grand imprimeur-libraire de Québec. D'un jugement sûr, tant en affaires que dans ses relations humaines, John Neilson savait quand menacer et quand flatter. Ainsi parvenait-il toujours à se faire payer par ses clients. Il était prévisible qu'il travaillât à étendre son marché et, de ce fait, qu'il nuise à ses compétiteurs. Grâce à l'acquisition de la plus grande part des affaires de son concurrent de Québec, Pierre-Édouard DesBarats, il y parvint. Dès lors, il put se procurer une nouvelle presse aux États-Unis, recruter des apprentis d'Écosse et des États-Unis, et acheter en Angleterre les caractères requis pour l'impression de livres de chants religieux et de manuels scolaires. Ses revenus substantiels provenaient non seulement de l'État, pour qui il imprimait les papiers officiels, mais aussi de la publication de *La Gazette de Québec*, dont le nombre d'abonnés dépassait alors le millier. La moitié de ses clients étaient francophones, et il leur en était reconnaissant.

Ses succès en affaires impressionnaient également Pierre Bédard, qui partageait l'admiration de

John pour les institutions britanniques. De plus, tous deux prêchaient l'équilibre des pouvoirs. Étrange similarité : chacun des deux couples avait perdu six enfants en bas âge. Leur amitié faisait fi de la disparité de leurs avoirs financiers.

—Cette année, c'est chez nous que nos deux familles vont se réunir pour le temps des fêtes. Nous insistons aussi pour que tante Angélique se joigne à nous.

Luce s'apprêtait à contester lorsque John l'interrompit :

—Il faut se serrer les coudes, surtout dans l'adversité, n'est-ce pas ?

D'emblée, Luce savait que cette invitation plairait à sa mère, mais plus encore aux sept enfants rassemblés, Isidore étant le benjamin, et Pierrot l'aîné. Après la naissance d'Isabel, le couple Neilson avait perdu deux enfants au berceau. Tout comme Luce, Ursule en gardait de bien tristes souvenirs. Les deux familles ne s'étaient fréquentées qu'en de rares occasions : le manque de disponibilité de Pierre pour les loisirs et son faible intérêt pour le voisinage en étaient la cause. Ainsi, le dernier échange entre les deux familles remontait au mariage de Luce.

À la mi-décembre, lors d'une visite à son mari, Luce l'informa de l'invitation de John, espérant susciter en lui le désir d'être auprès des siens en cette période de réjouissances.

—Je serais étonné qu'on me tienne un procès d'ici deux semaines.

—Tu pourrais demander une libération temporaire...

—On ne me laissera retourner en prison que si je signe une déclaration de culpabilité. Une fois dehors, tous les prétextes seront bons pour me priver d'un procès, tu le sais bien.

—Tant mieux! échappa Luce, oubliant les exigences de son mari, qui ne lui cacha pas son désappointement.

—À chacun sa déception, Pierre: ta famille passe en dernier, si je comprends bien.

—Je ne veux pas revenir sur ce sujet. Je t'ai déjà expliqué l'importance pour moi d'être publiquement innocenté.

S'étant réfugiée chez sa mère pour quelques jours, Luce tenta de calmer son chagrin avant le congé de Pierrot et d'Elzéar.

—J'espère qu'avec ou sans ton mari, tu ne refuseras pas cette invitation de John. Tu mérites bien de passer ces semaines de congé dans la joie, et tes enfants aussi!

—J'y mettrai tout mon courage, promit Luce.

Dans la soirée du 24 décembre, à leur domicile de Cap-Rouge, John, son épouse Ursule et leurs enfants – Samuel, Isabel, Margaret et William – trépignaient d'impatience, pressés de révéler la surprise qu'ils avaient préparée pour Luce et ses trois fils. Dès que les Bédard mirent le pied dans le grand salon ils écarquillèrent les yeux devant le sapin spectaculaire, orné de papiers métalliques de diverses formes et de clochettes en pain de sucre à la glaçure chatoyante. Rares étaient les foyers qui, pour célébrer la naissance de Jésus, se procuraient un sapin, cet arbre chéri dans la tradition huronne. Avec un doigté exceptionnel, Ursule avait sculpté un nouveau-né et l'avait placé sur un amoncellement de paille avant de l'entourer des figurines représentant Joseph et Marie.

—Nos professeurs du Petit Séminaire nous ont dit que seuls les religieux possédaient des crèches de Noël! s'étonna Pierrot.

Elzéar s'émerveilla à son tour et demanda la provenance de cette crèche à John.

—En France, presque toutes les familles en possèdent une, mais ici, au Bas-Canada, on n'en trouve pas sur le marché. C'est mon épouse qui a tout fabriqué de ses mains à partir de papier mâché.

Isidore, accroupi sur ses talons, contemplait l'œuvre de sa « tante Ursule ». Luce en faisait autant.

—Un vrai chef-d'œuvre! s'exclama-t-elle en se tournant vers sa cousine. Les Hubert ont toujours été reconnus pour leurs talents, et les tiens sont très artistiques.

John lui retourna le compliment:

—Et toi, si tu ne t'étais pas mariée si jeune, tu aurais pu devenir une excellente cantatrice, avec la voix que tu as et ta dextérité sur le clavier!

—Moi aussi, je me suis mariée à dix-sept ans, lui fit remarquer Ursule, un tantinet vexée.

—L'art culinaire, la broderie, la peinture et la couture sont parfaitement conciliables avec la vie d'épouse et de mère, se justifia son mari. Tandis que la musique, tout comme l'écriture, est un art que seules les dames fortunées peuvent se permettre d'exercer.

—Leurs servantes les dégagent de toutes les tâches domestiques, je sais, confirma Luce, faisant allusion aux femmes qu'elle côtoyait dans les grands salons.

—Il nous arrive d'en engager, pour le grand ménage, mais j'aime mieux m'occuper de mon logis toute seule, déclara Ursule.

Un peu en retrait, Angélique assistait à la scène sans intervenir. L'impression de vivre des moments uniques la tenait captive... Comme si ce Noël était son dernier. «Il y a longtemps que je n'ai pas vu ma fille si détendue, si joyeuse! Elle a dû réussir à oublier son mari, ce que je n'aurais jamais pu faire. Ça me crève le cœur rien qu'à penser qu'il est seul dans sa cellule, au froid et privé de tous les agréments que nous allons vivre ce soir. S'il avait fallu que ça arrive à mon François, j'en serais morte de chagrin. Faut-il croire que Luce est plus forte que moi? ou qu'elle est moins attachée à son mari que je l'étais à François?...»

—Grand-maman, on dirait que vous avez de la peine, murmura Elzéar en s'approchant d'elle.

—J'étais juste allée faire un tour dans mon passé. Si tu savais comme je suis heureuse d'être avec vous tous, ce soir!

—Il n'est pas beau, votre passé?

—Il serait plus beau si je n'avais pas perdu ton grand-papa... J'aurais donc aimé que tu le connaisses!

—Maman m'en parle souvent. Ça la rend toute triste même si elle ne dit que de belles *sozes* de lui.

—On s'ennuie de lui. Il était l'un des meilleurs chirurgiens du pays. Tout le monde l'aimait.

—Même celui qui a…

Angélique fronça les sourcils, se promettant de semoncer Luce pour n'avoir pas gardé ce drame secret.

—Tu sais ça, toi? Pour ton oncle…

—Oui, mais *z'ai* promis à maman de n'en parler à personne.

Le regard d'Angélique s'embruma.

—Tantôt, pendant la messe de minuit, *ze* vais, *je* vais, reprit-il, prier pour que vous n'ayez plus de peine, ni vous ni maman, lui promit Elzéar.

—Tu ressembles beaucoup à ton grand-papa Lajus: généreux comme lui!

—Aimez-vous *zouer*, pardon, *jouer* aux cartes? lui demanda Elzéar pour la ragaillardir. J'ai apporté les miennes. Voulez-vous venir… jouer avec moi?

Son frère Pierrot et leur petit cousin Samuel se joignirent à eux, tandis que Luce, assise au piano, invita ses petites cousines, Isabel et Margaret, à chanter des airs de Noël avec elle. Ses doigts dansaient sur le clavier avec une frénésie frôlant l'ivresse. Les voix harmonieuses de ses petites cousines lui rappelaient les moments euphoriques que la musique et le chant lui avaient fait vivre dans sa jeunesse, que ce fût avec sa mère, elle-même musicienne, ou avec les chorales du couvent et de l'église; Luce concluait toujours: «Si c'est comme ça au paradis, je serai heureuse de mourir. » «Comme avant qu'elle se marie… », songea Angélique, un tantinet distraite de son jeu, mais vite ramenée à l'ordre par Elzéar.

Dans la cuisine, Ursule et son mari veillaient aux derniers préparatifs du réveillon.

Les premières notes de *J'ay l'alouette* rassemblèrent toute la maisonnée autour du piano. Il n'en fallut pas plus pour que les adultes entonnent, une après l'autre, les chansons importées de la France. Angélique se réserva les couplets d'*À la claire fontaine*. Et pourquoi ne pas devancer la messe de minuit avec *Chantons Noël*, un des cantiques interprétés à chaque Noël liturgique?

Le moment était venu de se pomponner avant de se rendre à l'église. Pour l'occasion, les grelots attachés au harnais du cheval carillonnaient au grand plaisir des enfants. Les carrioles se dépassaient, les taquineries fusaient. Toutes s'arrêtaient devant le parvis de la cathédrale pour laisser descendre femmes et enfants pendant que les hommes dételaient les chevaux et les conduisaient à l'écurie, tant que des places restaient disponibles. Pour les autres, il suffisait d'attacher la bête à un poteau et de la couvrir d'une épaisse couverture, le temps pour les fidèles d'assister à la grande et à la basse messe.

Pour cette célébration liturgique, les luminaires de la cathédrale Notre-Dame de Québec brillaient de tous leurs feux, créant une atmosphère des plus féeriques. Luce, qui connaissait un peu de latin, déplorait de ne pouvoir mêler sa voix à celles des choristes. Comme ce n'était pas de mise, elle devait se contenter de fredonner les chants du bout des lèvres ; après la finale ou lorsque les voix du chœur se taisaient, elle se réfugiait dans son cocon pour ne pas se laisser distraire des cantiques qui la transportaient d'allégresse. Ainsi en fut-il jusqu'au retour au domicile de John. Le festin orgiaque qui les attendait la plongea dans ses souvenirs d'enfance : l'aisance financière des Lajus n'avait rien à envier à celle des Neilson. Les deux familles avaient hérité d'un sens des affaires et d'un bagage culturel qui les hissaient au faîte de la société. « Il me faut rattraper cette prospérité qui fut la mienne, et qui pourrait le redevenir. M'appliquer à chérir le passé alors que maman est encore là. Ne garder dans mon cerveau qu'un minuscule casier pour y déposer les soucis que Pierre m'a causés dans la vie. Mon équilibre, je le bâtirai, un pied sur les bonheurs présents et, en leur absence, l'autre sur les délices de mon passé familial. Riche j'ai été, riche je suis et serai de mes maternités. Trois d'entre elles m'ont apporté des garçons que j'aime plus que moi-même. Des fils que je veux faire instruire, oui, mais à qui je veux aussi apprendre à créer leur propre bonheur », décida Luce. Ce défi l'attendait, la période festive terminée.

À regret, Mme Lajus-Bédard avait reconduit ses deux fils aînés au Petit Séminaire et déposé le benjamin chez sa grand-maman Angélique avant de passer à la prison y saluer son mari.

—À te voir si radieuse, on croirait que tu as reçu de gros cadeaux, conclut Pierre, heureux de l'accueillir après trois semaines sans nouvelles.

—Dommage que tu n'aies pas été avec nous. Ça t'aurait complètement revigoré.

Pierre voulut comprendre.

—Nos fils, ma mère et moi avons passé une merveilleuse semaine chez les Neilson. On s'est beaucoup amusés.

—Sans qu'il ne t'en coûte un sou, je gage?

—Ce n'est pas ça qui est important.

—Comment peux-tu dire ça, alors que je ne vous apporte plus rien depuis dix mois?

—Je me débrouille comme je peux. Tes fils ne manquent de rien. As-tu des nouvelles de ta libération?

—C'est pour bientôt. L'Assemblée a adopté une motion pour que je sois relâché.

—Le gouverneur est revenu à de meilleurs sentiments envers toi?

—Je ne crois pas. Le Dr Blanchet m'a appris que, dans son discours inaugural en décembre, Craig n'a fait aucune allusion aux événements de mars. En fin renard, il a évoqué la loyauté des différents Parlements et souhaité que l'harmonie règne, pour le plus grand bonheur de la colonie.

—C'est bon signe, ne penses-tu pas?

Pierre hocha la tête, déterminé à ne pas dévoiler à son épouse les résultats de la démarche de Joseph Papineau, parti présenter au gouverneur les huit résolutions votées le 24 décembre. Blanchet avait apporté à Pierre une copie de la réaction de Craig :

Aucune considération, monsieur, ne m'incitera à consentir à la mise en liberté de M. Bédard. Je sens que le moment est venu où la sécurité, comme la dignité du gouvernement du roi, requiert impérieusement que le peuple comprenne quels sont vraiment les droits respectifs des différentes branches du gouvernement et qu'il n'appartient pas à la Chambre d'assemblée de gouverner le pays.

—Nous avons au moins gagné la partie concernant les juges. Le Parlement en sera définitivement débarrassé, lui avait-il annoncé en guise de consolation. Le projet de loi devrait être sanctionné dès la reprise des travaux parlementaires, vers la mi-mars.

L'idée vint à Pierre de présenter à son épouse un indice crédible du moment de sa libération.

—Il semble que la santé de Craig se détériore à vue d'œil. Des amis prédisent son retour imminent à Londres. Son remplaçant devrait entendre raison et m'accorder le procès que je réclame... au nom de la justice et de la dignité.

—Encore des délais qui n'en finiront plus! gémit Luce. Tes confrères ne sont pas moins dignes depuis qu'ils sont libérés; pourquoi tant t'acharner?

—Je t'ai déjà tout expliqué ça, Luce.

—Je te souhaite de ne jamais le regretter, Pierre!

Luce saisit son manteau et se dirigea vers la sortie sans se retourner. Son déplaisir était à la mesure de l'espoir qu'elle avait nourri depuis le dernier mois de voir enfin son mari rentrer au domicile familial. Pleurer l'eût soulagée, s'il y avait une épaule sur laquelle poser la tête. Une oreille pour l'écouter respectueusement. Un cœur qui eût battu au rythme de ses émotions. «Joseph! Non! Des épanchements interdits risqueraient de se produire. Mes frères ne comprendraient pas. Il ne me reste plus que ma mère. Elle ne mérite pas que je l'accable. À moins que…»

Fait rare, Angélique et le petit Isidore l'attendaient à la fenêtre… comme s'ils avaient ressenti la détresse de Luce.

—Maman! Maman! s'écria le bambin en lui sautant dans les bras avant même qu'elle n'ait eu le temps de retirer son manteau et ses chaussures. J'avais peur de ne plus vous revoir.

—Tu sais que jamais maman ne t'abandonnerait, mon trésor!

—Pas comme papa…

Les regards attristés des deux femmes se croisèrent.

—Ta maman n'a pas besoin d'aller travailler loin comme ton papa. Elle restera toujours avec toi, mon petit homme.

L'enfant retourna à ses jeux, manifestement rassuré.

—J'aurais le goût de commencer une courtepointe avec vous, suggéra Luce. L'hiver est si long… Et puis je n'ai pas le cœur à la musique.

—Si tu as l'intention de passer quelques jours chez moi, je suis d'accord. Sinon, je ne veux pas m'encombrer de tous ces tissus pendant des mois.

—Trois ou quatre jours…

Luce sourit.

—Ça vous offenserait si je vous disais que j'aime bien continuer de prétendre qu'ici, c'est encore chez moi?

—Tu n'as pas à me demander cette permission : tu es vraiment chez toi.

Luce tut son intention de mettre la maison de la rue Mont-Carmel en vente. « Le bouche-à-oreille devrait suffire. Si Pierre ne renonce pas à son procès, il pourrait bien passer encore plus d'un an en prison, et moi, me retrouver sans argent. On n'a pas besoin d'une si grande maison pour vivre. En la vendant, j'en tirerais assez de profits pour payer l'instruction de nos fils, rembourser mes quelques dettes, et il m'en resterait pour acheter un logis plus modeste. En attendant de trouver un autre toit, on pourrait loger chez maman ; elle a de la place pour nous cinq, et je sais qu'elle nous ouvrirait ses portes avec plaisir. »

—Tu es bien étrange, aujourd'hui, Luce! Ça s'est bien passé avec… lui?

—Je vous en reparlerai ce soir, ce sera mieux. Je vais chercher vos sacs de retailles, annonça Luce, s'efforçant d'afficher bonne mine.

Le contenu des deux poches éparpillé sur la table : un prolongement de la féerie du dernier Noël, tant les pièces éclaboussaient de ravissants coloris.

—Pour moi, créer quelque chose de concret, c'est comme faire un pied-de-nez à tout ce qui s'effrite sous mes doigts.

—Tant de choses échappent à ton pouvoir? relança Angélique.

—Ce n'est pas leur quantité, c'est leur importance.

—Il s'entête encore, ton... député ?

—C'est peine perdue, maman.

—Ses frères ne pourraient pas lui faire entendre raison ?

Agacée, Luce proposa de cueillir dans l'amas de tissus tous les morceaux rouges d'abord, ensuite les bleus, puis les blancs.

—On en aurait peut-être assez pour un lit d'enfant ?

Angélique laissa tomber ses échantillons sur la table.

—Un lit d'enfant ? Mais elle est finie, ta famille, non ?

—Je suis encore assez jeune pour en avoir d'autres, et puis Pierre devrait être libéré sous peu.

—Dans les conditions qu'on connaît, tant pour ta santé que pour le soutien qui t'est donné, je ne peux pas croire que...

Pas une réplique ne sortit de la bouche de sa fille ; c'était comme si elle n'avait rien entendu. Elle prit un papier, y dessina les motifs de la courtepointe et le présenta à sa mère.

—On pourrait faire un soleil en plein milieu, et l'entourer d'une première couronne rouge, puis d'une bleue, et ainsi de suite en alternance, tant qu'il nous restera de ces couleurs. Qu'en pensez-vous ?

Angélique lui répondit d'un hochement approbatif.

Avec l'hilarité d'une fillette, Luce dressa quatre piles de tissus de chaque couleur. L'heure du souper approchait. En turlutant, elle dégagea un bout de la table et y plaça trois couverts. Ou elle causait du chef-d'œuvre entrepris, ou elle taquinait son fils, ou elle reprenait ses chansonnettes.

Une fois Isidore au lit, elle bourra l'âtre de grosses bûches et disposa, tout près, deux berçantes. Angélique comprit que l'heure des confidences avait sonné. La joie et l'appréhension se bousculaient dans sa tête.

—Maman, j'ai quelque chose à vous dire qui vous fera peut-être sourire.

Intriguée, Angélique s'avança sur le bord de sa chaise.

—Vous allez comprendre pourquoi il est si important qu'ici, ce soit encore mon chez-moi.

—Tu ne veux plus vivre avec ton mari?

—Je ne veux plus vivre avec les soucis qu'il me cause. Pour ça, il faut que je puisse me réapproprier mon passé et m'en nourrir quand ça va mal avec lui. Puis j'ai des responsabilités à honorer.

Le menton niché dans sa main, Angélique disséquait chaque mot, incapable d'en trouver le sens.

—Tu penses arriver à demeurer indifférente à ses problèmes, à ses souffrances même? Mais, il n'y a plus d'amour là-dedans!

—Il y en a beaucoup, maman: pour mes enfants et pour moi-même. Pour vous aussi qui ne méritez pas de me voir souffrir. Pour Pierre, j'aurai de la compassion, de l'écoute, de la compréhension, du respect, de l'affection, oui, mais il n'y a plus de place pour ses malheurs dans mon cœur.

—Il ne risque pas de se sentir abandonné?

—Pas autant que vous le pensez. Je crois qu'au fond de lui-même il doit regretter de ne pas être resté célibataire. Libre de se consacrer totalement à son idéal politique. Non pas qu'il n'aime pas ses enfants, mais il pourrait être leur oncle sans qu'on y voie de réelle différence!

—Ne parle pas comme ça, Luce. Même si je n'ai pas souhaité ton mariage avec Pierre Bédard, je lui reconnais de grandes qualités. Il me semble si sensible…

—Fragile, même, à certains égards, je vous l'accorde. Très à l'écoute de ses moindres malaises, surtout. Comme si son cerveau, si vigoureux, n'était pas agencé à son corps. L'image qui me vient, c'est celle de quatre chevaux attelés à une brouette.

Angélique éclata de rire.

—Pierre est doué pour les grandes causes. C'est un homme de conviction. Très tenace. Il m'a déjà confié qu'il se voyait comme un missionnaire, lui apprit Luce.

—Je me trompe ou tu éprouves encore de l'admiration pour lui?

—Vous ne vous trompez pas. J'en éprouve également pour tous ceux qui gardent le cap sur le bonheur malgré les turbulences.

—Tant de vigueur et de cran dans un petit corps comme le tien, ça aussi c'est impressionnant, ma belle Luce!

—Je vous le dois en grande partie, maman. Aussi longtemps que vous serez avec nous, vous serez le phare qui m'empêchera de m'égarer.

—Pas une journée ne passe sans que je prie ton père de te protéger, de là-haut. Il est sûrement plus puissant que moi… et puis, il t'aimait tant!

—Dites-moi qu'il m'adore encore…

* * *

Les propos de Craig trahissaient d'imminents adieux.

Le 4 avril, après avoir prorogé la session, il avait questionné les membres du Conseil exécutif sur la pertinence de mettre fin à l'emprisonnement de Pierre Bédard. Devant ceux qui s'en étonnèrent, le gouverneur avait déclaré que l'emprisonnement des propriétaires du *Canadien* n'avait pas été une pénalité, mais une prévention, en attendant que les esprits se calment et que la tranquillité revienne dans la population. D'aucuns avaient soutenu que le détenu ne quitterait pas la prison sans avoir obtenu un procès. D'autres avaient prétendu que Bédard en avait assez des conditions dans lesquelles il vivait, et que la maladie de peau qu'il avait contractée à la suite des mauvais traitements des geôliers le ferait fléchir sur les conditions de son affranchissement. Le gouverneur tenait surtout à ce que l'Assemblée ne s'attribue pas le mérite d'avoir libéré le fondateur du Parti canadien. Or, les membres de ce parti n'étaient pas dupes. Ils convinrent de tendre un piège à Craig:

—Et si M. Bédard refusait de quitter la prison sans procès?

—On le sortira… de force s'il le faut.

—Nous vivons dans une société qui respecte les droits des citoyens, plus encore ceux des élus, monsieur le gouverneur! lui rappela Taschereau.

—Le peuple sera toujours le sujet de Sa Majesté: c'est elle qui détient tous les pouvoirs sur ses colonies, monsieur.

La nouvelle fut communiquée à Luce par l'entremise du Dr Blanchet. Message on ne peut plus troublant. «Je devrais me réjouir à la pensée qu'il sera avec nous pour le congé de Pâques, mais je n'y arrive pas. Une semaine à peine! Tout ce qui pourrait se produire le jour où on le traînera, menottes aux mains, hors de ces murs, sans qu'il soit passé en Cour… J'en ai des frissons. Je le vois pester contre les geôliers, les insulter, leur résister. Jusqu'où peut aller leur autorité? Piocher sur lui? Le blesser grièvement? Dans quel état se présentera-t-il à la maison? Que dire aux enfants? Une sortie triomphale, son innocence reconnue aux yeux de la société, c'est tout ce qu'il demande. Comment pourrait-il y renoncer? Quelle lecture fera-t-il de cette bataille qui m'apparaît stérile?»

À trois jours du congé pascal, Luce devait trouver une manière d'annoncer à son mari qu'elle avait entamé des procédures pour vendre leur maison. «À moins que je n'en dise un mot que si une offre d'achat nous est présentée?» Elle crut sage aussi de prévenir Pierrot et Elzéar de l'imminente libération de leur père. Pour le petit Isidore, elle devait user de prudence.

—Ton papa achève son gros travail.

—Il va dormir chez nous ce soir?

—Pas ce soir. Mais dans quelques jours, oui.

La joie du bambin n'avait d'égales que les appréhensions de sa mère. L'oreille tendue, Luce multipliait les allers-retours de la cuisine à la fenêtre du salon. Pas question pour elle de passer à la prison pour s'enquérir de la date exacte du retour de son mari : elle la connaîtrait bien assez vite…

—C'est lui! allait-elle crier en cette matinée du 8 avril, alors qu'elle attendait le retour du Séminaire de ses deux aînés.

Son paletot sur le bras, sa mallette à la main, Pierre se dirigeait d'un pas traînard vers sa demeure.

—Isidore, viens vite voir dans la fenêtre!

—Papa! C'est papa!

Luce entrouvrit la porte pour accueillir son mari, mais l'enfant la devança et courut vers son père, prêt à lui sauter au cou… Il recula aussitôt, horrifié à la vue des plaques rouges qui maculaient son visage.

—Il était temps que tu sortes de là, mon pauvre homme! observa Luce, constatant la propagation des rougeurs de ses bras à sa figure.

Pierre lui fit une accolade avant de s'accroupir pour expliquer à son cadet que son papa allait bientôt guérir de toutes ses lésions. Regard et pied figés, le petit Isidore ravalait son désarroi sans dire un mot. Luce le serra contre elle après avoir suspendu le paletot de Pierre sur un crochet.

—Ç'a été difficile? lui demanda-t-elle.

—Pas vraiment. J'ai été sommé de partir hier. Mais ce matin, le sieur Reid a menacé d'appeler ses porte-clefs à l'aide si je ne quittais pas les lieux à l'instant même. Il m'a au moins accordé la permission de trouver la solution au problème géométrique sur lequel je bûchais depuis deux jours.

Luce resta muette de stupéfaction. «Je croyais le connaître. Dieu du ciel! Que de mystères en cet homme!»

Pierre revisitait les murs de sa maison, l'air satisfait de les retrouver tels qu'à son départ, onze mois plus tôt.

Luce lui tira une chaise.

—Viens t'asseoir. Je vais aller chercher une pommade qui devrait soulager tes démangeaisons.

Isidore la suivait à la trace.

—Le Dʳ Blanchet s'est prononcé là-dessus? s'informa-t-elle en appliquant le baume avec une infinie délicatesse.

—Une infection ou de l'eczéma, paraît-il. Mais toi, tu es toujours aussi belle! Aussi dévouée! la complimenta-t-il, une flamme s'allumant dans ses yeux couleur de nuit.

Une pulsion d'espoir dans le cœur de Luce… Une éclaircie dans son univers assombri par trop de soucis et de déceptions.

—Les grands devraient se pointer en fin d'après-midi? s'enquit Pierre.

—J'ai hâte que tu les voies. Ils ont beaucoup changé depuis… Tu m'as donné trois beaux garçons, Pierre. Je n'aurai pas assez de toute ma vie pour t'en remercier.

—Et moi, donc! Que seraient-ils devenus sans toi, depuis mars dernier, surtout?

La tendresse qui embaumait l'atmosphère incita Isidore à s'approcher de son père.

—Vous n'aurez plus jamais de gros travaux à faire comme ça, hein papa?

—Plus jamais, mon p'tit homme.

—On pourra jouer ensemble très souvent, maintenant?

—Ne t'inquiète pas, mon petit.

—Tu seras en congé combien de temps? s'informa Luce

—Jusqu'à mardi prochain. J'aurais bien aimé reprendre mon siège de député à la Chambre, mais comme la session a été prorogée, je prévois d'aller rencontrer Joseph pour discuter de notre comté.

—Pourquoi ce ne serait pas lui qui viendrait? Il sait que tu n'as rien gagné depuis un an et que ta santé est fragile…

—Je veux en profiter pour faire le tour de Surrey avec lui, tu comprends? Puis j'ai préparé une circulaire à l'intention de mes électeurs. Je tiens à la remettre à mon frère le plus tôt possible. J'aimerais te la lire. Elle n'est pas longue.

Pierre tira de sa mallette une feuille sur laquelle il avait griffonné :

Le passé ne doit pas nous décourager, ni diminuer notre admiration pour notre Constitution. Toute autre forme de gouvernement serait sujette aux mêmes inconvénients et à de bien plus grands encore ; ce que celui-ci a de particulier, c'est qu'il fournit les moyens d'y remédier. Toutes les difficultés que nous avons déjà éprouvées n'ont servi qu'à nous faire apercevoir les avantages de notre Constitution. Ce chef-d'œuvre ne peut être connu que par l'expérience. Il faut sentir une bonne fois les inconvénients qui peuvent résulter du défaut d'emploi de chacun de ses ressorts pour être bien en état d'en sentir l'utilité. Il faut d'ailleurs acheter de si grands avantages par quelque sacrifices.

Le cœur en charpie, Luce tourna les talons, retenant de justesse les larmes qui gonflaient ses paupières. « Héros ou martyr ? Je doute d'être la femme qui saurait l'apprécier à sa juste valeur… Qui serait heureuse de le seconder… Honorée de s'afficher en sa compagnie… Et pourtant, il la mériterait bien, cette épouse idéale. Faudrait-il que je m'éclipse pour qu'elle se présente ? Ou que je m'applique à le regarder avec les yeux de ses admirateurs ? Dieu, que la vie est compliquée par moments ! »

—Je prendrais bien une petite bouchée, Luce. Je n'ai rien avalé depuis hier midi.

—Je n'ai pas grand-chose, à part un reste de fèves au lard et du pain de ménage.

—Ce sera parfait. Un festin pour moi ! Si tu savais ce qu'on nous servait en… sur la côte.

—C'est bien connu, répliqua-t-elle pour éviter le détail de ses privations. Nos conserves de fruits et de légumes sont épuisées. On est bien chanceux que maman nous en donne en attendant que tu te refasses une clientèle.

—Comme avocat? Oh, non! Je vais plutôt réintégrer ma fonction de capitaine de milice : c'est noble et ça peut me conduire à des fonctions bien rémunérées.

Pierre n'aimait pas seulement porter un hausse-col doré et une épée, privilège réservé aux militaires et aux gentilshommes : il appréciait plus que tout d'avoir sa place à l'église, juste derrière le seigneur, et de recevoir le pain bénit avant tous les autres paroissiens. Outre ces fonctions militaires, il pouvait aussi jouer le rôle d'auxiliaire de justice en réglant de petits litiges : de là l'influence considérable qu'il exerçait dans les affaires communautaires. De plus, il était exempté de payer les taxes royales et de loger des soldats chez lui... La dispense de participer aux corvées : un autre avantage, et non le moindre, pour Me Bédard.

Assise à l'autre bout de la table, rongée par la confusion et le dépit, Luce avait l'impression que la présence de son mari n'était pas moins lourde à porter que son absence. « Qu'il s'en aille quelques jours après Pâques : ça me permettra de digérer les mauvaises surprises qu'il me réservait à sa sortie de prison. »

Vivement le retour de Pierrot et d'Elzéar, les invitations des Bédard et d'Angélique, pour échapper à une intimité conjugale qu'elle ne se sentait pas disposée à revivre avec Pierre... pour le moment. «Ses problèmes de santé nous en dispenseront», espérait-elle.

* * *

Portée par le besoin de se confier, Luce avait proposé à sa mère une balade en tête-à-tête après le dîner de Pâques.

—Pourquoi n'irais-tu pas chez Joseph avec Pierre? Je garderais Isidore. Qui sait si ça ne pourrait pas vous rapprocher l'un de l'autre?

Tourmentée par la proximité avec son mari, chemin faisant, et la crainte que son attirance pour Joseph soit perçue, Luce mit du temps à répondre.

—On n'en a pas les moyens, trouva-t-elle à répliquer.

—Si ça ne tient qu'à ça, je vais vous le payer ce voyage.

—Pourquoi feriez-vous ça?

—Parce que je souhaite que les ponts soient rétablis entre vous deux... Vous avez trois fils... Et par-dessus tout, je veux que tu sois heureuse!

«Plus ça va, plus je doute de la possibilité d'être comblée avec Pierre», lui eût-elle révélé si elle n'avait pris soin de ne pas la chagriner. Elle se ressaisit aussitôt.

—Vous croyez que ça ferait plaisir à Pierre, mais je n'en suis pas sûre, hésita-t-elle.

—Quelque chose m'échappe. Je conviens que tu n'es pas tenue de me raconter tout ce qui se passe entre ton mari et toi, mais j'ai le sentiment que tu...

Luce l'interrompit :

—Maman, vous en savez déjà assez. À preuve, votre grande générosité envers nous Sans compter que vous avez toutes les qualités d'un bon avocat, avait-elle ajouté pour dissiper la mélancolie qui n'avait pas sa place en cette journée festive.

Le lendemain soir, Pierrot et Elzéar reconduits au Petit Séminaire, Isidore demeuré chez sa grand-mère, Pierre et Luce s'étaient finalement retrouvés seuls. Moments d'intimité enviables pour un couple harmonieux. Situation on ne peut plus inconfortable pour Luce et son mari.

Accoudé à la table de la cuisine, Pierre luttait contre la tentation de se réfugier dans son bureau, là où, plongé dans un texte philosophique, à l'abri de toute confrontation *inutile*, croyait-il, la paix lui était assurée. Étranger dans sa propre maison : quelle sensation insupportable ! Prisonnier politique, héros national, homme de conviction, voilà autant de qualificatifs qu'il avait espéré entendre de la bouche de ses proches et, principalement, de celle de son épouse. Ses compagnons d'arme le louangeraient dès leur première rencontre, il n'en doutait aucunement. La reconnaissance qu'il avait souhaitée ne se trouvait-elle donc qu'en dehors du cercle familial ? Son père et son frère Jean-Baptiste s'étaient montrés « déçus de son entêtement ». Les autres membres de sa famille, tout comme ses deux beaux-frères Lajus, l'ignoraient tout simplement. La filiation envers le royaume britannique, sa nouvelle patrie et la sauvegarde des valeurs de son peuple lui semblaient non seulement conciliables, mais naturels. «Ils ne comprennent donc pas ça? L'ignorance en serait-elle l'unique responsable? Se pourrait-il que notre peuple soit résolument divisé: un pourcentage demeurant attaché à la France, un autre attiré par nos voisins du Sud? Combien en reste-t-il, pour partager ma fierté d'être sujet britannique? Et pourtant, quoi de plus enviable pour un peuple que d'appartenir à un royaume puissant et de bénéficier de ses institutions et de ses largesses? Vingt ans de combat pour aboutir en prison, privé par un gouverneur indigne de mon droit à être blanchi de tout soupçon devant la population. Voilà une injustice qui ne peut rester sans réparation. Le successeur de Craig saura-t-il m'en offrir une?»

—Qu'est-ce qui te tracasse?

—Les comptes de la maison... Tu peux me les montrer? trouva-t-il à répondre.

—Qu'est-ce que ça donnerait? Tu n'as pas d'argent.

—Non, mais j'ai des amis... de la parenté aussi. Ils accepteraient peut-être de me donner un coup de pouce.

—Tant qu'on sera capable de s'en sortir par nous-mêmes, j'aime mieux que tu ne quêtes pas.

—S'en sortir par nous-mêmes, c'est bien beau, mais je ne vois pas comment.

Luce préféra garder pour elle ses démarches pour la vente de la maison.

—J'ai obtenu un don pour la pension de nos fils. Je n'ai rien eu à débourser pour le deuxième semestre.

—Et c'est qui, ce donateur?

—Le supérieur m'a dit qu'il avait demandé l'anonymat.

Pierre en fut contrarié : rien ne le rebutait plus que de ne pas savoir.

—Pourvu que ça ne vienne pas du meurtrier! échappa-t-il.

Luce se reprocha de ne pas y avoir songé elle-même. « J'aurais dû m'assurer de l'honnêteté du donateur. »

—Pourquoi entacher une telle chance avec tes idées noires?

« Comme si, après quinze ans d'inaction, c'était le temps de ramener ce cauchemar à notre mémoire! » considérait Luce. En d'autres circonstances, elle eût gagné sa chambre sans riposter. Mais elle espérait des excuses de son mari, et elles vinrent.

—Tu crois que je me pardonne facilement de n'avoir pas encore mis la main au collet du coupable? Pas une journée ne passe sans que j'y pense.

—Mais d'autres préoccupations l'emportent, je sais. La preuve, tu n'avais pas mis ça à ton programme, une fois libéré, alors que tu n'occupes qu'une fonction de député et que les travaux de la Chambre ne reprendront qu'à l'automne.

—Il faut être en forme pour s'attaquer à un dossier comme celui-là. J'ai besoin de temps pour guérir de tous les supplices subis pendant mon emprisonnement. Après, je te promets…

—Pas de promesses, Pierre. Pas à moi, surtout !

—Tu l'as encore sur le cœur, hein ?

—C'était l'engagement que tu avais pris en me demandant en mariage.

—Je le sais. J'ai promis de tout faire pour retrouver le meurtrier, je n'ai pas juré d'y arriver. Il est peut-être encore temps de…

« En plus d'être déplaisante, cette discussion ne mène nulle part », songea Luce.

—Tu as toujours l'intention d'aller chez Joseph demain ? demanda-t-elle pour faire diversion.

—C'est mon devoir de député.

—Aimerais-tu que je t'accompagne ?

Fait exceptionnel, Pierre resta bouche bée.

—Ce n'est peut-être pas souhaitable pour toi…

—Je ne peux prévoir de combien de temps j'aurais besoin…

Sans plus de détails, Luce prépara la pommade émolliente pour son mari, la déposa sur la table devant lui et lui laissa le soin de se l'appliquer lui-même. Elle gagna sa chambre et s'endormit avant qu'il ne l'y rejoignît.

« Devrais-je aller lui tendre les bras, se demandait Pierre. Risquerais-je de me faire rabrouer ? Après quinze ans de vie commune, cette femme demeure toujours un mystère pour moi. Son aplomb me désarme. Sa logique m'échappe. Sa diplomatie m'est étrangère. Comme si les années avaient passé sans que je chemine dans sa vie. Sa main a déserté la mienne, à mon insu. Ai-je raté l'occasion de la lui reprendre? En est-il encore temps? Je tiens à elle. Est-ce ça, l'amour pour une femme? Tant de lectures, et pas une ne m'en a donné la définition! Pourtant, je peux expliquer ce qu'est l'amour de sa patrie, de son peuple. Je le ressens: c'est être toujours disposé à le protéger, à le faire grandir. Mais Luce ne semble pas avoir besoin de ma protection. Elle se défend mieux que je ne saurais le faire. Elle grandit à sa façon, ailleurs que sur les terres que j'ensemence. Loin de ce qui a germé dans mes cultures. Ou je n'ai pas su la remarquer, lui porter attention? C'est ça: je n'ai pas fait attention à ce qu'elle était, à ce qu'elle devenait. D'où le sentiment d'être décontenancé par ses réactions, son attitude, ses décisions, ses attentes, ses reproches…

« Elle m'a échappé. Au bord de la cinquantaine, j'ai, devant moi, cinq mois pour la découvrir. Pour la reconquérir. »

Après mûre réflexion, Pierre reporta son voyage à Surrey au début de mai.

—J'aimerais que tu m'accompagnes, Luce.

* * *

Luce venait de vivre quatre jours d'attentions inespérées en compagnie de Joseph et de son épouse. La gentillesse de Pierre la troublait. « Cherche-t-il à impressionner nos hôtes, ou il a vraiment fait un examen de conscience à la suite de nos récents échanges ?» s'était-elle demandé, tenant comme garant de sa sincérité sa persévérance une fois de retour à Québec.

Le retour ne s'était pas révélé très enthousiasmant. Pierre, se déclarant fatigué, avait demandé à dormir. Luce avait pris la relève, empoignant les courroies du harnais avec dépit. « Fatigué ! Toujours fatigué ! Pourtant, malgré de longues journées et de courtes nuits, il ne s'en est jamais plaint chez Joseph ! Il a même épaté Geneviève par sa grande forme. »

—Quelle force de caractère ! lui avait reconnu cette dernière. Après plus d'un an de détention, tu n'as rien perdu de ton idéal politique.

—C'est une flamme que j'ai entretenue pendant mon incarcération. Les événements dont j'étais informé par mes amis la nourrissaient.

—L'impuissance d'agir devait être si pénible…

—Alors, tu comprends, Geneviève, qu'une fois libéré, je veuille reprendre le temps perdu. Reprendre mon siège à l'Assemblée et trouver de l'argent pour relancer mon journal…

—*Le Canadien* ?

—Oui, même si ce n'est pas moi qui pourrai le financer, avait-il corrigé en croisant le regard de Luce, abasourdie.

« Mes déceptions auraient donc à ce point brouillé mon jugement ?» s'était-elle reprochée. Joseph et Geneviève avaient encensé Pierre au point de lui faire retrouver son assurance et de lui rendre sa verve légendaire. Témoin silencieux de ces éloges, Luce les avait approuvés de son plus beau sourire, souhaitant pouvoir les lui réitérer au fil de leur quotidien.

Avant de rentrer à leur domicile de la rue Mont-Carmel, le couple Bédard-Lajus avait décidé de passer prendre leur fils chez Angélique.

—Des nouvelles fraîches? s'enquit Pierre auprès de sa belle-mère.

—Pas grand-chose à part les tentatives du gouverneur de charmer notre évêque. Il considère que Mgr Plessis n'occupe pas le rang qu'il mériterait.

—Mais en quoi notre organisation religieuse le concerne-t-il? rétorqua Pierre, outré.

—Ouvrez grand vos oreilles: Craig offre de faire les démarches nécessaires pour qu'il soit reconnu et autorisé dans ses fonctions extérieures par une commission royale. Et ce n'est pas tout: il propose que des appointements lui soient versés.

—Par lui, peut-être? Mais, il nous prend pour des simplets! Depuis quand notre clergé relève-t-il des protestants?

—À ma connaissance, ce gouverneur s'est toujours intéressé à la situation religieuse de Québec, fit remarquer Angélique.

—Habille-toi, Isidore. Papa est pressé, ronchonna Pierre.

—Qu'est-ce qu'il y a d'urgent? s'inquiéta Luce. J'espérais qu'on passerait un moment avec ma mère.

—Je dois aller tirer cette histoire au clair. Si mon ami Blanchet n'est pas chez lui, je devrai me rendre chez Taschereau.

« Bon, ça y est, c'est reparti ! » se résigna Luce.

—Le temps que tu consultes tes amis, tu peux laisser ta femme et le petit ici, suggéra Angélique.

Pierre y consentit sans la moindre hésitation, et Luce ne put que s'en réjouir. En surveillant le garçonnet qui jouait dans la cour, les deux femmes s'offraient des moments paisibles.

—Votre séjour chez Joseph a été profitable ?

—Ça reste à voir.

Luce porta son regard sur l'horizon, d'où elle tirait un espoir : celui de s'abreuver des bonheurs de la belle saison. Les bourgeons fraîchement éclos sur les branches des saules, l'alouette cornue qui préparait son nid et l'herbe qui reverdissait lui parlaient de promesses respectées. Leurs propos se firent plus anodins, comme elle le souhaitait.

—Quand Isidore en aura assez d'être dehors, on pourrait travailler à notre courtepointe, suggérat-elle à sa mère.

Angélique comprit que Luce désirait passer quelques jours avec elle. « Les confidences viendront à son gré », espéra-t-elle.

* * *

À l'aube de juin, un nouveau gouverneur fut pressenti pour succéder à Craig. La nouvelle ravit Pierre et ses complices. À Thomas Dunn, le doyen des membres anglais du Conseil exécutif, était confiée l'administration du Bas-Canada. Tous les habitants pariaient, sans risque de perdre, que James Henry

Craig justifierait son départ par ses problèmes de santé. Les rumeurs colportaient qu'un francophone du nom de George Prevost avait reçu l'ordre de quitter la Nouvelle-Écosse pour venir le remplacer.

De fait, sans perdre de temps, le gouverneur s'embarquait en grande pompe sur la frégate *Amelia* pour rentrer dans sa terre natale. Une garde d'honneur, formée des membres de la garnison, s'étirait du château Saint-Louis jusqu'au quai d'embarquement. Aux habitants venus l'accompagner, Craig exprima ses regrets de devoir quitter son poste. Les anglophones le crurent sincère, les francophones, non. Malgré ces divergences, une salve de dix-neuf coups de canon éclata dans toute la ville pour saluer le départ du navire vers la Grande-Bretagne.

Soulagés, Pierre Bédard et ses compagnons emprisonnés en 1810 anticipaient des jours meilleurs pour le Bas-Canada. De son côté, à quelques semaines des vacances scolaires, Luce voyait ses perspectives assombries par la crainte d'une mésentente au sujet des activités de leurs fils aînés pendant ces deux mois. Pierre n'avait toujours pas réintégré ses fonctions de capitaine de milice, mais il n'était guère plus présent à la maison que par le passé. Il faisait feu de tout bois, examinant à la loupe discours et chroniques de journaux, et les dénonçant publiquement.

—Mgr Plessis a dévoilé les raisons de sa dispute avec Craig. C'est scandaleux, les propos que ce gouverneur a tenus en sa présence avant de quitter son poste! clama-t-il à l'heure du souper.

Luce lui signifia son intérêt par un simple hochement de tête.

—Il se prétendait aussi «en droit» que le pape de nommer les curés. Pire encore, il méprisait l'Église catholique parce qu'elle interdit le mariage des prêtres.

—C'est du passé, tout ça, Pierre. On a des choses bien plus importantes auxquelles penser… pour l'avenir de nos fils.

—Ouais! Ils sont assez vieux pour gagner un peu d'argent.

—Tu veux exiger de tes fils qu'ils rapportent de l'argent à la maison?! Ils n'ont que quatorze et douze ans! Il faudrait peut-être leur donner l'exemple.

—Je travaille à longueur de journée, tu sauras! Je ne suis pas payé pour le moment, mais ça ne saurait tarder, comme je t'ai déjà expliqué.

—Pendant que tu ne te consacres qu'à semer, où veux-tu que Pierrot et Elzéar aillent dénicher un salaire?

—À la boulangerie, avec leur grand-père. À cet âge-là, on y travaillait, nous.

—Tu oserais demander que ton père les paie?

—Un petit salaire… pour leur apprendre que l'argent ne tombe pas du ciel.

—Ils le savent, Pierre.

—Pas question de les laisser dans la fainéantise tout l'été.

—Pour ça, je suis de ton avis. Mais je considère que, s'ils gagnent un peu d'argent, ils devraient pouvoir en disposer. C'est toi, le pourvoyeur de la famille, pas tes fils. D'ailleurs, Pierrot est déjà engagé, comme l'an passé, à l'entretien des bâtiments et du terrain du Petit Séminaire. En ce qui concerne Elzéar, ma mère et moi avions prévu qu'il irait l'aider à entretenir le potager, et elle l'amènerait aussi chez les Hurons pour cueillir des herbes médicinales. Il est très intéressé par ce genre de plantes.

—Pourquoi me demandes-tu mon avis alors que tu as tout décidé avant de me consulter?

—C'est parce que tu m'as appris à ne pas compter sur toi.

La colère poussa Pierre à quitter la maison sans chercher à lui faire entendre raison. « C'est à se demander quelle place il me reste ici. Les décisions se prennent sans moi. Mon opinion est rejetée du revers de la main. Je suis considéré à la mesure des revenus que j'apporte à la famille. Comme si je ne faisais pas mon possible pour gagner plus d'argent! Y parviendrais-je que je ne suis même plus sûr d'être plus estimé. Heureusement que j'ai des amis! »

« Il reviendra, se dit Luce, consentant toutefois à réévaluer ses décisions. C'est un fait que Pierrot ne semble pas très attaché à sa famille. Il est heureux au Petit Séminaire, et c'est lui qui demande à y passer ses étés. J'en reparlerai à son père. Quant à Elzéar, qui n'aura ses douze ans qu'en juillet, je crois qu'on ne pourrait pas lui offrir mieux que ce qui a été décidé. Comme il hésite entre la médecine et le droit – et c'est normal à son âge –, la compagnie de sa grand-mère, épouse d'un chirurgien, et les activités qu'elle lui propose pourraient l'éclairer. De plus, contrairement à son frère aîné, Elzéar aime se retrouver avec ses proches. Tantôt il sera avec nous, tantôt avec ma mère. »

Ainsi en fut-il, Pierre n'ayant d'autre suggestion à soumettre et les garçons se déclarant heureux de leur sort.

* * *

L'attente du substitut de Craig s'avéra éprouvante pour le député Bédard, à qui on avait enfin promis de rendre son titre de capitaine de milice. De cinq ans son cadet, George Prevost fut désigné gouverneur en chef de l'Amérique du Nord britannique. Ses premiers gestes eurent tôt fait de redorer la réputation de Pierre Bédard. Réintégré dans ses fonctions, ce dernier ne tarissait pas d'éloges à son égard. La nomination de plusieurs Canadiens au Conseil législatif lui inspirait confiance et plaisait à toute la population canadienne-française.

—Je savais qu'un jour les autorités reconnaîtraient que j'ai été emprisonné injustement, déclarat-il à son épouse dans un accès d'hilarité contagieuse.

—Viens me raconter ça, le pria-t-elle, abandonnant sa pâte à tarte et se défaisant de son tablier pour passer au salon.

Pour la première fois depuis sa libération, Pierre osait faire des avances à son épouse. Un dilemme pour Luce, qui accueillait son désir avec joie, mais qui devait fermer les yeux sur les lésions encore présentes sur son corps.

Mais alors qu'elle cédait au moment, Pierre refusa ses caresses.

—À moi de m'occuper de toi. Je ne te demande qu'une chose : abandonne-toi.

Les premières résistances matées, Luce parvint à exaucer son mari. S'imaginer dans les bras de Joseph, dont la voix était presque identique à celle de Pierre, lui fut d'un grand secours. Les yeux fermés, elle parvenait à ressentir tendresse et volupté dans les bras de Pierre. Il revisitait le corps de sa jeune épouse, la félicitant de l'avoir gardé si désirable. À aucun moment il ne lui demanda la même faveur. Son souffle chaud dans son cou, son sourire, son abandon le comblaient. Rarement avait-il été aussi attentionné, si adroit et si généreux. Rarement était-elle parvenue à une telle jouissance.

Luce devait-elle rougir de l'astuce qui l'y avait conduite ? N'avait-elle pas été bénéfique pour l'un comme pour l'autre ? Une certaine honte continuait toutefois de l'habiter.

Moins de trois semaines plus tard, une étrange certitude se mit à l'obséder. « J'ai bien fait de ne pas me débarrasser du berceau et des vêtements de bébé ; ils ont beaucoup servi, mais ils sont encore utilisables. Et si on avait une petite fille ? Ce serait le plus beau cadeau que Pierre ait pu nous offrir. »

Enfin, pour une des rares fois depuis les deux dernières années, les murs de leur maison vibraient de bonheur. De peur de le perdre, chacun évitait d'aborder des sujets de conversation litigieux. Cette vigilance maintenue trouva son couronnement le soir du premier de l'an 1812, lorsque Luce annonça à son mari qu'elle était enceinte. Isidore allait avoir six ans dans quelques jours. Les trois garçons souhaitaient avoir un petit frère, tandis que Pierre relançait son espoir de voir enfin arriver une fille : sa fille tant attendue.

CHAPITRE VII

Le printemps 1812 se présenta sans son cortège de joies, et pour cause : la crainte que les relations tendues entre la Grande-Bretagne et les États-Unis déchaînassent une invasion du Canada par les troupes américaines était criante. La menace d'une division planait, tant au Canada que chez son voisin du Sud. Les Canadiens soupçonnaient les Américains de vouloir s'emparer de leurs terres, alors que ces derniers étaient partagés au sujet du bien-fondé de telles ambitions. Les dissidents argumentaient.

— Si une guerre éclatait entre la Grande-Bretagne et les États-Unis, les Sauvages en profiteraient pour reconquérir les territoires de la frontière occidentale.

— Trop de pertes humaines à prévoir, plaidaient les membres de la milice, inquiets de l'engagement qu'ils devraient assumer, advenant la nécessité de défendre le Canada contre un envahissement américain.

Les spécialistes de canulars avaient beau jeu.

—Y paraît qu'un espion aurait découvert que la Grande-Bretagne préparait un coup contre les États-Unis.

—Et qu'elle se servirait du Canada comme armure.

—Tu veux dire : comme bouc émissaire.

—Ça ne me surprendrait pas, répliqua un adversaire attaché à la France.

Pierre Bédard, réélu député, avait perdu son titre de chef du Parti canadien, mais rien de sa fougue politique. Membre de l'Assemblée législative, il pouvait débattre publiquement des raisons de demeurer fidèles à la Couronne britannique. Courant tous les rassemblements, Pierre Bédard prêchait en faveur de Prevost, le nouveau gouverneur. Ses nombreuses absences du domicile familial avaient trouvé leur justification. L'admiration gagnait du terrain au sein du couple Lajus-Bédard. Ainsi Luce pouvait-elle se confier une fois de plus à son cousin John Neilson :

2 juin 1812

Monsieur Neilson, mon ami,
Comme vous le savez, j'aime la musique. Pendant que je suis au piano-forte, mon mari et mon fils gambadent. Isidore me tourmente pour que je lui montre

des pas de danse. Je me rebute. Nancy, notre servante, prend ma place, et je me laisse gagner. Je saute et je me trouve très drôle. Je pense à vous… Je danse jusqu'à ce que je sois fatiguée, ainsi je dors mieux.

Mlle Duguy, une amie de Nancy, est chez nous. Elle est venue pour me demander la permission de s'exercer au piano-forte. Tant mieux! Elles ont joué tout à l'heure des pièces en duo, et j'en étais si émue que j'ai eu peine à les quitter pour vous écrire. Je suis vraiment mal portante, tant de corps que d'esprit. Lorsque vous me dites que j'ai été frappée par le sort, vous avez assurément raison. J'y ai pensé souvent, mais je crois que c'était bien différent : c'est comme une maladie qui attaque le corps violemment… Vous manquez de courage pour les remèdes les plus simples. Le mal empire et devient souvent mortel avant qu'on s'en aperçoive. Eh bien! C'est souvent la même chose pour les sujets de peine. Le jour de l'emprisonnement, je vois mon mari arrêté, considéré coupable. Je suis persuadée de son innocence. J'épouse sa cause. J'ai son élection à cœur. C'est avec plaisir que je paye à agrémenter sa prison par mes soins. Tout cela est naturel. Il ne faut point d'effort. Bien moins qu'il en faut pour recevoir de la visite impromptue, qui vous déplaît parce qu'elle vous ennuie à présent. Souvenez-vous que j'étais entourée d'un cercle d'amis qui se plaisaient à relever mon courage. La moindre chose qui me chagrinait, je vous l'écrivais. Vous veniez, vous me donniez des conseils. Combien de personnes prenaient intérêt à la situation de mon mari, à la mienne et à celle de mes enfants? L'espérance de le voir sortir, je soutenais, se changeait

parfois en désir de mourir… C'est d'autant plus dur
que l'on n'ose pas se plaindre. Il faut garder cela en soi-
même. Nous avions le droit d'être pauvres et d'être les
mêmes personnes. Il est vrai que je suis décidée à vivre
médiocrement jusqu'à ce que nos dettes soient payées et
nos deux fils aînés capables de se soutenir eux-mêmes.

J'attends de vous une bonne mercuriale. Qu'im-
porte, écrivez-moi toujours. Si vous me retirez de ma
léthargie, je joindrai votre nom à tous ceux dont je suis
redevable.

Votre très humble,
Luce Lajus

Parfaitement disposée au dialogue avec son mari, Luce lui exprima ses souhaits lors d'une soirée qui prêtait à la détente :

—Quand les garçons vont revenir du Séminaire, j'aimerais qu'ils passent leurs vacances avec nous. Pierrot pourrait se contenter d'aider sa grand-mère Lajus au lieu de travailler à l'entretien ménager du Séminaire.

—Je ne crois pas que ta mère le paierait, elle.

—Ce n'est pas une question d'argent, Pierre. J'ai un pressentiment…

—Parle, ma toute belle.

« Ma toute belle ». Ces mots lui chavirèrent le cœur. Luce n'aurait pu dire quand et combien de fois son époux l'avait ainsi prénommée depuis leur mariage. « Mais quelle ironie du sort qu'il soit si attentionné et d'humeur agréable, alors que je me sens si loin de lui. Et s'il m'était donné d'accoucher d'une petite fille, de la voir grandir, de la choyer, d'en faire mon amie… Retrouverais-je cette flamme qui ne brille plus que dans l'âtre, sauf quand la musique et la danse m'emportent comme dans les bras de l'homme idéal dont j'ai toujours rêvé ? »

—Je ne voudrais pas accoucher en ton absence. J'ai besoin d'être bien entourée quand le moment viendra. Perdre un autre enfant serait terrible pour moi.

Pierre fronça les sourcils. Avant qu'il n'ait eu le temps d'exposer ses réticences, Luce enchaîna :

—Et puis, je suis inquiète pour maman depuis quelques semaines. Je crois déceler les signes d'une maladie sournoise ou d'un tourment qui m'échappe.

—Il ne faut se fier qu'à sa logique, Luce. Il n'y a rien de plus trompeur qu'un pressentiment.

—Au contraire, Pierre. Tous ceux que j'ai eus dans le passé se sont avérés fondés.

—Et celui-là l'est sur quoi ?

Luce grimaça d'impatience.

—Maman s'amuse moins avec les enfants, et on dirait qu'elle fait des efforts pour s'accrocher un sourire au visage. La présence de Pierrot lui apporterait beaucoup de réconfort. Nos garçons aiment sa compagnie et c'est réciproque.

Pierre se perdait en tergiversations. Luce ne l'écoutait plus.

—Je vais y réfléchir, conclut-il.

« Et si, pour la fin juin, j'organisais une petite réception pour égayer l'atmosphère et souligner les vacances de nos grands garçons ?… » Pour ce faire, la complicité de Nancy lui était indispensable. Pierre croisa la servante juste avant qu'elle se dirige vers sa chambre.

—Venez dans la véranda. J'ai à vous parler, mademoiselle.

Une vague appréhension lui serra la gorge.

—J'ai fait quelque chose de mal?

—À ce que je sache, non.

Nancy reprit son souffle.

—J'ai une tâche très importante à vous confier. Vous devrez inciter mon épouse à visiter des connaissances, à se balader sur la rive du Saint-Laurent, à se rendre dans les parcs, tout ça en prétextant que ça la préparera à un bel accouchement, pendant que vous, en cachette, vous cuisinerez de délicieux canapés et pâtés pour une réception. Mes fils vont revenir du Séminaire autour du 25 juin, et je veux les accueillir avec élégance.

—Et combien de personnes sont attendues, monsieur?

—Maître Bédard, corrigea-t-il avant de l'informer de la présence d'une vingtaine d'invités.

—C'est beaucoup me demander! Sans compter que je doute de mon influence sur Mme Luce.

—Trouvez les moyens d'y arriver. C'est aussi pour ce genre de services que je vous paie, mademoiselle.

—C'est pour quelle date?

—Pour le 27 juin. Je me chargerai de prévenir mon épouse la veille.

—Si j'avais su…, marmonna Nancy.

—Pardon ?

—Oh ! Rien, *maître* Bédard.

Toujours aussi engagé dans la politique, Pierre ne rentrait jamais avant le soir. Du bout des yeux, il tentait de tirer de la servante un rictus qui l'eût rassuré quant à sa fiabilité. De son côté, questionnée sur ses occupations de la journée, Luce ne soufflait que des réponses évasives sur ses sorties, sans en préciser la durée ni la destination. Quant à Nancy, dès qu'il mettait un pied dans la maison, elle concentrait toute son attention sur Isidore et, sitôt l'enfant au lit, elle s'enfermait dans sa chambre pour le reste de la soirée. « Aurais-je assez d'une vie pour comprendre les femmes ? » se demandait Pierre, désarmé.

L'invitation de Luce à la rejoindre sur la véranda tomba à point : rares étaient les occasions où le couple pouvait s'offrir le luxe d'une belle soirée en toute intimité. Ce soir de juin, le clapotis du ruisseau se mariait à merveille au gazouillement des hirondelles. « Une magie qui ne leur demande même pas d'efforts. Je les envie », s'avoua Luce. À ses côtés, un compagnon muet, visiblement tourmenté. En devinant les motifs, elle l'aborda sans louvoiement :

—Tu aurais pu m'en parler…

—Parler de quoi ? demanda-t-il, inapte au mensonge.

—Tu le sais très bien.

—La réception que je veux donner pour nos fils après-demain ?

—Bien sûr! Tout comme toi, j'estime que nos garçons la méritent. Ils sont si studieux et travaillants!

—Je vois que la belle Nancy n'a pas été capable de retenir sa langue! J'aurais dû m'en douter.

—Elle n'avait pas à dire un mot, Pierre. Rien qu'à la voir aller, c'était évident qu'elle manigançait quelque chose.

—C'est que... je ne voulais pas que tu te fatigues... Tu aurais sûrement été tentée de l'aider.

—Ce que je ferai de toute façon: elle aura bien assez de tout remettre en place après la réception.

* * *

Une vingtaine d'invités, dont six jeunes de douze à seize ans, se présentèrent au logis du couple Bédard-Lajus. Des égards dignes de leur rang furent présentés aux adultes alors que, indifférents à cette réception, Pierrot et Elzéar entraînèrent hors de la maison les jeunes de leur âge sitôt arrivés. Les adultes, de parfaits inconnus pour eux, causèrent les uns de politique, les autres de mode et d'actualité.

L'heure d'offrir des collations arrivée, il convenait que les jeunes soient servis.

—Luce, tu as laissé les garçons s'éloigner? Je ne les vois pas dans les alentours, chuchota Pierre.

—Ils n'avaient pas à demander la permission.

—Qu'est-ce qu'on va dire à nos invités?

—Que c'est normal, à leur âge, d'aimer se retrouver entre eux.

—Tu leur en permets trop. Ils se croient tout permis, tout le temps, grommela Pierre.

—Qu'en sais-tu? Tu n'es presque jamais avec eux, marmonna Luce.

Pour ne pas embarrasser les invités, Pierre se contenta d'un hochement de tête. Quand les jeunes rentrèrent, Luce leur désigna les plateaux de victuailles.

—On pourrait s'en prendre et aller manger dehors? demanda Pierrot.

—Oui, mais ne vous éloignez pas, cette fois, leur recommanda-t-elle.

Les remerciements furent généreux et courtois.

La fête avait laissé Pierre perplexe et quelque peu déçu.

—Si, dans ma jeunesse, mes parents m'avaient organisé une telle réception, je les aurais remerciés à deux genoux.

—Même à quinze ans! ironisa Luce. Nos garçons sont simplement de leur époque.

« Comment expliquer que je me sente si étranger à mes propres fils? Je vois bien que leur comportement diffère quand ils sont en présence de leur mère.

—Des compliments nous sont quand même parvenus à leur sujet de la part de nos invités. On a dit que nos garçons étaient intelligents et bien éduqués. Ce n'est pas assez pour toi?

—…

Pierre était déjà replongé dans ses tracas. « Me connaissent-ils vraiment, mes enfants? Leur mère leur a-t-elle expliqué que, si j'étais si souvent absent,

c'est parce que je me dévouais pour des causes nationales? Que je me battais pour leur construire un
avenir plus favorable où leurs droits seraient mieux
respectés. Leur en a-t-elle parlé sur un ton qui stimulait l'admiration? Si oui, pourquoi ne m'expri-
ment-ils pas leur gratitude? Pierrot serait en âge de
le faire. Elzéar devrait se montrer plus affectueux
avec moi. Comme les enfants Neilson le sont envers
leur père. Je pourrais lui demander comment John
s'y est pris, mais il faut que je me donne la chance
d'y parvenir par moi-même avant de me livrer à
cette confidence, qui s'apparenterait à un aveu
d'échec. »

* * *

Avant que Luce n'ait reçu la missive tant attendue
de John Neilson, une kyrielle de tristes nouvelles
sema l'effroi dans tout le Canada : le 29 juin, *La
Gazette de Montréal* annonçait que le 4 de ce même
mois, les représentants des États-Unis avaient déclaré la guerre à la Grande-Bretagne. La police du
district de Québec ordonnait à tous les sujets américains de sortir de la cité de Québec. Au nom du
patriotisme, la milice recrutait des volontaires pour
former des bataillons, dont les Voltigeurs canadiens.
Ce même jour, l'abbé Charles-Joseph Brassard Deschenaux, vicaire général de Québec, acheminait une
lettre circulaire aux curés du diocèse, leur enjoi-
gnant de rappeler aux fidèles leurs devoirs envers
leur souverain. La Chambre d'assemblée avait eu

tout juste le temps de voter en faveur de l'émission de billets de l'armée avant que la session fût abrogée.

Dès la déclaration de la guerre, quatre bataillons spéciaux se formèrent, et les miliciens conscrits furent tenus à l'entraînement. Des centaines d'Indiens formèrent leur propre milice. On ne parlait plus que de guerre dans les chaumières et les lieux publics. Ainsi en était-il chez les Bédard-Lajus, dès que Pierre apparaissait. Ses fils, effrayés par ses propos, le fuyaient. Son épouse, à deux mois de son accouchement, n'osait plus se plaindre de son manque de soutien, même si, à chaque effort imposé, une crainte de ne pouvoir mener cette grossesse à terme l'envahissait. «Pas avant la mi-août, mon petit ange», priait-elle, plus tourmentée qu'aux grossesses précédentes.

Les fils Bédard passèrent leur premier mois de vacances tantôt à leur domicile familial, tantôt chez leur grand-mère Lajus. Des jours à emmagasiner de vibrants souvenirs, jusqu'à ce 14 août où ils crurent ne jamais revoir leur mère.

— Occupez-vous de votre petit frère le temps que j'aille me promener un peu, leur avait-elle commandé, sachant leur fierté d'assumer une telle responsabilité.

L'absence de Luce allait dépasser deux heures quand, en panique, Elzéar avait demandé au voisin d'aller chercher leur grand-mère. Non moins inquiète que ses petits-fils, Angélique s'évertuait à chercher des hypothèses qui pussent les rassurer.

—Votre maman a peut-être rencontré une amie qui l'a invitée à prendre le thé chez elle.

—Elle ne devait pas prendre plus d'une demi-heure, riposta Pierrot.

—Elle a toujours tenu ses promesses, ajouta Elzéar.

À moins d'une heure à pied de chez elle, Luce savourait la beauté du décor. Entre les feuilles des bouleaux, une chaleur caressante l'enveloppait de ses rayons. Sur le sentier qu'elle emprunta, le soleil dessinait des mosaïques qui rehaussaient l'éclat des espaces cuivrés. Luce prenait un plaisir insouciant à atteindre les formes de lumière, l'une après l'autre, comme une fillette qui joue à la marelle.

Soudain, dans son ventre, une ondulation, telle une vague capricieuse venue de loin, la saisit. Puis une deuxième. Une troisième, plus rapprochée de la précédente que les premières, lui fit craindre de s'être aventurée un peu trop loin. Faire demi-tour ou se rapprocher d'une région habitée ? Elle hésitait encore quand une autre contraction, comme une lame de fond à la marée montante, la plia en deux. Elle ne pouvait pas rester là. La boue laissée par la pluie de la veille collait à ses chaussures. La distance à parcourir sur ce sol vaseux pour trouver de l'aide risquait de l'épuiser. Elle s'appuya sur un piquet pour reprendre son souffle, puis porta son regard aussi loin que sa vision le lui permettait : la vue de la végétation, riche comme le cœur de son père, lui procura un regain d'énergie. L'enfant qui naîtrait dans quelques heures en hériterait. Une vague plus vigoureuse déferla à travers son bassin. Luce posa la main sur son ventre : « Je sais. Tu serais prêt à venir, mon p'tit ange. Peux-tu m'attendre encore un peu ? On voit le village huron là-bas. Essaie de patienter encore un peu. » Luce sentit venir une secousse si violente qu'elle ne put retenir un gémissement de douleur. Le sentiment d'être seule sur un radeau au cœur d'une tempête la prit. Elle ferma les yeux et tenta de retrouver un peu de sérénité à l'intérieur d'elle-même. Les minutes qui suivirent confirmèrent son appréhension, et son visage s'inonda de sueur. Luce s'allongea sur l'étendue verte aux parfums de fraise, tout près d'une petite source que la Vie semblait avoir fait jaillir là, juste pour elle et son enfant. « Tu peux décider de venir quand tu veux. De son paradis, ton grand-papa Lajus va nous aider. » Un déchirement lui causa une douleur si atroce qu'elle sombra dans un état léthargique d'où elle n'émergea qu'au cri de son enfant pour constater que tous deux avaient vaincu la mort. Seule sur cet îlot de verdure, elle sanglotait de soulagement et de gratitude. Elle prit son fils, le porta à sa poitrine et le couvrit d'un pan de sa jupe. Elle s'accorda le temps de regagner un peu d'énergie avant de dégager son corsage pour offrir le sein à son poupon. « Jamais je n'oublierai la leçon que tu m'as donnée aujourd'hui, mon petit homme. La nature t'a suffi pour vaincre la mort. Tu en seras récompensé, tu verras. »

Des chuchotements lui firent lever la tête : une Huronne s'approchait, déclarant avoir été alertée par les gémissements et les pleurs alors qu'elle revenait d'accoucher une jeune maman. Avec tendresse, Ashaisha imbiba les lèvres de Luce d'un élixir qui lui rappela son premier accouchement. Les premiers soins administrés, la Huronne se chargea d'aller chercher de l'aide. Confiante, Luce somnola en attendant l'arrivée d'une charrette. Entre ses paupières à peine ouvertes, elle pouvait distinguer la présence d'Ashaisha près d'une voiture immobilisée à quelques pieds de la scène. La vue du charretier l'effraya. Comment faire comprendre à la Huronne qu'elle ne monterait pas avec cet homme ? Qu'il fallait faire venir une autre voiture ? À n'en pas douter, c'était celui qui, après le meurtre d'Olivier, se tenait derrière les membres de sa famille, lors des rassemblements publics, ne les quittant pas du regard.

— *What's his name ?* demanda Luce à sa bienfaitrice.

Ashaisha haussa les épaules. Avant qu'elle n'ait eu le temps de s'en approcher afin de lui poser la question, le charretier avait déjà rebroussé chemin. Ashaisha offrit de partir à la recherche de quelqu'un d'autre, mais Luce, transie de peur, s'y objecta. Elle préférait son aide pour gagner la route empruntée par les fermiers de la région. Heureusement, un vieillard et son épouse les aperçurent de loin et guidèrent leur attelage vers les deux femmes visiblement désemparées. L'émoi du couple se traduisit en mille précautions pour épargner toute douleur à la maman et au nouveau-né. Ainsi, Luce put s'allonger dans le fond de la charrette jusqu'à ce qu'ils atteignent la rue Mont-Carmel.

Isidore jouait dans la cour, insouciant, quand cette charrette s'engagea dans l'allée.

—Monte sur le perron, lui cria sa grand-mère, intriguée de la visite impromptue de ce couple âgé.

La voiture immobilisée, Luce se redressa.

—Maman! Où étiez-vous? hurla Elzéar.

—Tout va bien, mon grand!

—Mais tu l'as mis au monde toute seule?! s'exclama Angélique en découvrant qu'elle portait son nouveau-né dans ses bras.

L'accueil de ses fils et de sa mère trahissait leur anxiété.

—Votre petit frère s'appellera Zoël, leur annonça Luce en leur présentant son poupon.

—Zoël? Mais, c'est bien spécial, ce nom-là! s'étonna Pierrot.

—Je sais, mais les circonstances de sa naissance m'ont inspirée. Zoël, pour moi, veut dire «merci à la vie».

—Je ne comprends pas, avoua Elzéar.

—Le prénom Zoé veut dire «vie». Mais c'est un prénom de fille… Alors j'ai seulement ajouté un *l*, la première lettre de «Luce».

La sérénité avait repris sa place au sein de la famille; la maman et le nouveau-né étaient confiés aux bons soins d'Angélique.

—Tu me raconteras comment ça s'est passé…

—Quand les garçons seront dans leur chambre.

Luce revécut son aventure avec émotion.

—Ça tient du miracle! jugea Angélique. Ton père et mon frère veillaient sûrement sur vous deux.

—Je les prie de ne pas m'abandonner! insinua Luce, angoissée.

—Qu'est-ce qui te fait si peur?

—Le charretier. Même si je ne l'avais pas revu depuis une dizaine d'années, je l'ai reconnu. Son regard…

—Rien ne te dit que c'est lui qui a commis le meurtre. Et, même si c'était le cas, ça ne veut pas dire qu'il est menaçant pour nous.

—Ma tête vous donne raison mais mon ventre brûle chaque fois que je le vois.

—Luce, ma pauvre fille, tâche donc d'oublier ça! Tu te fais du mal inutilement.

—Je vais essayer, lui promit Luce, avec l'intention secrète d'en causer avec son mari, dont elle espérait la venue impatiemment.

L'attente lui sembla si longue, interminable… Tant d'événements s'étaient bousculés depuis sa dernière conversation avec Pierre!

L'horloge venait de sonner neuf heures quand il rentra enfin chez lui. Isidore l'entendit et, suivi de Pierrot et d'Elzéar, il courut à sa rencontre, heureux de lui annoncer qu'il avait un autre petit frère. S'il fut déçu de ne pas avoir la petite fille dont il rêvait tant, Pierre ne l'exprima point. Après avoir accordé à ses fils l'attention qu'ils réclamaient, il se dirigea vers la chambre où l'attendait son épouse.

—Un avocat de plus pour plaider la cause des opprimés! lança-t-il à la blague.

—C'est le plus costaud de tous ceux que j'ai mis au monde.

—En espérant que son intelligence soit directement proportionnelle à son poids.

—Je le souhaite aussi, monsieur le mathématicien!

L'allusion flatta Pierre. L'atmosphère joviale que les trois jeunes Bédard avaient créée depuis la naissance de leur petit frère était contagieuse. Luce n'en croyait pas ses yeux. En serait-il désormais ainsi, ou l'euphorie allait-elle encore quitter son mari au gré du quotidien?

—Tu prendras congé quelques jours?

—J'essaierai. J'ai aussi pensé qu'il serait bon que Pierrot et Elzéar retournent au Séminaire quelques jours avant la rentrée scolaire. Tu n'es pas de mon avis?

—Pas vraiment. Ça ne presse pas tant que ça, de les enfermer là.

—C'est bon qu'ils aient des moments de tranquillité avant le début de leurs cours. Le pensionnat est fait pour ça.

—Et la famille, elle?

—Pour en faire de bons citoyens, répondit Pierre, non sans avoir pris le temps d'y réfléchir.

—Il faut pour cela qu'ils aient reçu beaucoup d'amour et d'attention de leurs parents, n'est-ce pas?

—Parfaitement!

L'échange prit fin sur des sous-entendus qui attristèrent Luce, mais elle s'efforça de n'en rien laisser voir à son mari. Elle était disposée aux plus grands sacrifices pour qu'il demeurât d'agréable compagnie. Pour faire diversion, elle lui tendit leur nouveau-né. Une larme glissa sur la joue de Pierre. Était-ce l'émotion ou la déception? Luce préféra croire en la première.

—Besoin de quelque chose? demanda Angélique, dans l'entrebâillement de la porte.

—Pas pour l'instant, répondit Luce.

—Peut-être, oui. Pour nous aider à trouver un nom à ce petit homme, dit Pierre, qui cherchait dans les traits de l'enfant une inspiration qui ne venait pas.

—Il l'a déjà, son nom…, osa Angélique.

Pierre fronça les sourcils.

—Zoël.

—Zoël! Je ne crois pas qu'un de nos ancêtres ait porté un tel prénom. Nous allons trouver mieux.

—Si tu savais dans quelles conditions ce petit est venu au monde, tu comprendrais pourquoi ta femme tient à ce qu'il porte un nom qui signifie la vie. C'est un miracle qu'ils soient encore vivants, tous les deux!

—Nom de Dieu, mais qu'est-ce qui s'est passé?

—Tu t'en informeras quand tu seras seul avec elle.

Luce étouffa un éclat de rire. «Quelle habileté! Pierre est un peu trop centré sur lui-même. Ma mère vient de lui donner une bonne leçon!»

Pierre tenta d'en apprendre davantage de Pierrot et d'Elzéar, venus les rejoindre dans la chambre, mais tous deux avouèrent leur ignorance. «J'aurais dû m'y attendre!» Le souvenir de sa mère, décédée des suites d'un accouchement difficile, le secoua. «À en croire ma belle-mère, j'aurais pu me retrouver avec trois ou quatre enfants sur les bras. Plus personne pour s'en occuper. Mme Lajus, à l'aube de ses soixante ans, nous rend de nombreux services, mais de là à prendre mes fils en charge, il y a une marge. De plus, après quinze ans de vie commune avec sa fille, je sais que nous ne serions pas des mieux assortis, Angélique et moi! Et refaire ma vie à mon âge: aucune chance! Déjà que je me considère chanceux d'avoir pu me trouver une épouse, même si Luce n'est pas l'épouse qui me convienne le mieux. Je souhaitais une femme qui partage mes ambitions, qui m'épaule dans mes fonctions, qui reconnaisse mes talents...»

Pierre constata qu'il avait accordé plus d'attention aux reproches de Luce qu'à ses compliments, au cours des dernières années. Combien de fois lui avait-elle exprimé son admiration? «Ne m'a-t-elle pas défendu quand on attaquait ma réputation? N'est-elle pas intervenue pour qu'on me libère plus vite de prison? Et quelle maman dépareillée! C'est plus que j'en méritais, finalement.»

Le lendemain matin, le climat familial était en tout point comparable à celui de la soirée précédente: des enfants enjoués, des parents souriants, une grand-mère rassurée.

«Comme elle est belle!» pensa Pierre en regardant Luce s'approcher avec son bébé dans les bras.

—Je vais amener les garçons jouer au ballon, tout à l'heure, annonça-t-il.

—Tu devras attendre quelques années pour entraîner celui-ci, blagua Luce.

—Qui sait s'il ne remplacera pas Pierrot dans l'équipe?

—Ce n'est pas parce qu'il aura seize ans bientôt, notre grand garçon, qu'il n'aura plus le droit de jouer.

—C'est qu'à cet âge, on n'en a plus le temps. On étudie et on travaille en même temps. Comme je l'ai fait dans ma jeunesse, et mes frères aussi.

« Dieu! que nos prévisions divergent! Comme s'il n'y avait que le travail qui mérite d'être glorifié », se dit-elle

—Parlant de travail, je ferais mieux de retourner chez moi demain, annonça Angélique. Mes conserves ne sont pas terminées. Tu m'enverras chercher si tu as besoin de moi, Luce.

—Faites-nous savoir si nos deux grands peuvent vous donner un coup de main!

De la fenêtre, Luce entendait ses grands garçons faire des gorges chaudes des maladresses de leur père à saisir la balle au bond. Leur habileté, de loin supérieure à celle de Pierre, un intellectuel sédentaire, ces jeunes hommes la devaient à la solide formation que le pensionnat offrait, tant sur le plan de la pratique de sports que dans les matières académiques. « Plus ils vont vieillir, plus ils risquent de découvrir d'autres inaptitudes chez leur père… Je souhaite qu'ils voient aussi ses grandes qualités, qu'ils le respectent et lui apportent leur support en cas de besoin. Une meilleure connaissance de ses engagements à défendre les droits des francophones susciterait leur admiration. De son côté, j'espère qu'il prendra l'habitude de les complimenter et de leur exprimer plus souvent sa fierté d'avoir des fils aussi irréprochables. »

Sur le coup de midi, profitant de la présence de toute la famille attablée pour le dîner, Luce interrogea ses fils :

—Dites donc, Pierrot et Elzéar, ça vous plairait de retourner au Séminaire quatre ou cinq jours avant le début des cours ?

—Pas moi, affirma Elzéar. Je veux rester avec vous le plus longtemps possible. Toute ma vie, même !

—Ça ne m'intéresse pas d'aller promener le torchon sur les bureaux des « mes-es-es-sieurs » qui vont se présenter juste pour le début des cours, ronchonna Pierrot.

Ces aveux contrarièrent Pierre. Il se leva de table, fit quelques pas dans la cuisine, claquant des talons sur le plancher de bois vernis. Puis, se tournant vers ses fils, il les somma malgré tout, au nom de son autorité paternelle, de préparer leur rentrée scolaire pour le 23 août.

Attristée, Luce se serra les lèvres pour ne point saboter l'autorité de son mari.

—Trois jours, ce ne serait pas suffisant ? lui chuchota-t-elle.

—On ne reviendra pas là-dessus.

Cette attitude pour le moins rigide tira des larmes à Luce. Tous quittèrent la table, sauf Pierre et

Angélique. Pierrot et Elzéar allèrent se cloîtrer dans leur chambre, comme ils en avaient l'habitude quand un de leurs parents levait le ton.

—Je me suis toujours interdit de me mêler de votre vie de couple, mais ce midi je trouve que tu dépasses les limites, Pierre Bédard! Ne te demande pas pourquoi tes fils sont moins affectueux avec toi qu'avec leur mère, lui décocha Angélique.

—Ce n'est pas en leur passant tous leurs caprices qu'on va en faire des citoyens solides.

—Je te souhaite de ne jamais regretter certaines de tes attitudes, grogna-t-elle, quittant la table à son tour.

—Viens avec grand-maman, Isidore: on va aller au poulailler ramasser des œufs pour faire des crêpes!

Lorsque, la cueillette terminée, elle retourna à la maison, Pierre, la tête affalée sur sa poitrine, n'avait pas bougé de sa chaise. Angélique l'ignora et fila dans la chambre des grands, où elle croyait retrouver sa fille aussi. Déchirée entre son besoin de conforter ses fils et celui de trouver une réaction pertinente, Luce s'était retirée dans sa chambre pour donner le sein à son nouveau-né. Ces moments d'intimité avec son poupon lui procuraient une sérénité exceptionnelle.

Mal à l'aise, Angélique devança son départ.

La tombée du jour ramena le calme au domicile des Lajus-Bédard. Quitte à rogner sur ses heures de sommeil, Luce décida de ne pas revenir sur la question du retour de ses fils au Séminaire et d'aborder plutôt un autre sujet fort délicat : la réapparition du charretier Thibault. Ne lui avait-il pas promis, avant leur mariage, de faire la lumière sur ce meurtre ?

—Même si je voulais m'y remettre, les circonstances ne me le permettraient plus. Le sujet est clos, trancha aussitôt Pierre.

Offusquée, Luce allait baisser les bras. « Je me suis promis de ne plus encaisser d'amertume », se rappela-t-elle. « Je ne vais pas laisser les choses se dérouler ainsi. »

—Admets que ça t'arrange ! D'ailleurs, tu n'as jamais vraiment travaillé à épingler l'assassin, lui reprocha-t-elle.

—Pourquoi revenir là-dessus, Luce ? Regarde en avant au lieu de te faire du mouron avec un événement vieux de plus de quinze ans ! Si cet homme-là était réellement menaçant, on en aurait eu des preuves bien avant. C'est par un pur hasard qu'il s'est retrouvé sur ton chemin, la semaine dernière.

—Pourquoi, alors, s'est-il sauvé sans révéler son nom à Ashaisha. Si je l'ai reconnu, il a pu me reconnaître lui aussi.

Un profond soupir d'agacement, un lourd silence, puis, une suggestion jaillit de la bouche de Pierre :

—Tu devrais t'adresser à ta mère. Je pense qu'elle en sait plus qu'elle ne l'admet.

—Si c'était vrai, elle me l'aurait laissé voir quand je lui ai raconté tout ça, elle qui décrocherait la lune pour me voir heureuse.

—Justement. C'est peut-être pour préserver ton bonheur qu'elle te cache des choses.

—Ton attitude m'épuise, se plaignit Luce, tournant le dos à celui, qui, comme par le passé, ne lui assurait pas le soutien escompté.

Ses efforts pour trouver le sommeil : stériles. Les propos de Pierre la hantaient. « C'est vrai que depuis le décès de papa, maman trimballe des papiers secrets, fuit les questions se rapportant à la mort de mon frère et minimise mes inquiétudes à ce sujet. »

Combien de fois Angélique avait-elle supplié sa fille de tourner la page sur le passé pour mieux apprécier les bonheurs que la vie lui apportait ? Qu'elle ait son jardin secret, Luce ne lui en tenait pas rigueur, il s'agissait de sa vie personnelle. Elle n'aurait pas été surprise de découvrir, après sa mort, des lettres d'amour écrites par François ou par des prétendants… Qu'elle garde sur elle l'argent que son mari lui avait laissé en héritage se défendait. La crainte de se faire voler cet argent était d'autant plus légitime que l'assassin d'Olivier n'avait pas été épinglé et que le crime avait pu être l'œuvre d'un homme de main. Mais il semblait à Luce qu'elle cachait quelque chose qu'elle ne pouvait justifier. « Je ne veux pas qu'elle emporte ces secrets dans sa tombe, encore moins qu'elle décide de détruire des papiers révélateurs. Mais encore faut-il qu'elle en possède. Ce ne sont peut-être que des lettres d'amour. Être attaché à de tels papiers au point de vouloir les conserver toute sa vie, ce doit être commun chez les femmes. Je me sentirais encline à le faire si j'en recevais… Qu'elle ne se confie pas à sa fille à ce sujet m'apparaît approprié. Et pourtant… »

* * *

Leur valise à la main, l'air bougon, Pierrot et Elzéar se traînaient les pieds.

—Cessez de jouer aux bébés! Ouste! lança leur père, prêt à les reconduire au Séminaire.

Dans les bras de leur mère, tous deux trouvèrent la compréhension qui manquait à leur père. Ils manifestèrent leur tendresse envers Isidore, mais plus encore envers le petit Zoël.

Après avoir déposé ses fils, Pierre fila au parlement pour le reste de la journée. Tôt après le dîner, Luce se rendit à l'imprimerie de son cousin John pour le prier de lui rendre visite en soirée.

—Nous serons plus tranquilles chez moi pour causer, justifia-t-elle, en jetant un regard sur Isidore et Zoël.

—De gros problèmes, chère cousine?

—Des soucis…

John avait accepté son invitation et s'était présenté chez elle sans tarder, une fois sa journée de travail achevée. Dès le début de leur conversation, Luce s'attaqua au vif du sujet :

—Tu assistais aux funérailles d'Olivier. On t'a raconté les circonstances de sa mort. Depuis, certains événements m'ont mise sur la piste d'un présumé assassin. Du moins, je le crois.

Après avoir entendu le récit des événements, John se montra circonspect.

—Où veux-tu en venir, Luce?

—Je veux en finir avec cette histoire. Je pourrais faire comme ma mère et mon mari, balayer ça derrière moi, mais je n'y arrive pas. Ce M. Thibault ne me sort pas de la tête. Il pourrait avoir été impliqué dans le meurtre… directement ou indirectement.

—C'est une intuition?

—Des faits aussi, John! Sinon, pourquoi nous a-t-il espionnées, ma famille et moi, depuis la mort de mon frère? Pourquoi se trouve-t-il si souvent sur ma route quand je suis mal prise?

—J'avoue que c'est étrange. Mais pourquoi me racontes-tu tout ça?

—Au cas où le charretier serait client de ta librairie… Je pourrais te le décrire davantage; tu essaierais de le faire parler.

—Mais comment? C'est très délicat, ce que tu me demandes, Luce.

—J'ai confiance en toi.

—Je vais y réfléchir.

—Tu es la seule personne qui pourrait m'enlever cette épine du pied.

—La curiosité peut devenir un défaut, tu sais.

—Si ce n'était que ça, il y a longtemps que j'aurais tourné la page. Mais as-tu idée de ce que ça peut faire que de vivre dans la peur pendant plus de quinze ans?

—La peur?

—Oui, John. Peur pour ma mère, pour mes frères. Peur pour moi-même et pour mes enfants. J'en fais des cauchemars depuis la naissance de mon petit Zoël.

—Je n'aurais pas cru que ça allait jusque-là... Si ça peut te soulager d'en parler, écris-moi. Je te répondrai.

—C'est tout ce que tu peux faire pour moi?

—Je ne veux pas te faire de promesses sans être sûr de pouvoir les respecter, tu comprends? Ton fardeau est déjà assez lourd sans que j'y ajoute une déception. Je t'aime trop pour ça.

Luce ferma les yeux. Étaient-ce des mots inspirés par l'affection ou par l'amour véritable? De trois ans sa cadette, elle avait toujours refusé de s'avouer quelque attrait pour John. L'attitude particulièrement chaleureuse qu'il avait eue à son égard lors des funérailles d'Olivier remonta des tréfonds de sa mémoire. Trop habitée par le chagrin d'avoir perdu son grand frère, elle n'y avait vu qu'une grande sollicitude. Depuis, que de fois John l'avait incitée à s'attarder à sa librairie, lui suggérant des achats ou lui offrant des rabais qu'elle appréciait mais qui l'intimidaient tout autant.

Marié depuis quinze ans et toujours sans enfant, John excellait en affaires. Était-il plus présent au foyer que ne l'était Pierre? Ursule, dévote et vouée aux bonnes œuvres, grande admiratrice de Mgr Hubert, son oncle, avait dû se résigner à ce que son mariage avec cet anglican fût célébré par un prêtre de l'Église d'Angleterre. Qui plus est, la cérémonie, fort simple, avait eu lieu début janvier, dans la saison la plus froide de l'année. Des rumeurs avaient couru au sujet de cette union :

« … un mariage arrangé. »

« … la p'tite demoiselle serait morte de chagrin si le bel imprimeur ne l'avait pas mariée. »

« … la petite Ursule est en famille. On verra bien à la fin de l'été… »

Non seulement Mme John Neilson avait accouché plus d'un an après son mariage, mais elle avait mis au monde deux fils et deux filles, tous morts en bas âge. Ces racontars avaient outré la parenté d'Ursule, dont les Lajus et les Hubert, qui jouissaient alors d'une réputation immaculée.

Le lendemain de la visite de John, Luce reçut par la poste une lettre de Joseph.

Chère Luce,

Je ne voudrais pas que tu doutes de mon affection si on se voit moins souvent pour un temps indéterminé. C'est que je suis très occupé par mes nouvelles fonctions de capitaine de milice et d'inspecteur de la construction des églises.

Mon affection et mon admiration te seront acquises, où que tu habites, quoi qu'il t'arrive, ma chère Luce.

Sois heureuse,

Joseph B.

Chaque mot l'enflammait d'une fièvre de jeune amante. « Il y a longtemps que mon mari ne m'a pas adressé d'aussi belles paroles. Mais qu'est-ce qui me prend de prétendre que j'excite la convoitise de John et de Joseph? Est-ce le lot de toutes les femmes dans la jeune trentaine? Une femme mariée et mère de quatre enfants ne devrait jamais se permettre de telles pensées!» se reprocha-t-elle.

Pour s'en distraire, rien de mieux qu'une visite à sa mère.

—C'est la Providence qui t'envoie! s'écria Angélique en essuyant ses mains sur son tablier de cuisinière. Je viens de recevoir une grande nouvelle de ton frère René-Flavien: il est nommé vicaire à Saint-Hyacinthe et m'invite à aller habiter avec lui.

—Vous n'allez pas accepter...

—Pourquoi pas? L'hiver est si long, seule dans cette grande maison! J'ai reçu la même invitation de Jean-Baptiste l'an passé. J'hésite entre les deux. Mais Saint-Hyacinthe est plus proche de Québec que Blainville...

L'abbé Jean-Baptiste-Hospice en était le curé depuis 1809.

—Et la maison?

—Je verrai au printemps prochain si je la mets en vente ou non.

Luce ne put contenir ses larmes. Attrapée par le ressac d'une vague étrange, elle se sentit couler dans un délaissement sans fond. Autour d'elle, plus de port d'attache. Ses origines, sapées par la perte de son toit familial. Sa vie de femme, ternie par la discorde. Et voilà que sa mère, sa plus fidèle confidente, prévoyait de trouver le bonheur loin d'elle.

—Je ne pensais pas te causer tant de peine, ma pauvre petite Luce. Qu'est-ce qui t'arrive?

—C'est comme si… tout s'écroulait… autour de moi, parvint-elle à articuler à travers ses sanglots.

Le petit Zoël posé sur un fauteuil, Isidore figé près de la porte, Angélique enveloppa sa fille d'une étreinte des plus maternelles. Luce tendit le bras vers son fils et le glissa entre elle et sa mère, comme si une menace les incitait à sceller le trio. Instants sublimes malgré la détresse mise à nue.

—Reste à dormir ici!

Luce ignora son offre, croyant le moment venu de lui proposer à son tour d'habiter chez elle. Le rictus sur le visage de la sexagénaire, lorsqu'elle entendit cette invitation, trahissait un malaise évident.

—C'est à cause de Pierre que vous hésitez?

—Pas rien que ça. Je t'avoue que ça me tente de me rapprocher de mon petit dernier. Sans savoir combien d'années il me reste à vivre, j'aimerais profiter de mes vieux jours pour mieux comprendre mes fils, leur mission, leur quotidien. Ce n'est pas rare que les curés engagent des parentes comme servantes dans leur presbytère.

—Je vous comprends, balbutia Luce, le regard assombri.

Angélique entraîna sa fille vers le grand coffre de cèdre qui regorgeait de réserves de tricots et de couvertures de laine. Elle en sortit la courtepointe commencée avec elle l'automne précédent et la lui tendit.

—Tiens, elle était pour toi. Quand je m'ennuyais trop de toi et de tes enfants, je l'étendais sur la table et j'y ajoutais quelques motifs. Je ne voulais pas la finir trop vite, ne sachant pas, d'une visite à l'autre, quand je te reverrais.

Les remerciements restèrent emprisonnés dans la gorge de Luce.

—Je n'ai pas de difficulté à me rappeler la date où on l'a commencée. Le petit Zoël venait juste de s'installer dans mon ventre, et il nous mettait le cœur en joie, se remémora-t-elle, souriante.

—La naissance d'un enfant sera toujours le plus grand cadeau qu'une femme puisse recevoir, murmura Angélique, penchée sur le poupon âgé de seulement deux semaines.

—C'est pourtant mon dernier.

Frappée par le ton sans appel de sa fille, Angélique tut sa pensée. «À n'en plus douter, son couple bat de l'aile. Comme c'est déplorable! Je me sens tellement impuissante... Les prières de ses deux frères prêtres sauraient peut-être attiser l'amour dans leur cœur», pensa-t-elle, déterminée à leur écrire un mot. En attendant, il lui tardait d'alléger l'atmosphère.

—La vie nous fait parfois des cadeaux imprévisibles. À moi, elle en a fait, je peux en témoigner.

—Celui d'avoir trouvé un bon mari, par exemple? J'envie les couples bien assortis, comme vous et papa.

—Sois patiente, Luce: il fait des efforts, ton Pierre!

Pour toute réplique, sa fille eut un sourcillement qui marquait son scepticisme.

Perdue dans ses pensées, Angélique se questionnait : « Serait-ce le fait d'avoir été tant adulée par son père qui la porterait à croire que tous les hommes doivent la traiter de la même façon ? Éprouve-t-elle encore de l'amour pour son mari ? Et lui ? Je l'espère ! Sinon, j'ai peine à croire en un avenir meilleur pour eux. »

La journée se clôtura sur des banalités.

Le lendemain, Luce n'eut pas à questionner sa mère sur ses intentions : Angélique les lui annonça tout de go.

—Juste avant que l'hiver prenne, j'irai faire un tour au presbytère de Saint-Hyacinthe… pour voir si je m'y plais.

« Mon Dieu, faites que l'automne s'étire jusqu'à Noël », pria Luce, soupçonnant sa mère d'avoir des motifs autres que celui qu'elle avait évoqué pour honorer l'invitation de René-Flavien.

*   *   *

L'automne 1812 s'était montré plutôt clément, permettant à Luce de visiter ses deux aînés plus souvent et d'occuper sa mère par différents projets de tissage, de tricot et de décoration dans la maison de la rue Mont-Carmel. Angélique avait reporté son départ pour Saint-Hyacinthe, préférant passer le temps des fêtes avec la famille Bédard-Lajus. Décision qui libéra Luce de sa crainte de voir venir l'hiver.

Mais ce que son mari lui annonça, en cet après-midi de décembre, la chamboula.

—À Trois-Rivières? Mais pourquoi pas ici, à Québec?

—Parce que le poste à combler à la Cour est à Trois-Rivières, expliqua Pierre, transporté d'allégresse.

Il venait de recevoir la nomination de juge provincial.

—Tu n'es pas obligé de l'accepter.

—Tu imagines les revenus? Ah, et puis, peu importent les chiffres, Luce. Enfin! Un salaire assuré!

—Toi, si intelligent, tu ne vois pas que Prevost veut bâillonner celui qui a tempêté pour que les juges ne siègent plus à l'assemblée? C'est comme s'il piétinait ta plus grande passion: la politique.

—Ne crois pas que j'abandonnerai la politique pour autant: je vais juste changer ma manière d'en faire.

—C'est-à-dire?...

—Au lieu d'aller au front et de m'exposer aux coups, je vais fournir des munitions à mes soldats.

—J'admets que c'est brillant, comme tactique, mais comment penses-tu y arriver? Toi à Trois-Rivières, eux ici, à Québec. Ce n'est pas pour rien que Prevost ne t'a pas offert le même siège ici.

—Écoute-moi, Luce. Le juge Panet, qui siégeait à Montréal, est décédé le 2 décembre. Le gouverneur l'a remplacé par le juge Foucher, de la Cour provinciale de Trois-Rivières. Premièrement: je suis le plus ancien membre du Barreau de Québec; deuxièmement: Prévost a confiance en mes qualités de juriste. Je soupçonne aussi qu'il veut réparer l'injustice que Craig nous a fait subir en m'emprisonnant. Voilà qui explique ma nomination. Ne cherche pas d'autre raison.

Pierre acceptait mal que son épouse ternisse de ses doutes cet horizon enfin si lumineux. « L'honorable Pierre Bédard! Quel beau cadeau que ce prédicat pour souligner mon demi-siècle d'existence! On reconnaît enfin mes aptitudes. On ne pouvait m'offrir plus belle branche d'olivier pour les critiques que j'ai essuyées, pour les torts qu'on m'a causés, pour les injustices dont j'ai été victime. Jamais tant d'égards ne m'ont été manifestés. Non! Je ne me laisserai pas influencer par les commentaires de Luce, quitte à faire l'autruche. »

Porté par l'enthousiasme de sa nomination en tant que juge, Pierre s'était mis à la recherche d'un toit pour loger sa famille à Trois-Rivières et avait inscrit ses fils au Séminaire de Nicolet.

Un pavé dans la mare pour Luce: quitter sa ville et s'éloigner de ceux qu'elle aimait était un sacrifice incommensurable.

— Tu as pensé au dépaysement que tu imposes à nos garçons?

— La vie leur en réserve bien d'autres. Mieux vaut les y préparer tranquillement, avec notre soutien.

— En autant qu'ils sont d'accord, marmonna-t-elle.

— Tu veux leur demander leur avis, si j'ai bien compris?

— C'est la moindre des choses!

—Ils ont encore l'âge d'obéir à leurs parents.
Avec un peu de logique, ils vont comprendre qu'il
va de soi qu'ils fréquentent le séminaire le plus rap-
proché de Trois-Rivières, vu que le reste de la famille
y sera installé.

Une larme insoumise, un sanglot étouffé, puis
Luce se réfugia dans sa chambre, là où elle pouvait
laisser s'écouler sa peine.

Pierre tarda à l'y rejoindre.

—Je ne sais plus quoi faire pour te contenter,
Luce. Quelque chose m'échappe. Aide-moi à te
comprendre, je t'en supplie!

Des instants de silence s'égrenèrent en un long
chapelet, ponctué de soupirs d'impuissance d'une
part, d'insatisfaction de l'autre.

CHAPITRE VIII

Une froidure hivernale couvrait tout le Québec, alors qu'à Trois-Rivières, avec une fièvre ardente, Pierre Bédard se voyait intronisé à la Cour provinciale. À l'aube de la cinquantaine, il gravissait enfin un échelon dans sa carrière d'avocat. Ses mains tremblaient sur la toge, où il pouvait lire, cousu sur la doublure, *Honorable Pierre Bédard.*

Cette promotion l'eût comblé de bonheur si, au soir de sa première journée d'audience, il eut été accueilli à la maison par une épouse qui partageât son emballement. «Dans cinq mois, les vacances scolaires nous rassembleront tous sous ce toit. Avec mon épouse et mes deux aînés, je discuterai des causes confiées à ma juridiction. Je jouerai avec Isidore. J'apprendrai à connaître notre petit Zoël.»

La lettre qu'il reçut de Luce en fin février lui inspira confiance. Il la lut et la relut, s'attardant à imaginer les sentiments qui avaient guidé la main de son épouse lorsqu'elle l'avait écrite. Certaines louanges lui étaient adressées pour la première fois, estimait-il. Les projets de Luce le renversèrent.

Cher Pierre,

Tu serais charmé de voir les progrès de notre petit dernier. Et Isidore te réclame souvent. Pour le faire patienter, je lui apprends à lire, à écrire et à compter. Il manifeste déjà un grand talent pour l'écriture ; il veut toujours qu'on fasse des jeux avec les mots. Je te verrais bien t'amuser à ce jeu avec lui. Tu as tellement de vocabulaire !

Je commence à penser qu'après le congé de Pâques, les deux grands repartis au Séminaire pour la dernière session, je pourrais profiter de ta visite pour rentrer avec toi et nos deux autres fils aux Trois-Rivières et commencer à m'installer. On décidera tous ensemble si on retourne passer les vacances à Québec ou si on reste aux Trois-Rivières.

Tu nous manques...

Luce

Angélique devait quitter Québec, elle aussi, pour un séjour dont elle n'avait pas précisé la durée chez son fils, le curé Jean-Baptiste, au presbytère de Blainville. Un séjour qui risquait donc de s'éterniser, craignait Luce, comme le mandat de Pierre à la magistrature. « Je fais mieux ne pas informer mon mari de ce projet de ma mère. Il pourrait bien croire que c'est l'unique raison qui me porte à devancer mon retour auprès de lui. Et si je découvrais le plus beau côté de cet homme, maintenant qu'il est heureux d'occuper un tel rang dans la société? Un homme serein, joyeux, attentionné, entreprenant… Quinze ans d'espoirs enfin ravivés! Se peut-il que le bonheur m'attende à Trois-Rivières, alors que je me cramponne à Québec?»

Cette perspective lui insuffla un enthousiasme rarement ressenti dans les dernières années, sauf à l'occasion de la naissance de ses enfants. À toutes ses amies croisées sur la rue, Mme Lajus-Bédard annonçait avec fébrilité la nomination de son mari.

—Je lui transmettrai vos félicitations, leur promettait-elle, les informant du même coup de son départ pour Trois-Rivières à la mi-avril.

Avant d'aller au lit, ce premier soir de mars 1813, penchée sur son journal intime, Luce avait laissé son cœur et sa raison tracer le profil d'un Pierre Bédard à son meilleur.

Ses sourcils, souvent en accents circonflexes, se sont redressés; ses paupières, assouplies; ses lèvres, modelées pour le bonheur. Ses épaules et son port de tête, dignes d'un juge, impressionnent ses pairs et ouvrent les bras de ses proches. Sa démarche est énergique et déterminée. Il articule gracieusement des propos respectueux, courtois, chaleureux. Il me charme…

La relecture de son texte la troubla.

Je rêve. Je viens de décrire l'homme parfait, celui que Pierre ne sera probablement jamais. En est-il un qui m'ait inspiré ces pensées ? John Neilson ? Joseph Bé-dard ? Peut-être. Mon père ? Je crois que oui. À bien y penser, ni John, ni Joseph, ni Pierre ne peuvent le rem-placer à mes yeux. Pas plus que je ne pouvais incarner pour mon mari les qualités de sa mère, cette femme qui illuminait son regard chaque fois qu'il en parlait. En nous mariant, Pierre et moi, nous serions-nous accro-chés à des amours fantômes ? Les sentiments que je vouais à mon père n'ont jamais été délogés par ceux que je ressens pour mon mari. J'étais convaincue que mon admiration et mon affection pour Pierre grandiraient au gré de nos bonheurs quotidiens. Qu'ils nous ren-draient plus compatibles. Que le confort s'installerait dans notre couple, comme nos pieds dans des chaussures assouplies par l'usage. Hélas ! nos divergences d'opi-nions et de valeurs nous ont créé de plus en plus de dé-ceptions et d'affrontements. Les non-dits ont rongé notre relation comme le vert-de-gris la ferraille oubliée. Est-ce récupérable ? Je le souhaite de tout mon cœur.

Malgré l'heure avancée, la fatigue reculait face à de telles prises de conscience.

Aurions-nous, toi et moi, emprunté des routes pa-rallèles ? Tu m'as souvent invitée à suivre la tienne. J'ai l'impression qu'en quinze ans, j'y ai laissé trop peu d'empreintes. T'ai-je vraiment tendu la main en d'autres circonstances que lors de ton emprisonnement ? Cette fois, je sentais le pouvoir qui m'était donné sur ta vie. J'allais t'apporter la libération, non seulement du ca-chot, mais aussi de tes prisons intérieures, ai-je espéré. Désormais, tu ferais fi de ton apparence et tu te sentirais beau de l'intérieur. Tu mettrais autant d'intelligence à comprendre ta famille qu'à définir les rouages de la politique impériale. Tu miserais sur l'épanouissement de tes proches plus que sur celui de notre peuple. Tu puiserais, dans ton riche vocabulaire, des mots qui embaumeraient l'atmosphère de tendresse, d'admiration, de gaieté.

De tout cela, je te crois capable, Pierre.

Mon attitude, lourde d'attentes non comblées, aurait-elle freiné tes élans vers moi ? M'aurait-elle écartée de cet univers où tes idées, ton idéal étaient appréciés, tes initiatives, encouragées, tes combats, louangés ? Me serais-je comportée comme une enfant gâtée ? Je ne l'écarte pas.

Et si, quand tu reviendras à Pâques, tu te présentais, rayonnant de la dignité du magistrat, le regard lumineux, le cœur à la fête, je pense que je m'écroulerais d'affection dans tes bras. J'effacerais le passé de ma mémoire et de mon cœur. Nous recommencerions à zéro. Nos enfants, bénéficiant de ce climat harmonieux, nous souderaient en une famille désormais unie. Heureuse.

Je t'ouvre mon cœur, Pierre. Ma main tremble d'appréhension. D'ici ton retour, je te promets de lutter de toutes mes forces contre le doute. Contre la rancune.

Il faut que je t'aime, Pierre... à moins que tu ne m'aimes plus.

Luce ne se résignait pas à aller dormir avant d'avoir décidé de la pertinence de poster la dernière partie de son texte à son mari. «Le préparer à un retour réussi. Lui donner une autre chance de connaître le bonheur. Est-il souhaitable que je partage ces réflexions avec lui ? Il pourrait bien les interpréter comme une ligne de conduite que je veux lui dicter. Ce serait désastreux. »

Le lendemain matin, Luce dissimula son journal dans le dernier tiroir de la commode, sous des châles râpés, hérités de sa grand-mère Hubert. « S'il m'arrivait un jour de trouver utile de faire lire ces pages à Pierre, je saurai où les trouver. »

* * *

Le climat social, perturbé par la guerre anglo-américaine et ses répercussions au Canada, finit par éroder l'enthousiasme du juge Bédard. Il avait gardé le moral jusqu'au début avril où, informé de la proclamation du gouverneur Prevost ordonnant un embargo sur toutes les céréales, la viande de bœuf, les pommes de terre et les pois, il avait été saisi de panique. « C'est la famine qui s'en vient jusque chez nous. Comme si nous avions des surplus dans nos poches ! Qu'adviendra-t-il de ma famille, de l'instruction de mes fils ? »

Les célébrations pascales, assombries par ces tristes perspectives, donnèrent le ton aux retrouvailles familiales tant anticipées. Garder la maison de Québec en plus de l'appartement de Trois-Rivières : une responsabilité accablante, en pareilles circonstances, jugeait Pierre. Il proposa de vendre ou de louer la propriété de la rue du Mont-Carmel. Luce s'opposa à la première suggestion.

—Qui dit qu'il ne te sera pas offert un jour d'occuper le même poste à la Cour de Québec ?

—J'en doute fort. Et puis je m'habitue à ma nouvelle ville.

—Tu te raisonnes…

—Il le faut parfois. Comprenez bien que je l'aime cette maison, moi aussi, dit-il à ses fils, qui partageaient la position de leur mère.

Dès l'aube, en ce 18 avril, Pierre Bédard avait emmené ses trois fils puiser une réserve d'eau de Pâques dans le fleuve Saint-Laurent. Il avait été le premier à en boire sur place, s'assurant ainsi d'une bonne santé pour les douze mois à venir. Les garçons s'étaient prêtés à la tradition, non sans une certaine réticence. Leur intérêt se portait davantage sur les œufs à la coque, préparés et décorés par leur mère pour le petit déjeuner. La famille avait choisi de n'assister qu'à la messe basse, afin de passer plus de temps ensemble.

Devant une table bien garnie, Pierre, le front sillonné par les soucis, récita le bénédicité; après quoi, il trouva judicieux d'adresser des remerciements à Dieu pour ce bon repas.

—Savourons-le, car l'avenir ne nous permettra peut-être plus de telles gâteries.

Elzéar tourna son regard vers Luce.

—Pourquoi, maman?

Pierre s'empressa d'expliquer :

—On est rationnés par le gouverneur à cause de la guerre entre l'Angleterre et nos voisins du Sud.

—Qu'est-ce que vous voulez dire? demanda Pierrot, bougon.

—Quand notre province ne peut plus vendre ses céréales, l'argent n'entre plus, les salaires baissent ; le pain, le beurre, la viande… tout coûte plus cher.

—Je continuerai de travailler au Séminaire pendant mes vacances, alors, proposa-t-il.

—C'est généreux de ta part, mon Pierrot !

—Ensemble, on trouvera bien une solution. En attendant, profitons des beaux moments qui nous rassemblent, suggéra leur mère.

—Il n'est pas question que nos garçons se voient privés d'instruction, martela Pierre, de peur que la proposition ne soit émise, ou par un de ses fils, ou par son épouse.

—Bien sûr que non. C'est le plus bel héritage qu'on puisse leur laisser ! Joyeuses Pâques à chacun de vous ! leur souhaita-t-elle, soucieuse de ramener la jovialité autour de la table.

De sa chaise haute, le bambin de huit mois, chevelure rouquine et yeux coquins, y contribua par ses mimiques et ses cris de joie.

—Un petit ange de lumière, notre Zoël, murmura Luce, déposant un baiser sur la main potelée et soyeuse de l'enfant.

—Ce sera long avant qu'on le revoie, gémit Elzéar, informé du départ imminent de sa mère et de ses deux frères pour Trois-Rivières.

—C'est au tour de son papa d'en profiter, plaida sa mère. Il a été privé de son petit garçon pendant quatre mois, lui.

Cette évocation charma Pierre. Non pas que le jeune Zoël lui eût tellement manqué, mais que Luce eût cette délicatesse à son égard le toucha. «Il me tarde de rebâtir un nid familial dans ma ville d'adoption! Les vacances estivales me ramèneront aussi mes deux autres fils. Quatre beaux garçons! J'en imagine la photo dans une page du *Canadien,* sous la rubrique: *L'honorable Pierre Bédard et ses fils habitent désormais Trois-Rivières.* Mais Luce! Comme c'est étrange! Je n'arrive pas à la voir avec nous. Comment m'expliquer ça? Pourtant, je tiens à cette femme. Je la trouve encore fort jolie et séduisante, et je ne suis pas le seul homme à l'admirer. Elle attire tous les regards. Serait-ce que je serais devenu jaloux?»

Une intervention de Pierrot le ramena à la réalité.

—On ne retourne pas au Séminaire avant demain soir, n'est-ce pas, maman?

—On peut même attendre à mardi matin.

Pierre s'opposa:

—C'est préférable que je vous y reconduise demain soir: une bonne nuit dans la sérénité de ces murs prédispose aux études.

—Les études. Toujours les études! maugréa le jeune homme de seize ans.

—Avoue, Pierrot, que tu aimes tes cours. Tu réussis tes examens sans même étudier, chanceux! révéla Elzéar.

—Il tient de votre père, commenta Luce.

—Et moi? demanda Elzéar.

—T'as hérité de toutes les qualités de ta mère, dit Pierre.

—Moi aussi! réclama Isidore, spectateur émerveillé qui, à sept ans, grâce à l'enseignement de Luce, maîtrisait tous les rudiments de la lecture et de l'écriture.

—Une place de choix vous attend dans la société, leur promit Pierre. Je ne doute pas un instant que vous ferez honneur à vos parents et à la grande famille Bédard.

—Moi, je pense que Zoël va devenir un bouffon, prédit Elzéar.

—Tout en exerçant une profession qui lui permette d'apporter de l'eau au moulin. Faire rire, c'est bien beau, et ça peut agrémenter la vie, mais on n'en fait pas un métier, le rabroua son père.

—En France, les bouffons pouvaient gagner leur vie en amusant les gens. Le roi avait son fou… Je me souviens avoir lu que, sous François 1er, il y avait même une école de fous, évoqua Luce, provoquant l'hilarité tout autour de la table.

—Et le roi d'Angleterre, lui? questionna Pierrot.

—Je ne suis pas sûre que les Anglais cultivaient cette tradition. Je serais portée à croire qu'ils ont le rire moins facile que les Français.

Fidèle sujet de la monarchie britannique, Pierre allégua que le roi Georges III avait connu un règne marqué par les guerres, et que ses responsabilités ne lui permettaient pas de perdre du temps à regarder aller un bouffon.

—La France aussi connaît des conflits, et pourtant…

—Il y a eu la guerre de Sept Ans entre la France et l'Angleterre, rappela Elzéar, féru d'histoire.

—Ces deux pays sont en guerre depuis vingt ans, précisa son père, redevenu mélancolique.

—Comme nous n'y sommes pour rien, nous six, pas question de se laisser abattre par leurs problèmes, trancha Luce.

—Leurs problèmes? Mais ce sont aussi les nôtres; nous sommes des sujets britanniques! riposta Pierre, indigné.

—Je pense que, dans la vie, on peut choisir nos préoccupations. Moi, j'ai bien l'intention de m'organiser pour être heureux, déclara l'aîné, l'œil espiègle.

—Tu feras bien rien que ce que tu peux, mon jeune, tempéra son père.

Luce ne tarda pas à servir les crêpes de sarrasin nappées de sirop d'érable. Un régal pour tous, même pour le petit Zoël.

«Elle a toujours le dernier mot, constatait Pierre, frustré de ne pouvoir engager avec ses fils une discussion sérieuse et instructive sans qu'elle intervînt pour les entretenir de frivolités. Serait-ce sa manière de me dominer subtilement? Je vais m'efforcer d'être vigilant sur ce point quand nous serons rassemblés à Trois-Rivières», se promit-il.

De facto, Pierrot et Elzéar n'entrèrent au Séminaire que le mardi matin, juste avant que le reste de la famille n'embarquât sur la goélette à destination de Trois-Rivières.

*   *   *

En arrivant rue Notre-Dame, que de consternation, de déception, de détresse… La maison, recouverte de planches vieillies, aux fenêtres étroites encombrées de lourdes tentures, à la toiture fragilisée par de forts vents, donnait à Luce le goût de retourner à Québec sans attendre. Et comme si cette déroute ne suffisait pas, quelques semaines après son installation dans cette demeure, la maladie d'Elzéar vint la tourmenter. Elle s'en ouvrit à John :

…Le voilà hors d'état de poursuivre ses études. C'est donc là le commencement des faux calculs que j'ai osé faire sur l'avancement de l'éducation de mes enfants. Quoique catholique, je n'essuierai pas ce revers avec résignation. J'ai versé des déluges de larmes après avoir appris que mon fils avait la poitrine et le dos couverts de dartres. Les traitements du Dr Blanchet auraient empiré son mal. Je crains qu'il n'ait mis mon fils aux portes de la mort. Je compte l'envoyer chez mon frère… L'air de la campagne et les bons soins de ma mère l'aideront à guérir et lui permettront d'étudier un peu. J'ai le cœur gros comme une maison.

Je suis vraiment découragée. Mon philosophe de mari est toujours le même : plongé dans ses calculs imaginaires. Mon ménage, mes enfants, tout cela ne m'en distrait pas. Il est des instants où j'aimerais avoir à mes côtés quelqu'un d'aimable et de bon caractère. C'est à cette jouissance qu'il me faut renoncer. Il n'y a pas encore un mois que je suis ici, et déjà, j'ai entendu des coups de langue affreux. J'en ai fait part à mon mari en lui déclarant que je renonçais à la société des Trois-Rivières; que dès que je pointais le nez dehors, partout ce n'était que sarcasmes... Là-dessus, mon mari m'a répondu ironiquement que c'était un grand malheur, quand on a tant d'esprit, que de vivre aux Trois-Rivières, mais que lui commençait à s'y plaire. Je veux bien qu'il se trouve plus d'esprit qu'à moi. Qu'importe: j'en reviens toujours à dire que l'endroit est détestable, que, de toute ma vie, je n'ai jamais éprouvé une pareille situation.

Voyez, mon cher John, tout me rappelle que je suis dans une sorte d'exil. Écrivez-moi, je vous en conjure!

J'ai ri en lisant votre dernière lettre. Je ne suis pas de meilleure humeur que vous envers notre mère Ève. Il faut que l'on paie pour ses sottises, nous autres, pauvres femmes!

M. Bédard vous fait ses meilleurs compliments. Il vous attend toujours. Pour moi, je renonce à ce plaisir, car je vous sais pris par vos nombreux engagements. Malgré cela, ni le temps ni l'éloignement ne changeront rien aux sentiments d'estime et de reconnaissance que vous m'inspirez. Je reste, mon cher cousin, votre toute affectionnée,

L.L. Bédard
P.-S. Mes amitiés à Mme Neilson

Le lendemain, Luce entreprit de mettre de l'ordre dans les comptes de la famille. Que de désarroi! Son mari dépensait des sommes inacceptables pour des souscriptions et l'achat de livres.

—C'est ridicule de gaspiller pour des choses comme ça alors qu'on croule sous les dettes, lui reprocha-t-elle dès qu'il rentra à la maison.

—Je vais aller voir mon père ce mois-ci. Il pourra probablement nous prêter un peu d'argent en attendant que Pierrot profite de ses vacances scolaires pour travailler un peu.

—Jamais je ne serais capable de m'abaisser à ce point.

—Je le sais. C'est pourquoi je ne te demande plus de t'adresser à ta mère...

—Que tu me le demandes ou non, je te jure sur la tombe de mon père que je refuserais de lui quêter de l'argent. Déjà qu'elle paie une bonne partie de la pension d'Elzéar...

« Comme j'ai bien fait de garder secrète l'aide financière que Neilson m'apporte de temps à autre », se félicita Luce, disposée à n'en éprouver aucun scrupule.

Elle se dirigea d'un pas ferme vers l'entrée, où une heureuse surprise l'attendait. Dans une lettre, Mᵉ James Stuart, avocat général de la province depuis 1805 et chef du Parti canadien, en remplacement de Pierre-Stanislas Bédard, offrait de prendre Elzéar sous son aile pendant son premier mois de vacances.

Voyager un peu lui ferait le plus grand bien. Je lui ferais faire le tour de la rivière Chambly, je l'emmènerais ensuite jusqu'à Rivière-du-Loup en longeant le Saint-Laurent...

Cette nouvelle fut un pur ravissement pour le juge Bédard. Doublement honoré, il s'empressa d'adresser un mot de remerciement à son successeur et de l'inviter à venir s'asseoir à leur table au retour de son périple avec le jeune Elzéar. Enfin, une occasion de réjouissance pour la famille! Luce accepta d'oublier leur petite querelle du matin et offrit à son mari de faire une promenade avec leurs deux fils dans les rues environnant la Cour de justice.

—Ça te ferait vraiment plaisir?

—Oui! affirma Luce, soucieuse de convertir chaque parcelle de bonheur en occasion de bonifier leur vie de couple.

—Par quoi aimerais-tu commencer?

—Ce que tu me proposeras. Ton bureau, peut-être?

Ils prirent d'abord le temps de s'attarder sur la rue Notre-Dame, puis sur le marché, rue Platon.

Ce samedi de la mi-juin invitait à la balade. Bien que le printemps eût chassé les derniers froids avec une lenteur éprouvante, l'été fut précoce. Des effluves de lilas caressaient les narines des promeneurs, ajoutant à la féerie des paysages ponctués de magnifiques arbres fruitiers. Dans le regard de Luce, Pierre sembla plus beau qu'à l'habitude, Isidore, plus coquin, et le bambin qui dormait dans son landau paraissait nager dans la béatitude. Les échanges, empreints de légèreté, soulevaient l'enthousiasme d'Isidore. «Que j'aime ça quand mes parents se chicanent pas», se dit-il, gambadant sur la route poussiéreuse.

—Tu savais, Luce, que les Ursulines vivent dans cette ville depuis plus de cent ans? C'est leur monastère qu'on aperçoit là-bas.

—Le gros édifice de pierre grise à deux étages bordé de lucarnes? Il faut être en moyens pour s'offrir un tel couvent!

—Oh! mais celui-là est récent. Comme ce fut le cas pour beaucoup d'autres édifices, leur premier établissement, qui comprenait leur cloître, une école et le premier hôpital de Trois-Rivières, a été incendié il y a une soixantaine d'années. Heureusement, les murs de pierre ont résisté et les bâtiments ont pu être reconstruits. Il y a six ans, un autre incendie a tout ravagé. C'est à ce moment que le monastère actuel a été édifié.

—Après tant d'épreuves, je comprends que les sœurs aient tenu à ce qu'il domine la ville, concéda Luce, marchant vers la chapelle, qui formait une avancée centrale couronnée d'un dôme majestueux.

Le couple contempla le frontispice, dont l'unique porte était surmontée de baies vitrées, d'un oculus, d'un fronton et d'une croix. Luce fut éblouie. Les façades du monastère, d'une sobriété remarquable, dessinaient une parfaite symétrie. «Tout est harmonieux, comme je le souhaiterais pour notre couple», pensa-t-elle.

Pierre frétillait d'impatience en dirigeant les siens vers le point culminant de leur promenade: le couvent des Récollets.

—Tu ne saurais jamais deviner, Luce, dans quelle partie de cet édifice loge la Cour de justice! la défia-t-il.

—Dans la grande partie à deux étages? risqua-t-elle, postée devant cette noble construction en forme de *L*.

La réponse plut à Pierre, qui adorait surprendre ses interlocuteurs.

—Bien non! Je te laisse une autre chance.

—Pas dans la chapelle, quand même?!

—Pourquoi pas? Ça convient beaucoup mieux aux juges qu'aux prisonniers.

—Il y a des prisonniers là-dedans!

—En attendant que les autorités fassent construire une vraie prison, oui.

—Comme c'est étrange, cette cohabitation: les criminels juste à côté des justiciers!

«Comment Pierre peut-il demeurer impartial devant ces détenus, lui qui a crié à l'injustice du premier au dernier jour de son incarcération? Je parie qu'il est le seul juge à être passé par la prison avant d'accéder à la magistrature. Le sait-il? Dieu, que je ne voudrais pas être dans sa peau!»

Aucune réplique ne vint de Pierre, encore profondément indigné par son incarcération. Ce souvenir demeurait un boulet à son pied. Un embarras lorsqu'il croisait pour la première fois un collègue susceptible d'être informé de sa mésaventure.

Le silence meubla la distance entre le monastère et le manoir de Tonnancour. Dès que Pierre aperçut cet édifice de deux étages, coiffé d'un toit à deux versants et ennobli de trois hautes souches de cheminée, il s'empressa d'annoncer à son épouse qu'une quinzaine d'enfants étaient nés dans cette demeure.

—Comme cela arrivait trop souvent à nos beaux édifices, ce manoir fut incendié, il y a une trentaine d'années ; il n'a été reconstruit que onze ans plus tard.

—Abandonné tout ce temps ? s'écria Luce, indignée.

—Un juge l'a finalement racheté. Il avait du goût, cet homme !

Cet édifice prestigieux, avec ses fenêtres à battants aux vingt-quatre petits carreaux flanquées de contrevents au rez-de-chaussée, de soupiraux et de chambranles en bois noble, avait toujours impressionné Pierre. À l'intérieur, les foyers et leur jambage en pierre taillée, l'escalier principal habillé de son garde-corps aux balustres tournés, les cloisons en brique, le plafond à caissons, tout reflétait le bon goût de l'acquéreur. « Je me serais bien vu dans un tel décor », allait-il confier à Luce quand elle l'interrogea :

—Tu le côtoies, ce juge ?

—Non. Il est décédé au début du siècle. C'est lui, le juge Deschenaux, qui a fait ajouter l'étage supérieur et fait couvrir la construction de son toit mansardé. J'aurais beaucoup aimé le connaître. Fervent comme moi de mathématiques, entre autres. Nous aurions eu des échanges captivants.

—Je vois. Qu'aimait-il, aussi ?

—Comme toi, il était un amateur de musique et de littérature. Tu aurais dû voir sa bibliothèque : plus de mille volumes, à ce qu'on m'a dit.

—Sa famille vit-elle encore là ?

—Hélas ! non. Le gouvernement a acquis ce manoir l'an passé pour en faire la caserne des officiers militaires campés à Trois-Rivières.

—Quel désastre ! Cette guerre nous aura causé bien des soucis, en plus d'endommager nos biens. Et dire qu'elle ne devait même pas nous concerner !

Pierre se rebiffa.

—Comment peux-tu prétendre ça, Luce ? Aurais-tu oublié que nous sommes les sujets de l'un des belligérants ? Nous devons aider notre mère patrie à combattre ses ennemis.

—Ses ennemis ne sont pas nécessairement les nôtres. Ils ne sont pas les miens, en tout cas.

Pierre retint son commentaire, se rappelant la dispute qu'avait engendrée leur divergence d'opinions à ce sujet, deux ans auparavant. Il préféra clore la discussion et diriger sa petite famille vers le marché public, certain de susciter la curiosité et l'émerveillement de son épouse et de leur fils Isidore.

—Tu vois, là-bas, la pigeonnière ?

—Une pigeonnière ? Je ne connais pas ça !

Pierre se félicitait de son astuce.

—La tourelle, là, devant le marché, précisa-t-il. Je ne sais trop pourquoi, mais on l'a baptisée ainsi.

Cinq fois relocalisé avant d'être acheté, en 1810, par la famille Desfossés et fixé sur un terrain à l'angle de la rue Badeaux, le marché public ne faisait pas qu'offrir des denrées alimentaires et des articles divers, mais il servait aussi, au grand ravissement de Luce, de lieu d'assemblées publiques, de représentations théâtrales et de concerts.

—Tu l'aimeras autant que celui de Québec, paria le juge Bédard, visiblement fier de présenter à son épouse un autre point d'attraction de Trois-Rivières.

Luce confia le landau à son mari et partit, la main d'Isidore dans la sienne, à la recherche d'articles intéressants. Laitue, oignons, radis, volailles et pièces de bœuf s'entassèrent dans un sac de jute attrapé sur son parcours. Des ustensiles, des marmites et quelques vases précieux offerts à prix réduits s'y ajoutèrent. À distance, Pierre observait Luce, éberlué de la voir dépenser une somme d'argent considérable, qu'elle portait sur elle. «À l'entendre, elle est sans le sou! Je ne la comprendrai donc jamais, cette femme!» se désespéra-t-il. Comble de lutinerie, Luce le chargea de traîner le sac plein sur le chemin du retour.

—Qu'est-ce que tu vas faire de tout ça?

—Cuisiner et garnir le vaisselier. On sera plus à l'aise pour recevoir *tes* invités.

—Tu me reproches d'animer nos soirées pour te rendre la vie moins agréable?

—Je comprends tes intentions, mais tu ne t'imagines pas tout le travail que ça m'occasionne. Il n'y a pas que le repas à préparer. Il y a les courses, le ménage... Je suis épuisée avant même que les convives se mettent à table.

—Tu le caches bien.

—Je m'y efforce, même si très souvent les discussions m'ennuient.

—Tu ne t'intéresses pas à l'actualité?

—L'actualité, comme tu dis, n'est pas faite que de problèmes.

—Je n'inviterais pas des gens de marque pour causer de balivernes, riposta Pierre, pressant le pas vers leur domicile.

—Pourquoi te sauves-tu chaque fois que je veux t'exprimer ce que je ressens?

—Parce que tu te plains pour rien. Tu n'as qu'à la prendre, la parole. Tu vas bien voir si les gens ont le goût d'échanger sur les sujets qui te plaisent.

—Ah, oui? Et qui va servir les plats, s'occuper des enfants? Toi? Quand Isidore ose t'approcher, tu lui ordonnes d'aller voir sa mère, tonna Luce.

—Maman, je ne veux que vous recommenciez à vous chicaner! gémit Isidore, qui croyait l'harmonie revenue entre ses parents.

—On ne faisait que discuter, mon p'tit homme.

—Arrêtez de crier, d'abord!

—Promis, Isidore.

Sitôt de retour au domicile familial, Pierre, un porte-documents sous le bras, annonça son intention de se rendre au bureau.

—On ne devait pas passer la journée ensemble?

—Peut-être, mais j'ai besoin de me distraire un peu.

—Ah, bon!

« Se distraire! Se distraire de moi? De ses fils? Non. De moi. Comme si le déplaisir devait toujours rester secret! Si je n'avais entendu les confidences de Joseph et de John, je serais portée à croire que les hommes sont incapables de discuter. Pierre met toute son énergie à défendre ses causes. En cette matière, il se prononce haut et fort!»

Surgit dans sa mémoire une prédiction de son père: «Je gage qu'on parlera de cet homme de principe et de dévouement longtemps après sa mort. »

«Jamais de son épouse. Pas plus que des autres femmes, à moins qu'elles aient accompli des exploits ou qu'elles aient été des bonnes sœurs à béatifier. Luce Lajus n'aura été qu'une femme de cœur. Celle qui aura permis à son mari de faire ce qu'il aimait sans avoir à se soucier de sa famille. Personne, sauf ma mère, ne saura que je n'ai pas été la femme soumise que voulait faire de moi le mariage. Quelle perception nos fils auront-ils de leur mère? Vivrai-je assez longtemps pour la connaître? Ou vivrai-je plus heureuse en me contentant de supposer qu'ils m'apprécient? »

* * *

Avec une journée de retard, exigence de Pierre pour compenser l'absence des siens pendant tout le mois de juillet, les quatre garçons et leur mère montèrent dans la goélette en direction du port de leur ville natale. Le voyage se fit dans une ambiance festive. Inhabitée depuis plus de deux mois, leur maison de la rue Mont-Carmel allait avoir besoin d'aération et d'un brin de ménage à leur arrivée. Pierrot et Elzéar en avaient été prévenus. Leur collaboration était acquise.

—Vous méritez bien qu'on vous aide, maman. On est tellement contents de ne pas passer toutes nos vacances à Trois-Rivières! confia l'aîné.

—Déjà qu'on est forcés de changer de séminaire en septembre… Ce ne sera pas facile de se faire des amis à Nicolet, se plaignit Elzéar.

—Votre père a raison de vouloir vous rapprocher de lui, d'autant plus que votre grand-maman ne retournera peut-être pas vivre à Québec.

—Elle n'était pas qu'en visite chez mon oncle? s'inquiéta Elzéar, très attaché à Angélique.

Non moins empressé à rendre service à sa grand-mère, Pierrot suggéra de la visiter pendant l'été.

—Ce n'est pas à la porte, mon pauvre garçon. Je ne me vois pas partir pour Blainville avec vous quatre, sans l'aide de votre père.

—Pourquoi ne viendrait-il pas, lui aussi? demanda Pierrot.

Luce cherchait une explication appropriée quand Elzéar lança :

—Tu sais bien que papa et grand-maman n'ont jamais eu de plaisir à se côtoyer. Souviens-toi! Quand ils ne se boudent pas, ils se chicanent.

«Il est encore plus perspicace que je ne le pensais, mon Elzéar!»

Impatients d'arriver à Québec, dès qu'ils débarquèrent du bateau, les deux plus grands coururent vers la première calèche à deux sièges qui attendait des passagers.

«Dis donc, j'avais oublié de fermer les tentures du salon», s'étonna Luce en apercevant le 18 de la rue Mont-Carmel.

—Maman! Il y a une voiture derrière la maison, l'avertit Pierrot.

Un frisson traversa le dos de Luce. «Mon dieu! S'il fallait que ce soit le meurtrier…»

—Attendez ici, les enfants!

D'un coup, la porte s'ouvrit et les enfants du cousin Neilson coururent les accueillir.

—On a voulu s'assurer que tout était en ordre dans ta maison, expliqua John, qui venait à sa rencontre accompagné de son épouse.

—Je ne me souviens pas de t'avoir laissé une clé, se reprocha Luce, bien que ravie de les trouver là.

—Tu as raison. Je n'en avais pas.

—J'aurais aussi oublié de verrouiller la porte avant de partir?

—Entre, on va t'expliquer, suggéra John, la dégageant de ses bagages, et Ursule, du bambin Zoël, qu'elle combla de câlins.

Des cris de joie les précédèrent. Du seuil de la porte, Isidore leur annonçait que sa grand-maman Angélique se trouvait dans la maison. Luce se figea sur place. John dut lui révéler qu'il était venu chercher Angélique à la gare dans la matinée, et qu'elle avait insisté pour les garder à dîner, après quoi, elle avait exprimé le désir de passer ici.

—Elle va bien, maman?

—Très bien ! Ne t'inquiète pas. Elle avait juste besoin de revenir chez elle quelques jours, espérant revoir ses petits-enfants.

Luce pressa le pas. Sa mère lui ouvrit les bras, tremblante d'émotion. Leur accolade fut à la mesure de l'amour qu'elles se vouaient. Angélique ne put retenir ses larmes.

—On n'a jamais été si longtemps sans se voir, justifia-t-elle.

Une appréhension serra la gorge de sa fille. « Elle me cache quelque chose… Une peine ou une maladie ? Comment savoir ? Elle est si secrète ! »

—John a apporté des beaux poissons, et moi, des légumes que j'avais mis en conserve l'automne dernier. On va se faire un bon souper tous ensemble. Mais avant, donne-moi quelques minutes avec ton petit Zoël. Comme il a changé ! Bientôt un an, si je me rappelle bien…

—C'est un très bon bébé, le plus facile des quatre.

—J'aurais aimé le voir franchir toutes les étapes qui l'ont amené à marcher, celui-là aussi, dit-elle en lui tenant la main pour traverser la cuisine. Il y a des choix qui ne sont pas faciles à faire…

—J'espère que vous allez dormir avec nous ce soir. Nous avons tant de choses à partager ! supplia Luce.

—Je compte bien passer quelques jours avec vous avant de retourner au presbytère de Blainville. Tu reviens ici pour l'été ?

—Je ne sais pas trop encore. Ça plairait aux garçons, mais pas à leur père.

—Il va mieux, lui, maintenant qu'il occupe un poste digne de ses ambitions?

—Sur certains points, oui.

—On s'en reparlera ce soir, une fois que les petits seront endormis, suggéra Angélique.

L'épouse de John vint offrir ses services pour la préparation du souper. Luce s'en montra ravie et redoubla d'efforts pour étouffer la culpabilité qui l'habitait. Les trois femmes devaient faire preuve d'efficacité pour nourrir toutes ces bouches, dont certaines cherchaient déjà quelque chose à grignoter. Les pains dodus qu'Ursule avait offerts à sa tante Angélique s'étaient retrouvés chez Luce comme par enchantement, au grand plaisir des affamés, qui vinrent en cachette en dérober des morceaux. John profita du souper pour organiser une course aux trésors avec les petits cadeaux qu'Angélique avaient apportés de Blainville.

—Que c'est bon de se retrouver et de voir que tout le monde a du plaisir! s'exclama Angélique, demandant du même coup à Luce de reporter au lendemain les confidences annoncées.

Luce insista tout de même pour savoir qui l'avait informé de son retour à Québec.

—Ma correspondance avec John m'en donnait des indices, puis mon intuition a fait le reste.

—Il vous a donc parlé de moi…

—Par chance! Tu ne m'écris pas, toi. J'ai bien espéré de tes nouvelles… Tu me boudais?

—Je dirais plutôt que me suis sentie abandonnée quand vous êtes partie pour Blainville.

—De mon côté aussi, je vivais de l'abandon…
en repensant à tes frères.

Luce la fit répéter, croyant avoir mal entendu.

—Placés en pension au Séminaire dès l'âge de
douze ans, ils pouvaient croire que je n'avais pas
beaucoup d'affection pour eux : c'est jeune, douze
ans, pour quitter sa mère.

—Mais ils ne vous ont pas quittée !

—En choisissant la prêtrise, ils consentaient à
ne jamais revenir habiter à la maison, lui rappela
Angélique. C'est pour cette raison que je veux partager le reste de mes jours avec eux. L'idéal serait
que, tous les trois, vous habitiez tout près les uns des
autres. Mais c'est loin d'être le cas ! Si tu venais passer toutes les vacances d'été ici, à Québec, j'en ferais
autant. Comme ça, je ne négligerais personne.

Les mots de la veuve Lajus bouleversèrent sa
fille. « Un déchirement que je pourrais bien devoir
vivre avec mes propres fils. J'ai toujours souhaité
qu'ils deviennent des hommes libres. Libres de faire
les choix qui les inspirent et d'aller là où ils pourront réaliser leur idéal. Mais je n'en avais pas soup-
çonné les conséquences. Aujourd'hui, ma mère me
prévient qu'il y aura un prix à payer… La rançon de
l'amour maternel… »

Le lendemain matin, Angélique attendit que
les garçons soient partis jouer dans la cour pour informer Luce de la publication d'un article concernant Pierre.

—John m'a apporté la page du journal dans
laquelle on félicite ton mari. L'as-tu lue ?

—À quel propos? demanda Luce, visiblement surprise.

—La bibliothèque qu'il a mise en place au Barreau.

—Je ne me souviens pas qu'il m'ait parlé de ça. J'aimerais le voir.

Le nez collé sur le texte, Luce cogitait plus qu'elle ne lisait. «C'est ma faute s'il ne m'en a pas informée. Je manifeste si peu d'intérêt pour ses occupations. Est-ce par rancune? Ce n'est pas de cette façon que je vais resserrer nos liens. Mais pourquoi est-ce si lourd pour moi de l'écouter?»

Luce mesura la divergence de leurs rêves et de leurs besoins. Les siens n'étaient pas appelés à changer, et ceux de son mari non plus.

«Serait-ce le cas de la majorité des couples? Reste-t-il une place pour le bonheur sur cette toile de disparités? Comment l'y installer et l'y entretenir? Je sens bien que je ne pourrai pas m'en sortir sans aide. Mais vers qui me tourner? Vers mes frères? Non. Même s'ils sont prêtres, ils ne sauraient me comprendre. Leur doctrine n'a aucune prise sur mon quotidien! Vers ma mère? Ce serait trop l'accabler. Mon beau-frère Joseph? Surtout pas! Notre attirance naturelle nous jouerait de mauvais tours. Mon cousin John? Peut-être...»

Après un mois et demi de bonheur à côtoyer la parenté et les amis de Québec, il avait bien fallu retourner à Trois-Rivières. Prendre du bon temps avec Pierre, s'il en avait la disponibilité, et préparer les grands à leur entrée au Séminaire de Nicolet. De retour de ses six semaines de voyage en compagnie de Me Stuart, Elzéar narrait tout avec enchantement à sa mère et à ses frères. Pierrot souhaita vivre la même expérience, lors de ses prochaines vacances estivales.

L'accueil de Pierre avait été plus chaleureux que Luce ne l'avait espéré. On eût dit que le petit Zoël lui avait vraiment manqué. La joie des retrouvailles fut, hélas!, vite assombrie par les nouvelles de la guerre. Pierre en suivait le déroulement quotidiennement. Les journaux lui avaient appris qu'à la fin mars de jeunes miliciens de Saint-Joseph de la Nouvelle-Beauce avaient été emprisonnés après avoir refusé d'obéir à la loi lors d'une nouvelle levée.

—Par contre, on doit se réjouir de la décision des autorités britanniques de récompenser les Indiens pour leur engagement. Un ordre général a promis cinq piastres de récompense pour chaque prisonnier américain capturé, ainsi qu'une pension pour la perte d'un membre ou d'un œil. La famille d'un chef blessé aura droit à deux cents piastres de compensation, et la veuve, à cent quarante piastres. Le clergé non plus n'hésite pas à clamer sa fidélité à la Couronne.

—Maman m'a appris que Son Altesse Royale avait pressé le gouverneur Prevost d'augmenter le salaire de l'évêque de Québec et de le porter à mille livres par année. Ce ne serait pas une façon d'acheter leur loyauté?

—La reconnaissance s'imposait, trancha Pierre, qui réfutait tout reproche à la Couronne.

Il se tourna vers Pierrot et Elzéar, et leur imposa de consacrer au moins deux heures par jour à la lecture d'ici la fin de leurs vacances.

—C'est nécessaire pour préparer votre session d'études, allégua-t-il.

Cette directive provoqua leur indignation. Luce tenta d'apaiser les esprits.

—Dans la bibliothèque que tu viens de monter, semble-t-il, à la Tour de la justice, aurais-tu de bons livres à leur prêter?

Flatté, Pierre se calma. S'adressant à ses fils, il leur suggéra trois matières:

—En mathématiques, en philosophie ou en droit?

—En histoire! réclama Elzéar.

—Ça devrait être possible. Et toi, Pierrot?

—En littérature française: je voudrais lire *Paul et Virginie*.

—D'où vient que tu t'intéresses à ce livre-là en particulier?

Pierrot haussa les épaules, sans plus.

—Qui l'a écrit?

—Je m'en souviens plus.

—Tu sais de quoi il traite?

—Un peu. Quelqu'un m'en a parlé y'a pas longtemps.

—Quelqu'un serait venu te parler de ce livre comme ça, sans savoir s'il t'intéressait?! Trop étrange pour que j'y croie! De toute façon, oublie ça, Pierrot. Tu es bien trop jeune pour lire ce genre de récit!

—J'ai seize ans, au cas où vous l'auriez oublié.

—Un peu de respect envers ton père, mon garçon! le gronda Luce.

—Pensez-vous que je vais passer ma vie à vous demander la permission pour un oui ou pour un non? s'écria Pierrot en se précipitant à l'extérieur.

Luce s'empressa de le suivre.

—Attends-moi, Pierrot!

Caché derrière la maison, il attendait sa mère en marmonnant.

—Laisse-moi la chance de parler à ton père. Comme il n'a pas beaucoup vécu avec nous, il n'a pas réalisé que tu devenais un homme. Mais il n'y a pas que ton âge qui cause un problème: tes professeurs t'ont sûrement appris que la religion catholique interdit la lecture de textes qui donnent des pensées et des désirs impurs. Ta grand-mère pourrait t'en parler, elle qui avait un évêque dans sa famille.

—Je le sais, maman. Ils nous savonnent les oreilles à toute occasion avec les dix commandements de Dieu et les sept péchés capitaux.

—Et tu veux lire ce livre quand même?

—Oui. Si jamais je me mariais jeune comme vous, maman, je ne voudrais pas passer pour un niaiseux.

Luce se retint d'éclater de rire, ce qui aurait pu vexer son fils.

—Je comprends, Pierrot. Je vais demander à John de me le procurer. Sois patient.

—Il l'a dans sa librairie?

—Sans doute.

—Et papa?

—Je lui en reparlerai en temps et lieu. Le souper sera prêt dans une demi-heure. Je compte bien que tu auras retrouvé ta bonne humeur quand tu te mettras à table avec nous.

—J'essaierai.

Comme il avait tenu sa promesse, le repas avait été apprécié tant pour les mets servis que pour l'atmosphère qui régnait. Le soir venu, Luce attendit que ses garçons soient au lit avant de se couvrir de son tablier.

—Qu'est-ce que tu fais?

—Je veux préparer mes pâtisseries ce soir, pour avoir plus de temps pour m'occuper des garçons demain.

—C'est le temps de te reposer.

Luce s'apprêtait à rouler sa pâte quand son mari vint lui retirer son tablier avec une délicatesse exceptionnelle.

—Ça fait longtemps…

Elle comprit ce qu'il désirait. Sur le point de lui dévoiler ses atouts, Luce s'interrompit lorsqu'elle entendit de sa bouche une réflexion renversante:

—Ce ne serait pas une catastrophe si on avait un autre bébé. Je suis désormais en mesure de faire vivre ma p'tite femme et tous mes enfants sans problème… si tu fais ta part.

—C'est donc que tu es heureux, maintenant, dans tes fonctions de juge? présuma Luce tout en se dirigeant vers la chambre à coucher, disposée à se donner à son mari.

—Bof! Je constate que la politique me manque. Tu avais raison de croire que Prevost avait pour but de me bâillonner. Mais au moins, je suis honorablement payé.

—Argumenter, faire la part des choses, trancher : je me verrais bien faire ça, moi! plaisanta Luce sur un ton rieur.

Pierre figea sur place.

—Je t'ai offensé? s'enquit Luce.

Luce s'empressa de revêtir sa robe de chambre et vint se placer droit devant Pierre.

—Je sais que vous pensez ainsi, messieurs : épouse et mère d'abord et, exceptionnellement, aubergistes ou commerçantes, pas plus que ça. Mais je te parie qu'un jour, les femmes vont pratiquer des métiers que vous n'auriez jamais imaginés qu'elles aient. Des métiers que vous voulez vous réserver, messieurs!

—Je ne te vois pas avec une hache à la main.

—Non, mais je pourrais être médecin, par exemple. Papa m'a déjà dit que j'en avais le talent.

Sentant bien que son épouse aurait le dernier mot, quoi qu'ils discutassent, Pierre décida soudain d'aller prendre une marche.

Dépitée, Luce passa son tablier sur sa robe de nuit et se remit à la pâtisserie. La fatigue la ramena au lit avant que Pierre ne fût de retour.

Deux jours s'écoulèrent avant que Pierre apportât des livres à ses fils. Sur la table, il plaça deux biographies : l'une de Dominique de Guzmán et l'autre d'Ignace de Loyola.

—Tiens! Voilà des lectures qui vous feront grandir.

—Qu'est-ce qu'ils ont fait, ces hommes-là? s'informa Elzéar.

—Ils ont fondé des communautés religieuses.

—Puis vous pensez que je vais lire ça? pesta Pierrot, repoussant les deux volumes du revers de la main. Maman en aurait de meilleurs à me suggérer, j'en suis sûr!

Coincée, Luce fixa son attention sur son dernier-né, qui grimpait partout, collectionnant les ecchymoses.

Elzéar examina les deux bouquins.

—Ah! Mais lui, je le connais, nota-t-il en pointant la biographie de saint Ignace de Loyola. Il a fondé la communauté des Jésuites. Un de nos professeurs nous en a beaucoup parlé. On les avait chassés de Québec et ils sont revenus l'an passé. Je le prends.

Le geste de son jeune frère lui attira tant d'éloges que Pierrot renonça à poursuivre tout entretien avec son père. Sa rancune se nourrissait de toutes les déceptions qu'il lui avait causées par le passé. « Il n'est pas si loin, le jour où je pourrai le confronter sur son terrain. Mes études en droit, je sais auprès de qui les faire, et je ne serai pas perdant. Denis-Benjamin Viger sera mon maître. »

Étant fils d'un homme d'affaires à succès, Me Viger lui inspirait confiance. Qu'il demeurât à Montréal l'arrangeait. « J'aurai une bonne raison de m'éloigner de mon père », planifia Pierrot, du coup ragaillardi.

Contrairement à Elzéar, c'est avec un enthousiasme débordant que Pierrot se plongea dans cette année d'étude. Son intégration dans un nouveau collège, loin de l'importuner, le stimulait. Le plus sociable des trois aînés, il s'attirait des amis facilement et suscitait la fierté de ses maîtres.

Elzéar, quant à lui, avait jeûné pendant les deux derniers jours des vacances, cloîtré dans sa chambre. Luce s'en inquiétait.

—Dis-moi où tu as mal.

—Nulle part. J'ai juste pas faim, répétait-il, plongé dans la biographie du fondateur de la Compagnie de Jésus.

—Ce n'est pas parce que saint Ignace a fait beaucoup de sacrifices que tu es tenu de suivre son exemple, tenta Luce. Un garçon de quatorze ans n'a pas fini de grandir : une raison de plus pour bien s'alimenter.

—…

—Qu'est-ce que tu vas faire à l'heure des repas au Séminaire de Nicolet?

—Comme les autres.

—Tu vas manger?

—Je vais me rendre au réfectoire et je verrai bien…

—J'aimerais te faire voir un médecin, cet après-midi.

—Je ne suis pas malade, maman.

—Seulement par prudence. Ton père en connaît un très bon tout près de son bureau.

—Si ça peut vous rassurer… Mais ça ne donnera rien.

De fait, après un examen minutieux et un questionnaire pointu, le médecin ne put diagnostiquer aucun mal.

—Comment expliquez-vous qu'il ait perdu l'appétit à ce point? l'interrogea Luce.

—Je ne vois qu'une chose: un accès de mélancolie. Il y a des cas dans votre famille?

—Du côté de mon père, oui, répondit Luce, évoquant non sans chagrin les semaines pénibles que son père avait vécues, enfermé dans sa chambre, après le meurtre d'Olivier.

—Ce sera à surveiller.

«Comment croit-il possible que je surveille mon fils à Nicolet, alors que j'habite Trois-Rivières, avec deux enfants à ma charge! Ah, les hommes!»

Pendant trois dimanches consécutifs, Luce confia ses deux jeunes à son mari, le temps de rendre visite à ses fils au Séminaire. Elle trouva Elzéar très affaibli, blafard et déprimé. Ni Pierrot ni les autorités du Séminaire ne purent expliquer l'état de ce garçon pourtant fort brillant et studieux, comme le soulignait le rapport académique des années précédentes.

—Je ne partirai pas d'ici sans que tu m'aies dit ce qui te ferait du bien, exigea Luce.

La tête nichée entre ses deux mains, Elzéar tergiversait sans qu'une parole ne sortît de sa bouche.

La troisième rencontre fut décisive: le jeune homme serait ramené dans sa famille, le temps de se refaire une santé.

—Je ne veux plus retourner à Nicolet, confia Elzéar à sa mère après une semaine de convalescence.

—Mais tu ne peux pas cesser tes études à ton âge, et avec le talent que tu as!

—Je veux les poursuivre, maman, mais à Québec!

—Tu irais vivre tout seul à Québec?

—Je ne serais pas seul. Je connais tout le monde au Séminaire. Puis, il y a Mᵉ James Stuart…

—Quelle famille éparpillée! Bon, d'accord… mais je vais quand même essayer d'obtenir l'accord de ton père.

—J'aimerais parler au cousin John.

Luce perçut dans ce désir l'ébauche d'un détachement qui lui sembla prématuré. Par ailleurs, comment pouvait-elle s'étonner du choix d'Elzéar? N'avait-elle pas choisi John Neilson comme confident? «Serait-ce qu'il ne se sent pas à l'aise avec son père?» Après mûre réflexion, elle jugea futile d'aborder cette question avec son fils. «J'en connais déjà la réponse», présuma-t-elle.

À l'affût d'un moment de tranquillité, elle saisit le premier venu pour écrire à son cousin. Après l'avoir informé de la situation d'Elzéar, elle lui exprima ses propres ennuis:

C'est la première fois que vous nous laissez espérer que vous viendrez sous peu, et il ne faut rien de plus que désirer vous voir comme je le désire pour le croire. Ainsi, mettez donc immédiatement sur vos ta-

blettes que vous partez dimanche pour les Trois-Rivières. Pour remède contre l'ennui, je suis allée deux fois à Nicolet, et c'est bien vrai que je m'ennuie moins, même la journée après mon retour et le lendemain. Pour ce qui est de me former deux ou trois liaisons, la chose me paraît impossible. Je suis peut-être trop difficile. Si je pouvais trouver une amie à qui d'abord je trouverais de l'esprit, sans malice, de la franchise, qui pourrait m'inspirer de la confiance et une sorte de respect pour son jugement, je vous assure que je mettrais tout de mon côté pour me l'attacher. Je n'ai encore rien trouvé qui en approche. J'ai trouvé de l'esprit, mais toujours accompagné de méchanceté. De la bonté ? Un peu, mais rien qui rende le commerce assez intéressant pour faire des frais. Mlle Daunet est une personne d'un grand mérite, mais elle est d'un froid, d'une indifférence qui repoussent. Elle me paraît ne s'arrimer qu'avec les hommes. Son éducation et sa philosophie m'ont mise en état de ne pouvoir tenir de conversation qui l'amuse.

Je ne m'accoutume pas du tout à la société d'ici, et je ne me ferai jamais à cet endroit. Je ne suis pas assez philosophe pour être extasiée devant des clôtures de perche dans une ville.

Nos meilleurs compliments à Mme Neilson et nos remerciements à Me Stuart pour le récit qu'il fait des Trois-Rivières ; quelque chose qu'il ait pu dire, il aura pu vous faire comprendre les sentiments d'affection de celle qui sera toujours, mon cher monsieur,

Votre cousine et sincère amie,

L. L. Bédard

La visite du cousin Neilson à Elzéar fut l'occasion pour Luce d'échanger avec lui sur des sujets délicats. Trop délicats pour être confiés à la poste. Ainsi put-elle apprendre qu'au cours de ses vacances à Québec, Pierrot avait passé des heures assis sur le sol dans un coin discret de sa librairie, à lire *Paul et Virginie*, le roman de Bernardin de Saint-Pierre.

—En quoi cette histoire est si fascinante pour un garçon de seize ans?

—Elle l'est pour des lecteurs de tous âges, Luce. Tu ne la connais pas? Je vais te la résumer en quelques mots: Paul et Virginie sont nés de deux familles différentes, mais élevés ensemble sur l'île Maurice, comme frère et sœur. Mais voilà que, vers l'âge de quinze ans, ils se mettent à éprouver des sentiments amoureux l'un pour l'autre. Informée de leur relation, une tante de Virginie fait revenir cette dernière en France sous prétexte d'en faire son héritière, alors qu'en réalité, elle veut lui faire épouser un homme qui représente un meilleur parti. Virginie refuse ce mariage et préfère être déshéritée. N'ayant pu oublier Paul, elle lui écrit pour lui annoncer son retour. Aussitôt chassée de France, elle est renvoyée sur l'océan malgré la menace des ouragans, mais Virginie ne pense plus qu'à retrouver l'homme qu'elle aime. Malheureusement, le navire sur lequel elle est embarquée s'échoue tout près de l'île, sous le regard de Paul.

—C'est tout?

—Non. Après le décès de la jeune femme, les deux mères ont eu le même songe.

—Étrange! Qu'est-ce qu'il racontait, ce songe?

—Il prédisait la mort de Paul, de sa mère et de la mère de Virginie.

—Puis?

—Le songe se réalise.

—Ce n'est pas rassurant...

—Tu crois aux songes?

—Ce n'est pas ce que je veux dire. J'aurais souhaité que Pierrot soit attiré par des romans plus joyeux, moins mélancoliques.

—Peut-être cherche-t-il à comprendre les difficultés qu'il rencontre dans sa vie familiale...

La réflexion de John, trop pertinente pour être contestée, la bouleversa.

Doté d'une remarquable intuition, John avait décelé une grande déception amoureuse chez sa cousine. En dépit des vœux de santé, de succès et de bonheur qu'elle formulait pour son mari, son comportement la trahissait et elle dut l'admettre.

L'heure était venue pour John Neilson de livrer l'un de ses plus grands secrets.

—Je te revois... Tu n'avais pas plus de quinze ans. J'en avais dix-huit. Tu pouvais passer des journées entières à fouiner, ouvrant un livre pour en lire des passages, le délaissant pour un autre et t'y attardant davantage, ou moins, selon ton intérêt. Je t'observais discrètement. Je ne voulais pas que tu devines la fascination que tu exerçais sur moi. Tu étais trop jeune. De plus, j'avais trop d'estime pour tes parents, ton père surtout, pour causer le moindre trouble à sa fille. Son unique fille. Sa « princesse », comme il aimait t'appeler. Plus tu vieillissais, plus tu devenais gracieuse, radieuse et séduisante. Trop. Tu étais trop bien pour un Écossais protestant. J'ai essayé de ne plus faire cas de toi. De te chercher des défauts. Mais je n'y arrivais pas. C'est alors que je suis allé demander conseil à ton oncle, Mgr Hubert. Tu devines…

Sans pouvoir adresser un regard à John, Luce le lui confirma.

—Il se mit dans une telle colère, me prédisant même la malédiction de Dieu si je cherchais à gagner ton amour et à t'épouser! Moins de cinq mois plus tard, tu épousais Pierre. Que j'ai regretté d'avoir consulté ce prêtre! L'occasion me fut donnée de me venger de lui quand j'ai rencontré Ursule, sa nièce, une demoiselle de qualité, catholique, et désireuse de m'épouser malgré nos divergences religieuses. C'est pourquoi j'ai proposé qu'on se marie en présence d'un pasteur d'Angleterre, mais aussi d'un prêtre catholique. Unis sous le régime de la communauté de biens, et jurant fidélité à la Coutume de Paris, je voulais signifier mon appartenance définitive au Canada et contrer les préjugés entre Canadiens et immigrants britanniques. De cela, je suis fier. Mais…

John hésitait à faire un dernier aveu.

—Vas-y, John! Je suis plus solide que tu ne le crois.

—Tu te souviens… de ce que je t'ai dit après les funérailles d'Olivier?

—Oui. Quelque chose comme: «Je serai près de toi quand et comme tu le voudras.»

—Je croyais que tu ne l'avais pas retenu, à cause de ton grand chagrin.

—Je n'y avais vu qu'une grande sollicitude.

—Et maintenant?

—Un attrait, peut-être?

—Un attrait qui n'a cessé de grandir et qui me tourmente. Mais qu'en est-il de toi?

—D'un côté, c'est une épine de plus à mon pied, et de l'autre, un tel réconfort que j'aurais du mal à y renoncer.

—Il serait peut-être préférable pour nous deux que nous évitions de nous voir seul à seule, suggéra John, un trémolo dans la voix.

La réponse de Luce se fit attendre.

—Pourvu que nous maintenions notre correspondance. Peut-être pourrons-nous nous en satisfaire…

—Ce sera encore plus difficile qu'avant, appréhenda John.

CHAPITRE IX

Ses responsabilités en tant que juge ne monopolisaient pas l'attention de Pierre au point de le distraire des enjeux de la guerre anglo-américaine. Faute de plaidoiries à préparer, il feuilletait tous les numéros de *La Gazette de Montréal* en quête de nouvelles récentes. La publication d'une proclamation du gouverneur en chef lui donna des frissons. Après en avoir noté les grandes lignes, il trouva judicieux d'en informer son épouse. Contrairement à ses habitudes, il se présenta à son domicile sur l'heure du midi, rapportant avec lui non seulement le lunch que son épouse lui avait préparé, mais aussi une feuille du journal dont il désirait lui faire la lecture à voix haute.

—Ça ne pourrait pas attendre que j'aie fini de faire manger Zoël?

—Tu peux continuer quand même, cet article s'adresse plus à nos tripes qu'à notre entendement.

—Tu as réussi à piquer ma curiosité. Je t'écoute.

—«Les ordres impérieux d'un ennemi menaçant n'ont pas encore été entendus dans nos chaumières; il ne lui a pas été permis de polluer de son pied notre sol. Nos moissons abondantes ont été partout recueillies avec sécurité, et le cultivateur industrieux a joui tranquillement, au milieu de sa famille, du fruit de ses honnêtes travaux.»

—On dirait un roman pastoral.

—Attends! Ce n'est qu'une introduction malicieuse.

—Bon, continue!

—«Pour vous assurer la continuité d'un tel bonheur et détourner de dessus vous, aussi bien que de dessus vos familles, les maux inséparables d'une invasion hostile, il faut que vous soyez prêts à manifester un zèle déterminé à résister à tout, une soumission parfaite à toutes les peines, à toutes les privations auxquelles vous serez exposés et une ferme résolution de n'abandonner qu'avec la vie vos foyers au pouvoir d'un étranger.»

—Mais où veut-il en venir?

—Les Américains essaieraient de conquérir Montréal avant l'hiver... Sans doute pour empêcher les troupes anglaises d'accéder à leurs munitions. Depuis un certain temps, c'est à Lachine que sont entreposées les marchandises destinées au Haut-Canada.

—Pourvu que l'armée n'approche pas trop de Québec…

—Trois-Rivières est encore plus exposé.

—On aurait au moins le choix de retourner chez nous, bredouilla Luce.

Contrarié, Pierre riposta :

—Je croyais qu'ici aussi, c'était chez nous…

—Tu ne me feras pas croire que tu aimes habiter Trois-Rivières autant que Québec et Charlesbourg!

—La raison compense, non?

—J'essaie tant bien que mal de me faire à cette idée.

Ne souhaitant pas s'éterniser sur le sujet, Luce apprécia que les bouffonneries de Zoël agrémentassent ces échanges sur le point de s'enliser dans la controverse. Elle avait pris la résolution d'éviter tout litige avec son mari, sauf si ses enfants étaient concernés.

« Je donnerais ma vie pour sauver la leur. Chacun à leur façon, ils m'émerveillent. Pierrot avec son génie des mots et son dévouement. Elzéar avec sa finesse et sa grande intelligence. Il a fait tant d'efforts pour améliorer sa diction qu'elle est presque parfaite! Il est admirable! Isidore est le plus expressif des trois : enjoué, vif d'esprit. Quant à mon p'tit Zoël, c'est mon rayon de soleil. Il est beau comme un cœur. Beau comme le plus beau des Bédard. Jean-Baptiste ou Joseph? Ces deux-là se ressemblent tellement! Je croyais ne jamais me consoler de ne pas avoir de fille : mes garçons ont pourtant réussi à me combler généreusement. »

Luce devait à John l'harmonie dans laquelle le transfert d'Elzéar du Séminaire de Nicolet à celui de Québec avait été effectué. «Lui écrire pour l'en remercier me fournirait l'occasion de m'adresser à lui en faisant fi des aveux échangés lors de sa dernière visite», se dit-elle. Sitôt Pierre reparti à la Cour, elle sortit sa plume.

19 octobre 1813

Monsieur et ami,

Il y a bien longtemps que je n'ai eu le plaisir de recevoir une de vos lettres. Je crois pourtant avoir été ponctuelle. Il est vrai que ma dernière était pour vous recommander mon fils. Celle-ci est pour vous remercier de vous être occupé de le faire entrer au Séminaire de Québec. Dieu veuille que je puisse être assurée qu'il achèvera ses études.

On parle beaucoup de guerre, ici. Deux colonels ont remis leur démission et veulent passer en Angleterre, non pas parce qu'ils ont peur, me dit-on, mais pour donner des plans pour la défense du pays! J'ai peine à les croire.

Le Dr Blanchet a passé deux jours ici à s'entretenir avec mon mari de questions politiques. Il n'y a pas de femmes capables de parler aussi infatigablement que l'ont fait ces deux messieurs depuis sept heures, jusqu'à onze heures et le lendemain toute la sainte journée. Ils ont fait une récapitulation de la révolution, de ses débuts jusqu'à nos jours. Et puis des projets, ah! Fallait les entendre! Ils aiment beaucoup notre gouverneur.

C'est toujours à outrance qu'ils en parlent, ces hommes-là.

Rien de nouveau aux Trois-Rivières. Je sors très peu, je n'en ai pas même le temps, car nous avons toujours du monde à la maison. Le Dr Head m'a fait prendre le contenu extrêmement fort d'une fiole blanche. Il m'a fait peur, surtout parce que je crache un peu de sang. Je ne m'inquiète pas parce que j'ai déjà eu tant de rhumes, et les médecins ont prédit tant de fois ma mort, que j'espère les faire encore mentir. M. Bédard voudrait que j'aille à la campagne, mais je n'irai pas parce que cela me paraît inutile dans une aussi mauvaise saison.

J'ai l'honneur d'être…

Luce déposa sa plume, trop encline à charger ses derniers mots de sentiments répréhensibles. Sur un bout de papier, elle en rédigea plusieurs versions. Les unes, brûlantes de désir, les autres d'une froideur invraisemblable.

Avec une parfaite estime, monsieur,
Votre très affectueuse et très sincère amie,
L. L. Bédard

Ainsi, conclut-elle, déchiquetant en mille morceaux ses brouillons avant de déposer sa lettre à la poste.

Le lendemain matin, un regret l'accabla. « J'aurais dû me faire une copie de mes dernières lignes. Je n'arrive plus à m'en souvenir. S'il fallait que je me sois laissé emporter par mes émotions ! John pourrait bien décider de ne plus m'écrire. Je ne m'en consolerais jamais. Vivement une réponse de lui!»

Les victoires remportées sur la scène politico-militaire l'aidèrent à se libérer de ses pensées obsédantes pour John. Deux lieutenants-colonels, Charles de Salaberry et George MacDonell, avaient forcé l'armée américaine à la retraite lors de la bataille de Châteauguay. Un triomphe qui se soldait par la perte de moins de dix soldats canadiens et une quinzaine de blessés. De ce fait, les premiers flocons de novembre, souvent porteurs de mélancolie, semaient des pépites d'espoir sur tout le Bas-Canada. Le couple Lajus-Bédard, contemplant le quartier depuis la grande fenêtre du salon, s'accordait un moment de sérénité.

—Les armées sont au bord de l'épuisement, avança Pierre.

—Est-ce à dire que bientôt, notre peuple va retrouver la paix et nos fils vont pouvoir grandir dans la sérénité? demanda Luce sur le ton d'une prière lancée vers le ciel.

—Tu seras exaucée au moins pendant plusieurs mois, vu qu'à l'approche de l'hiver les troupes se retirent.

—Tu penses que la guerre va reprendre au printemps?

—Probablement pas ici.

Pierre préféra lui cacher que des centaines de chalands, avec des milliers d'hommes armés, descendaient le Saint-Laurent en direction des rapides du Long-Sault. L'issue de cette attaque demeurait imprévisible.

Une lettre provenant de Blainville leur fut remise à cet instant.

—Tu l'ouvres, Luce? Elle vient sûrement de ta mère.

—Mais ce n'est pas son écriture…

—Ton frère, peut-être?

—Ma mère a sûrement glissé un petit mot dans l'enveloppe. Je gage qu'elle nous annonce son retour à Québec pour le temps des fêtes. Ce serait si agréable de se retrouver dans sa grande maison pour festoyer tous ensemble!

Luce éventra l'enveloppe avec impatience et en tira deux feuillets… partiellement noircis. L'un de Jean-Baptiste, la prévenant des problèmes de santé de leur mère, l'autre d'Angélique. L'écriture traduisait sa difficulté à tenir sa plume.

Je passe des moments difficiles. Mon cœur fait le fou. Mais ne t'inquiète pas, je suis bien traitée ici.

Je ne te cache pas que j'ai hâte à Noël. John va aller préparer ma maison pour le 23 décembre. Je vous y attendrai tous. Son épouse a offert de venir m'aider. J'accepte ses services. Ainsi, nous aurons plus de temps pour causer et nous occuper de tes enfants. Comme je le disais à mon médecin, qui m'accuse de prendre un grand risque en retournant à Québec : s'il faut mourir un jour, j'aime mieux le faire dans ma maison, entourée des miens. Ton frère insiste pour que je revienne à Blainville… juste le temps qu'il soit af-

fecté à une nouvelle cure, pas loin de celle de ton frère René-Flavien.

—Elle sent sa mort venir, ma pauvre maman! gémit Luce, impuissante à retenir ses larmes.

Pierre assistait silencieux au désarroi de son épouse.

—Quand est-ce qu'on va en finir avec les deuils? ajouta-t-elle.

—Je n'en vois pas d'autres à part ceux causés par la guerre, Luce. Explique-toi.

—Perdre ma mère, c'est perdre toute ma parenté!

—Mais tu as deux frères.

—Depuis qu'ils sont prêtres, ils appartiennent à une autre famille. On n'a presque plus de contacts. Je les ai tant aimés quand ils étaient à la maison! J'étais leur deuxième mère, qu'ils me disaient.

—Et tes fils? Et ton mari?

—Je parlais des Lajus.

Pierre allait lui exprimer son empathie quand il constata qu'il avait oublié de mentionner John Neilson.

—Un cousin éloigné, John.

—Pas si éloigné que ça! Plus proche que tes propres frères, à voir le nombre de lettres qu'il t'a écrites!

—Comment le sais-tu? Tu fouilles dans mes tiroirs de bureau, maintenant?

—Je cherchais d'autres papiers quand j'en ai aperçu une pile, bafouilla Pierre.

—Quels papiers?

—Au cas où ta mère t'en aurait donnés… au sujet du meurtre.

Rouge de colère, Luce se pinçait les lèvres. Trop de paroles offensantes seraient sorties de sa bouche si elle n'avait craint de le blesser.

—La promesse que je t'ai faite… je ne l'ai pas oubliée, tu sais. Je ne pourrais pas agir officiellement, mais rien ne m'empêche de continuer à chercher une piste…

—…

—Parle, Luce!

—Je n'aurais jamais douté de la discrétion d'un avocat!

—Laisse-moi t'expliquer mon plan, tu vas comprendre.

Luce allait s'enfermer dans sa chambre, mais Pierre la retint de ses larges mains posées sur ses épaules.

—Pas cette fois, Luce. Trop souvent, nous n'avons pas eu le courage de nous expliquer. Nous avons empilé des tas de déceptions, de peines et de rancune. Trop de disputes se sont bouclées par un silence mortel. Notre amour est à l'agonie, Luce. Il ne faut pas le laisser mourir. Il est encore temps de réagir!

Luce restait muette.

—Je crois que tu m'aimes encore. Depuis ma nomination comme juge, tu m'en as donné tellement de signes! J'avoue qu'il m'est arrivé de douter que tu sois la femme qui me convient. Mal dans ma peau, impatient, angoissé, j'attendais de toi des solutions à tous mes problèmes. Je t'ai prise jeune, audacieuse, avec une dose enviable de confiance et de joie de vivre. Tout ce que je ne pouvais pas t'offrir, tu l'avais depuis ta naissance. Mes reproches n'étaient qu'une façon maladroite de te dire que je t'enviais.

Cet aveu saisit Luce. Elle tourna vers lui son regard, une incitation à poursuivre.

—Penses-tu que je ne décèle pas la convoitise dans les yeux de tous ces hommes quand nous nous retrouvons en public? Ils la méritent mieux que moi, que je me dis, la rage au cœur. Je serais prêt à échanger mes talents en politique, en mathématiques et en philosophie contre des aptitudes à l'amour, à la vie de couple, à la paternité. J'ai cherché dans des livres… Pas un ne m'en offrait la méthode. Toi, tu aurais pu m'apprendre tout ça. Mais l'orgueil m'aveuglait. Accepterais-tu de me montrer comment aimer?

—Je ne crois pas en être capable, Pierre. Je doute même que ça s'enseigne.

—Pourquoi ne pas essayer?

—On reprendra ça une autre fois. J'ai le cerveau qui veut éclater. J'ai besoin de réfléchir à tout ce que tu m'as dit, à tête reposée.

—Je comprends que c'est lourd pour toi, tout ça. Fais-moi signe quand tu seras prête à ce qu'on en reparle. Tu me donnes espoir, Luce. Mille mercis! murmura-t-il en la pressant contre sa poitrine.

* * *

Le souhait d'Angélique s'était concrétisé, à l'exception du lieu des retrouvailles.

« Je vous connais trop. Si nous sommes dans votre maison, vous ne vous reposerez pas, même si la cousine s'offre à vous aider. C'est à mon tour de vous inviter et de prendre soin de vous », lui avait écrit Luce dans une missive datée de la fin novembre.

« À condition que je puisse passer quelques jours toute seule dans ma maison », avait exigé Angélique.

« Si sa santé le lui permet… Comment ne pas soupçonner qu'elle veuille réexaminer ses papiers en toute discrétion. Les rapporter avec elle, si ce n'était déjà fait. Sa fragilité pourrait-elle créer une ouverture ? À moins que mon frère Jean-Baptiste l'ait convaincue de ne se confier qu'à lui et de lui remettre tous ses documents. S'il fallait… Connaissant la mentalité des curés, il nous exhorterait à implorer la miséricorde divine et à accorder notre pardon au meurtrier d'Olivier. Une condition pour mourir en paix et mériter le bonheur éternel, saurait-il recommander à notre mère. Quoi qu'il souhaite, je te jure, mon cher Olivier, que je ne renoncerai pas à tout faire pour démasquer le coupable et le faire punir. »

L'invitation de Pierre, formulée le soir des grands aveux, avait surgi dans sa mémoire. « Lui donner suite ou l'ignorer ? Qu'ai-je à perdre ? À bien y penser, je risquais de courir au-devant d'une autre déception. Je ne me sens pas prête à revenir sur ce sujet. »

Les retrouvailles de cette fin d'année 1813 avaient été plus festives que les précédentes. La présence tant souhaitée d'Angélique, dont la santé était pourtant chancelante, et celle d'Elzéar, éloigné de sa famille depuis son retour au Séminaire de Québec en étaient la cause. Aussi, Pierre avait adopté une conduite exemplaire tout au long des huit jours passés à Québec. Ainsi s'était-il attiré les compliments d'Angélique et la reconnaissance de ses fils. Luce avait redouté chaque soir qu'il la questionnât sur ses dispositions sentimentales à son égard. Les semaines avaient filé, et elle ne se sentait pas encore disposée à reprendre la conversation laissée inachevée depuis novembre. Tel que convenu, Pierre devait attendre que son épouse la relançât. « J'ai été naïf de croire qu'elle choisirait ces quelques jours de vacances pour reprendre un entretien aussi lourd de conséquences. Comme je la connais, elle tenait à ne pas assombrir le climat familial, le plus harmonieux que nous ayons connu depuis les dix dernières années. J'espère qu'elle ne me fera pas languir des mois encore. Plus l'attente se prolonge, plus la peur me hante. S'il fallait qu'elle me repousse après tout ce que j'ai réussi à lui déclarer, je ne m'en remettrais pas. »

La scène politique, en plus de l'ambiance de la magistrature, lui permettait de faire diversion. Dès l'ouverture de la nouvelle session parlementaire, la question de l'illégitimité des juges comme membres du Conseil législatif avait refait surface. Une fois de plus, un projet de loi avait été présenté, puis rejeté d'entrée de jeu. Face à cette défaite, les députés avaient formé un comité chargé d'étudier les pouvoirs exercés par les juges du Banc du Roi. L'examen des journaux du Conseil révéla que ces juges avaient fait usage, en 1809, d'une autorité arbitraire en matière constitutionnelle, entre autres. Le comité tint Jonathan Sewell, juge en chef de la province du Bas-Canada, responsable de dix-sept crimes, dont l'emprisonnement des proches du journal *Le Canadien*. Le Dr Blanchet, lui-même incarcéré avec une vingtaine d'autres hommes, à l'instar de James Stuart, n'avait pas tardé à se rendre au bureau du juge Bédard pour l'en informer.

—Cette fois, c'est moi qui mène la bataille contre ces deux juges! clama le député Stuart.

Douce revanche pour celui qui s'était fait dérober son poste d'avocat général de la province par Stephen Sewell, le frère de Jonathan.

—Que tous les Canadiens du Bas-Canada sachent qu'en plus des crimes qu'on lui reproche, Sewell a semé la division dans notre population en l'incitant à se détourner de Sa Majesté, dit le député Stuart.

—Qu'en est-il de Monk? demanda Pierre.

—Tout comme Sewell, il a profité de son poste de juge en chef du district de Montréal pour s'accorder une autorité qui ne lui était pas attribuée et instituer des règles à sa guise, dénonça le Dr Blanchet.

—Ces accusations ne doivent pas en rester là! s'insurgea Pierre.

—J'ai été chargé de préparer un rapport et je l'ai présenté au gouverneur Prevost afin qu'il l'achemine au prince régent, lui apprit Me Stuart.

—Des nouvelles?

—Eh, oui!

—Puisque la demande provient d'une seule branche de la magistrature et que le Conseil législatif n'a pas été consulté, continua Blanchet, Prevost ne considère pas nécessaire de suspendre ces deux juges de leur fonction.

—Il fallait s'attendre à ce que les deux Conseils se portent à la défense des juges incriminés et présentent leur version au prince régent, convint Stuart. Des agents seront envoyés à Londres pour voir aux intérêts de notre population.

—Il y a longtemps que cette loi aurait dû être adoptée!

—Je suis d'autant plus heureux de te l'entendre dire, Pierre, que c'est toi qui as été choisi! Il ne reste plus qu'à évaluer le coût de cette mission. Je pourrais même t'accompagner, offrit Stuart.

Un tourbillon dans la tête de Pierre... Cette nomination, pour le moins attrayante et honorable, était-elle conciliable avec ses responsabilités familiales, sa situation financière? Les tentatives de rapprochement entre lui et son épouse en seraient-elles compromises?

—Ça demande réflexion. Défendre les droits de mon peuple auprès de la royauté, mais quel privilège! Est-ce que je pourrais être assuré des mêmes revenus que...?

—Non. Je crains même que ça occasionne quelques dépenses, avança Blanchet.

Pierre déchantait. Déjà indigné de ne recevoir que cinq cents livres sterling par année, alors que les juges des autres districts en touchaient jusqu'à trois fois plus, il fut tenté d'abdiquer. Consultée, Luce lui laissa le choix, non sans lui rappeler ses ennuis de santé. Sa décision était prise : le prix à payer pour un tel honneur lui semblait excessif.

Ironiquement, moins d'une semaine plus tard, Sewell décrochait la permission d'aller se justifier auprès des autorités britanniques.

* * *

À la différence des Cours de Montréal et de Québec, celle de Trois-Rivières était dite provinciale, et Pierre en était le seul juge résident, ce qui lui aurait plu s'il n'avait été habilité à juger que les petites causes civiles. Pour les affaires plus importantes, dont les causes criminelles, il devait être assisté des juges du Banc du Roi de Montréal. Cette mise en tutelle le chiffonnait au plus haut point. « Ce n'est pas pour rien qu'on en parle comme d'un district inférieur. Je me sens coincé dans ce système, comme un enfant soigné par deux mères qui se disputeraient leur droit de propriété. La présence trop fréquente du juge Ogden dans mon étroit bureau m'exaspère ! »

Charles Richard Ogden, représentant tory à la Chambre d'assemblée, avait intenté un recours contre Coffin, le magistrat de police, pour l'avoir fait incarcérer à la suite de propos injurieux. Pierre, encore aigri par sa détention de 1810, avait lui-même conseillé à Coffin d'emprisonner Ogden, et il dut s'en accuser, expérience qui l'humilia au plus haut point. « La vengeance n'est pas bonne conseillère. » Ces paroles, prononcées par Luce lors d'une de ses visites à la prison, lui revinrent à la mémoire.

« J'espère qu'elle ne saura jamais que j'ai commis cette bêtise, souhaita-t-il. Après un an de pratique, je dois m'avouer que, parmi mes tâches de juriste, ce sont les tournées annuelles en campagne qui m'accablent le plus. Il n'y a pas que mes problèmes de santé qui y contribuent. La conscience de perdre mon temps s'y ajoute, quand on sait que la plupart des causes n'aboutissent pas devant le tribunal. En somme, j'en suis venu à penser que je ne tiens vraiment à ce poste de juge que pour le salaire et l'honneur. Il ne faudrait pas que Luce le découvre, elle serait consternée. Justement, je constate que je suis entouré de gens à ne pas décevoir : mon épouse, mes fils, mes collègues, nos amis et… moi-même. »

* * *

Trop préoccupée par l'état de santé de sa mère, Luce ne parvenait pas à se réjouir de la nomination de Jean-Baptiste à la cure de la paroisse Sainte-Marie-de-Monnoir. Les deux frères Lajus habitaient maintenant à moins de trente milles de distance, René-Flavien étant vicaire à Saint-Hyacinthe. « Ma mère pourra les voir fréquemment. Comment espérer, alors, qu'elle soit intéressée à revenir vivre à Québec ? »

Luce appréhendait tout autant la perte de la maison familiale des Lajus que la mainmise de l'abbé Jean-Baptiste sur les papiers personnels d'Angélique. « Ne pas savoir… Il n'y a rien de pire pour moi, dans quelque domaine que ce soit ! Suis-je seule à ne pouvoir m'y résigner ? Qu'en est-il de Pierre, qui attend toujours une réponse à la question la plus cruciale qu'il m'ait posée depuis notre mariage ? Pierre… que je fais languir depuis trois mois. Souffre-t-il autant que moi des attentes dont il ignore la durée ? Je dois trouver un moyen de le savoir », s'imposa Luce. Le besoin d'en discuter avec une personne fiable la titilla sans qu'elle puisse décider vers qui se tourner. De la liste de confidents potentiels, elle raya tous ses proches, incluant John.

Du nombre des femmes rencontrées depuis son arrivée à Trois-Rivières, elle n'aurait accordé sa confiance qu'à trois, principalement à Éva Montour, une jolie femme dans la trentaine, de bon jugement, réservée tout en étant joviale. Fort discrète, elle n'avait révélé des pans de sa vie que sur demande et au compte-gouttes.

—Je suis un peu à la course, mais je tenais à vous laisser quelques-unes des baguettes de pain que j'ai faites hier. Si le cœur vous en dit, je pourrais revenir causer avec vous cet après-midi.

L'annonce de cette visite ravit Luce.

—Il faut que je vous dise, Éva : votre teint me rend jalouse !

—C'est dû à mes origines… On me les a longtemps cachées.

—Mais pourquoi?

—Du sang de Sauvage: un déshonneur aux yeux de bien des gens, surtout des catholiques… dont je ne suis pas.

Luce n'en fut pas surprise. L'attitude de Mme Montour, son accent et quelques-unes de ses tenues vestimentaires trahissaient une éducation bien différente de la sienne.

Confiée à des parents adoptifs, puis reprise par une parente de son aïeule Isabelle Couc, Éva avait mis du temps à retrouver son père biologique.

—Pointe-du-Lac, c'était très loin de New York. Vous connaissez Nicholas Montour, avait-elle présumé.

—J'ai déjà entendu ce nom. C'est…

—… mon vrai père. Il y a une quinzaine d'années, il a épousé Mlle Geneviève Wills, une femme un peu plus jeune que moi, révéla-t-elle d'un air désapprobateur.

Nicholas Montour, fils d'Andrew Montour et de Sarah Ainse, et petit-fils d'Elizabeth Couc, était issu d'une famille assimilée aux Indiens de la région de l'Ohio. Ses parents, s'étant séparés peu de temps avant sa naissance, avaient placé leurs enfants dans des familles de Philadelphie. Andrew, important négociateur et interprète métis, s'était réinstallé en Virginie, alors que son ex-épouse, Sarah Ainse, de la tribu des Oneidas, était retournée vivre avec ses parents indiens près de la rivière Mohawk, à New York, là où elle avait donné naissance à Nicholas.

Luce se souvint :

— Mon mari m'a déjà raconté qu'un riche M. Montour avait été élu à répétition à l'assemblée comme député de Saint-Maurice avant d'être nommé juge de paix pour le district de Trois-Rivières.

— C'était en 1799, l'année de nos retrouvailles. Il venait d'acheter un manoir à Pointe-du-Lac.

— Ce serait donc lui qui a fait aménager une très belle piste pour les courses de chevaux ?

— Oui. C'était mon père. Il aimait beaucoup le luxe et les mondanités. Il fallait l'entendre parler de son domaine de Woodland !

Luce ignorait qu'il était décédé il y avait plus de six ans.

— On a vécu de bons moments ensemble dans sa maison de la rue du Fleuve, ici, à Trois-Rivières. Il me l'a laissée en héritage, en plus du récit de sa vie. Une vie d'aventurier pas toujours exemplaire, mais très riche en expériences.

Luce attendait un exposé sur la vie de Nicholas Montour, mais Éva, le regard accroché à ses souvenirs, n'en fit rien.

— Vous êtes toujours en relation avec sa veuve ? demanda-t-elle pour relancer la conversation.

— Très peu. Après la mort de mon père, elle est retournée vivre à Québec dans sa grosse maison de la haute-ville.

— Elle a abandonné son manoir ?

—Oh, non! Elle n'a jamais manqué à ses devoirs de seigneuresse.

De nouveau, le silence…

—Je vous écouterais des heures et des heures!

—Entre amies, les confidences sont réciproques, fit Éva avec un air inquisiteur.

—Une prochaine fois, ma chère.

Deux semaines plus tard, prise de douleurs abdominales intenses, Luce était confinée au lit. Nancy ne renonça pas pour autant à lui signifier son intention de quitter la famille Bédard.

—Votre mari m'est insupportable. Il me parle sans cesse du ménage mal fait, des économies que je devrais avoir à cœur, de tout ce qui ne tourne pas rond, en plus de me donner des leçons! se justifia-t-elle.

Luce en avait été témoin.

—Allez au moins chercher Mme Montour, la pria-t-elle.

Nancy allait franchir le seuil quand sa patronne lui enjoignit d'emmener le petit Zoël avec elle.

—Je ne suis pas en état de m'en occuper. Mme Montour me le ramènera.

Quel début de mai décevant pour Luce! « J'avais tant hâte de savourer ce mois, où la nature nous entraîne dans sa nouvelle vigueur! Et me voilà clouée à mon lit, la tête qui me tourbillonne de fièvre et de soucis! »

—Qu'est-ce qui vous a mis dans un tel état, ma chère Luce? s'écria Éva, accourue à son chevet.

—Si je le savais, je pourrais me soigner…

—Nancy s'est occupée de faire venir un médecin.

—Ce n'est pas nécessaire! protesta Luce, tout de même reconnaissante des efforts de sa servante pour se faire pardonner sa déloyauté.

Le médecin ne tarda pas à se présenter.

—Vous êtes bien l'épouse du juge Bédard?

—Luce Lajus Bédard, mon nom.

Après un examen sommaire, le docteur diagnostiqua une crise de foie, ce qui éveilla des doutes dans l'esprit de Luce. «Je ne serais pas surprise que ce soit un charlatan.»

—Trop de bile, ma p'tite dame. Se peut-il que vous mangiez trop d'aliments gras?

—Je ne mange à peu près rien d'autre que des légumes, du poisson et des fruits, quand on en trouve.

—Très bien. Alors, vous êtes d'une nature… nerveuse.

«Ma foi! Ces propos-là ne relèvent pas de la médecine!»

—Moins que mon mari, répondit-elle, pour le mettre à l'épreuve.

—Dans ce cas, se peut-il que vous emmagasiniez trop de colère… contre quelqu'un ou contre vous-même, peut-être?

—C'est tout ce que vous pouvez faire pour me traiter, docteur? Des suppositions?

—J'ai ce qu'il faut pour soulager votre foie, trancha-t-il, sortant de sa mallette deux flacons de pilules. Vous allez en prendre une de chaque fiole, trois fois par jour. Je reviendrai vous voir dans une semaine. D'ici là, je vous recommande de vous reposer, et surtout, de vous changer les idées.

—Combien vous dois-je ?

—Ce que vous aurait demandé votre père.

Luce se redressa sur sa couche.

—Vous l'avez connu ?

—Personnellement, non. Mais un de mes frères m'en a abondamment parlé, déclara-t-il, le dos tourné à sa patiente, s'affairant à ranger ses instruments dans sa trousse.

—En bien, j'espère ?

—C'était un bon médecin, y'a pas de doute là-dessus.

Puis il quitta la chambre.

« Je n'ai même pas pensé lui demander son nom ! »

Questionnée, Mme Montour avoua ne pas le connaître.

—Votre servante vous le dirait, c'est elle qui est passée chez lui.

Luce dut se résigner à attendre la visite annoncée de ce mystérieux homme pour en avoir le cœur net.

—Je ferme votre porte de chambre et je vais me balader avec votre bambin pour que vous puissiez vous reposer.

La malade ne pouvait souhaiter mieux. Entre les quatre murs de sa chambre, dans un silence parfait et une obscurité quasi totale, il lui était plus facile de se répéter les paroles du D^r X et de tenter d'en saisir le sens. « Je n'arrive pas à croire qu'il n'y ait aucun lien entre cet homme et l'assassinat de mon frère : il a reconnu la compétence de mon père de par la réputation qu'on lui avait faite, mais il a clairement laissé planer un reproche… »

L'inquiétude provoquée par la visite de ce médecin et l'effet des médicaments, ajoutés à la fatigue, la plongèrent dans un sommeil agité. Le crime commis contre la personne de son frère se déroulait sous ses yeux, perpétré par des monstres d'une grande cruauté. Un cri d'horreur l'arracha à ce cauchemar. Éva accourut, le petit Zoël dans les bras.

—Dès que vous en serez capable, je vous propose de venir vous asseoir dans la véranda. L'air est si caressant ! Toutes sortes d'arômes suaves vous chatouillent les narines en passant. Ça vous fera grand bien, vous qui adorez les parfums !

De ces mots émergeaient tant d'humour et de sensualité que Luce se sentit happée par l'invitation. Laisser ses tourments derrière elle, à la valdrague, pour goûter la sérénité et l'amitié de Mme Montour en ce jour radieux de mai, cela lui sembla plus curatif que toute autre panacée.

Ce soir-là, Pierre rentra plus tard que d'habitude. Éva et Luce l'attendaient dans la cuisine alors qu'Isidore et Zoël dormaient. L'air dévasté, il s'excusa à Mme Montour.

—J'ai dû prendre une grave décision aujourd'hui. C'était le dernier jour pendant lequel je siégerais. Je l'ai écrit sur mon banc avant de partir.

—Que s'est-il passé ? s'inquiéta Luce.

—Mes seize mois d'expérience m'amènent à conclure qu'un homme de caractère ne peut conserver le sien à Trois-Rivières. Je suis juge de paix d'office, mais je n'en ai que le titre.

—Qu'est-ce que tu veux dire?

—On ne me permet pas de juger seul de la libération ou de la sentence d'un accusé. On ne me confie que de simples disputes à régler.

« Ça prouve bien ce que je pensais de cette nomination. On a tout simplement voulu l'écarter de la scène politique », se remémora Luce, non moins convaincue des capacités intellectuelles de son mari.

—Tu aurais le droit de protester…

—Ça ne donnerait rien. À tout considérer, nous ne pouvons plus vivre ici. Même que nous devrions retourner à Québec avant que je sois couvert de déshonneur.

L'onde de choc fut si forte qu'elle libéra Luce de toute douleur abdominale. Un silence de plomb régnait autour de la table. Luce le perça d'une recommandation inspirée, crut-elle, de son défunt père.

—Prenons le temps de réfléchir, mon mari. Une bonne nuit, et nous en discuterons plus sereinement demain.

—J'ai besoin d'aller marcher. Ne m'attends pas pour aller dormir, Luce, tu dois te reposer.

Et, se tournant vers Éva:

—Merci de votre aide, madame. Mon épouse vous a-t-elle montré la chambre qui vous est réservée?

—Oui, maître Bédard. Tout est bien. Ne vous inquiétez pas pour nous.

Luce attendit que Pierre s'éloignât pour interroger son amie.

—Vous, en tant que greffière occasionnelle, avez-vous une idée de ce qui a pu tant bouleverser mon mari ?

—Le secret professionnel m'oblige à une grande discrétion, mais comme je vous aime beaucoup, vous et monsieur le juge, il faut que je vous prévienne de rumeurs qui pourraient venir jusqu'à vous. Le juge Bédard aurait eu quelques démêlés avec des collègues. L'un d'eux aurait promis de le lui faire payer bien cher.

Bien que peu surprise, Luce en fut accablée.

—Sachez que je suis trop l'amie de votre famille pour ne pas défendre votre réputation si on ose le moindre mot contre vous, déclara Mme Montour.

—Je vous en serai reconnaissante toute ma vie.

Sur ces mots, les deux femmes prirent la direction de leurs chambres respectives.

Pierre avait-il dormi quelques heures ? Luce ne pouvait en être sûre. Accourue vers minuit au berceau de son bambin qui la réclamait, elle avait constaté que son mari ne dormait pas. Ils causèrent longuement.

—Lorsque je passe dans les rues, les gens m'évitent. Plusieurs jeunes filles rient en me pointant du doigt. Qu'est-ce qui, dans mon apparence, attire tant de moqueries ?

Luce l'en avait prévenu lorsqu'elle l'avait vu une première fois quitter la maison vêtu de sa toge de juge pour se rendre à son travail. Mais il était si fier de parader ainsi accoutré qu'il n'avait pas tenu compte de son avis.

—En as-tu discuté avec des amis ?

—J'ai trop honte pour en parler à Mᵉ Stuart, à mes frères, et même à ton cousin John. Ce sont tous des hommes de belle apparence qui ne sauraient me comprendre.

Au petit matin, seule dans son lit, Luce ne sut depuis quand Pierre était parti ni où il était allé. Une crainte l'envahit. « Serait-il assez torturé pour songer à s'enlever la vie ? »

Son regard troublé alerta son amie. Après le déjeuner, une fois Isidore à l'école et Zoël occupé à ses jeux, Éva osa une question pertinente :

—Votre mari déjeunera plus tard ?

—Il a dû manger avant de partir. Mais vous, dites-moi ce que vous savez de sa vie à la Cour. Il aurait essuyé une terrible humiliation dans la dernière cause qu'il a jugée. Vous en avez été témoin ?

—À part qu'un avocat lui ai manqué de respect, je ne sais pas grand-chose.

—Il m'a fait part de cette offense. Je me serais attendue à ce qu'il punisse cet homme, mais il s'en est abstenu, parce qu'il hésitait trop sur la manière de le faire. Pire encore, l'avocat aurait perçu l'embarras de Pierre et s'en serait réjoui publiquement.

Éva hocha la tête.

—Tous les jours, il serait la cible de risées ! confia Luce

—C'est possible.

—Ne trouvez-vous pas, ma belle amie, que je ressemble à une mendiante quand je sors avec ma calèche délabrée ?

—Vous êtes si élégante de votre personne, ma chère Luce, que vous n'avez pas à craindre les moqueries.

—Pauvre Pierre! À ces tourments s'ajoutent les tracasseries du ménage et les soucis financiers.

Des pas se firent entendre sur la galerie. Accompagné d'un jeune homme, le juge Bédard venait annoncer aux deux femmes qu'il allait se construire une cabane dans le bois pour s'y réfugier pendant quelques jours, et chaque fois qu'il aurait besoin de paix.

Déguisé en ouvrier, il prit des munitions, des vêtements et des couvertures, et sortit, accompagné de son complice, chargé d'un coffre d'outils. Luce donna congé à Mme Montour, préférant demeurer seule pour pleurer à son aise.

—Mais vous avez encore tant de travail à faire…, lui rappela Éva.

—J'avoue que je n'ai jamais autant travaillé que depuis que mon mari est juge. J'irai au plus pressant en attendant de pouvoir engager une autre domestique. Je vous respecte trop, chère amie, pour vous exposer aux sombres tableaux de notre existence. Par moments, je me demande si le seul bonheur que je suis en droit d'espérer n'est pas celui de l'au-delà, badina-t-elle, pour ne pas pleurer.

—Vous êtes une des femmes les plus admirables que je connaisse! Digne, travaillante, dévouée et capable d'humour.

—Ces compliments pourraient aussi bien vous être adressés, ma chère Éva.

* * *

À la fin du mois de mai, un traité de paix était signé
entre les autorités de deux grandes puissances mon-
diales. Il ne restait plus qu'à faire la paix avec les
États-Unis.

Ces jours-là, les hypothèses s'empilaient en secret dans la tête de Luce. Le retour annoncé du D^r X
à son chevet n'ayant jamais eu lieu, il lui faudrait du
temps et de la chance pour retrouver ce médecin et
connaître ses intentions. «À moins qu'Éva puisse
m'être secourable?» espéra-t-elle.

De retour de ses courses en fin de matinée, elle
aperçut une enveloppe non cachetée sur la table.
Une note, écrite de la main de Pierre, s'y trouvait.

Ma chérie,
Tu avais raison de me conseiller de réfléchir à ma
décision. Dans mon refuge secret, je me suis souvenu
d'une phrase citée dans un de mes livres de philosophie.
Elle pourrait se résumer ainsi : « Si on veut changer les
choses, c'est du dedans qu'il faut le faire, non du de-
hors. » Je vais donc retourner à mon poste et prendre la
place qui m'est due. Je ne veux plus te faire honte.
P. B.

Luce pressa le papier sur sa poitrine, le relut et
le porta de nouveau sur son cœur. Des larmes de joie
chassèrent sa détresse des derniers mois. Un immense sentiment de fierté l'incita à préparer un souper de réjouissances. D'abord, la coutellerie d'argent

héritée de sa grand-mère Hubert, décédée peu après la naissance d'Elzéar, la vaisselle de porcelaine reçue en cadeau de noces de ses parents, les serviettes de table brodées à la mode française... Le moment était tout désigné pour servir l'orignal mis en conserve l'automne précédent. Luce avait appris de sa mère à le napper d'une sauce au miel et à la moutarde. Un aller-retour au marché public s'imposait pour compléter le festin de petits fruits sauvages. Si le temps venait à lui manquer, Luce remplacerait le gâteau au chocolat par des crêpes au sirop d'érable.

—Papa arrive! cria Isidore dans l'embrasure de la porte avant de courir à sa rencontre. Venez vite! Maman vous a préparé une belle surprise, dévoila-t-il, à l'encontre des recommandations de Luce.

Ébloui, Pierre s'interdit de ne voir, dans cette table si bien garnie, que les dépenses engagées.

—Tu es une femme de grand talent, ma belle Luce, chuchota-t-il en la serrant dans ses bras.

—Un homme qui se relève après une chute est plus admirable que celui qui n'est jamais tombé. Bravo, monsieur le juge!

—Bravo, papa! clama Isidore, échouant à enlacer ses parents de ses bras trop courts.

Pierre choisit de taire les efforts inouïs que lui avait imposés la reprise de ses fonctions. Il dut taire aussi les détours faits pour ne pas croiser les insolents qui l'avaient humilié. Il ne put faire mention que de la bonne humeur et de l'accueil chaleureux de proches collaborateurs, inquiétés par ses absences de la semaine précédente.

—Des obligations familiales, avait-il prétexté, en réponse à leurs questions.

Luce tira une chaise et invita son mari à prendre place à la table. Le choix des mets et leur présentation excitèrent ses papilles gustatives. «Elle y a mis tous ses talents et tout son cœur, ma belle Luce», pensa Pierre, ému. Moins épicurien que son épouse, Pierre mit tout son vocabulaire au service de la dégustation des mets servis avec un décorum digne des Lajus.

—On se croirait chez ta mère...

—C'est un compliment ou un reproche?

—Un gros compliment, Luce. L'aisance financière de ta famille et leurs traditions françaises...

—Tu sais que mon grand-père Jourdain La Jus était natif du Béarn, en France, et qu'il était major des médecins, lui aussi?!

—Je le sais. Il était aussi procureur en Nouvelle-France. Mon père a eu la chance de le connaître.

—Je t'ai déjà montré la lettre de charge qui lui avait été adressée de Versailles? Ma grand-mère l'avait gardée pour moi.

—J'aimerais bien la voir.

—Surveille Zoël le temps que j'aille la chercher, le pria Luce, charmée par son intérêt soudain envers ses ancêtres Lajus.

Pierre manipula avec moult précautions le papier roulé et enchâssé dans un fourreau. Tenté de lire d'abord le texte à voix haute, il y renonça, l'émotion lui serrant la gorge.

Lettre de charge de major des médecins

À tous ceux qui ces présents, salut. Faisons savoir que pour les bons et louables rapports qui nous ont été faits de la personne du sieur de La Jus, natif du Languedoc, âgé de 36 ans, chirurgien établi en la ville de Québec, où il exerce l'art de la chirurgie depuis quinze années, de ses soins, suffisance, loyauté, prudhommie, capacité, fidélité et expérience de l'art de chirurgie, religion catholique, apostolique et romaine, pour ces causes et autres bonnes considération, nous l'avons établi, constitué notre lieutenant en la ville de Québec, au lieu et place du sieur Beaudoin, ci-devant pourvu de cette charge, vacante par sa mort, pour en notre absence y présenter notre personne, garder et faire garder les statuts, privilèges et ordonnances du dit art de point en point selon leur forme et teneur sans y commettre ni y souffrir aucun abus ni malversations, à la charge aussi qu'il ne recevra aucun chirurgien qui ne soit capable. Mandons aux chirurgiens de la ville de Québec et du ressort d'obéir audit sieur La Jus comme à notre personne, sans que le dit La Jus soit obligé de prêter autre serment que celui qu'il a prêté lorsqu'il a été reçu à Québec.

Donné à Versailles, le 2 mars 1709.

—Versailles, reprit-il, la voix feutrée. Quel honneur ! Il faut que nos garçons sachent qui furent leurs ancêtres maternels. La noblesse coule dans tes veines, chère Luce et, grâce à toi, elle sera léguée en héritage à tous nos descendants.

Après une larme épongée du revers de sa main et un regard posé sur son bambin, Pierre reprit:

—Tu me fais un grand cadeau aujourd'hui. L'exemple de ton grand-père Jourdain m'insuffle le courage qui me fait trop souvent défaut.

—Tu parles de courage… Tu as raison. Mon grand-père a enterré dix de ses vingt-trois enfants avant qu'ils n'atteignent l'âge de deux ans. Pas plus de cinq ne parvinrent à l'âge adulte. C'est encore pire que la perte de nos six bébés, ne trouves-tu pas?

Pour réponse, un simple hochement de tête.

L'évocation de ces drames eût assombri la fête si Luce n'avait aussitôt souligné le dévouement inlassable du boulanger Pierre-Stanislas Bédard.

—Tes parents aussi ont surmonté bien des épreuves. Aujourd'hui, on peut se réjouir de savoir ton père heureux de vivre à Chambly en compagnie de son fils curé et de sa fille Marie-Josèphe, qui le dorlote.

—Ils ne sont pas en aussi grande sécurité que tu le penses, Luce. Je m'inquiète pour eux…

—Mais pourquoi?

—À cause des centaines de soldats regroupés dans cette région. Par chance, la guerre s'essouffle.

—Que font-ils à Chambly, ces soldats?

—Ils sont affectés à la construction d'un complexe militaire. Par le fait même, mon pauvre frère curé est débordé. Dans une de ses lettres, il me disait se relever avec peine de ses charges de la semaine pascale.

—Les offices religieux sont nombreux, et certains sont très longs, justifia Luce.

—Il y a pire : les confessions obligatoires! La paroisse Saint-Joseph de Chambly compte déjà seize mille pratiquants. Ajoute à cela les soldats du régiment les Meurons et les Voltigeurs de Charles-Michel Salaberry, dont la majorité est catholique. J'oubliais les centaines de draveurs venus d'un peu partout...

—Mgr Plessis ne pourrait pas l'affecter à une autre paroisse?

—Ça fait trois ans qu'il le demande, mais la réponse se fait toujours attendre.

—Je suis certaine que ta sœur leur est très dévouée.

—Ils lui sont reconnaissants, même si elle reproche à Jean-Baptiste le temps «perdu» à composer des cantiques et à organiser des fêtes.

—Il a bien droit à quelques loisirs, répliqua Luce. Il a une si belle voix, ton frère! Je l'entends encore interpréter un de ses beaux cantiques à notre mariage.

Pour avoir souvent observé la fascination dans le regard de Luce en présence de cet homme de dix ans son cadet, Pierre éprouva un soulagement. «C'est donc sa voix qui l'ensorcelle.»

—Il est un des plus beaux parmi tes frères, ne trouves-tu pas? Des traits fins et réguliers, une chevelure abondante suscitant la convoitise de bien des hommes, et son regard, à la fois doux et pénétrant.

«Tout le contraire de moi. Y'a de quoi rendre jaloux!»

Luce se tourna vers son dernier-né, à l'aube de ses deux ans :

—Comme tu ressembles au curé Bédard, mon petit Zoël ! C'est grâce à ton papa si tu as hérité d'une telle beauté !

—C'est la preuve qu'on peut donner même ce que l'on ne possède pas, plaisanta Pierre, au grand bonheur de son épouse.

* * *

Ce pèlerinage dans la famille Bédard avait, à leur insu, préparé Pierre et son épouse au décès de Pierre-Stanislas. Entouré de trois de ses enfants – Jean-Baptiste, Marie-Josèphe et Flavien –, il n'avait pu combattre la maladie plus longtemps, et était décédé dix jours avant ses quatre-vingts ans.

Dans l'impossibilité d'emmener à Chambly ses quatre garçons et leur mère, Pierre assista seul aux funérailles de son père. Il ne put taire sa déception du fait qu'il ne soit pas inhumé près de son épouse au cimetière de Charlesbourg.

—En plein été, franchir une telle distance ? Tu n'es pas réaliste ! trancha le curé Jean-Baptiste.

—Si les aléas de la vie nous séparent contre notre gré, la mort devrait réunir tous les membres d'une même famille, s'entêta-t-il à faire valoir.

—L'important, c'est notre âme, non pas notre enveloppe corporelle, clama le curé.

Pierre resta pensif ; cette réplique le consolait de ne pas avoir été choyé par la nature.

Les témoignages exprimés à l'occasion de ses funérailles étaient unanimes : Pierre-Stanislas Bédard, père de famille dévoué, citoyen exemplaire de par son honnêteté et sa générosité, avait « mené une belle vie ».

« Une belle vie, mon père ? Du travail acharné et des épreuves sans répit. Ce n'est pas ce que j'appelle une belle vie », considérait Pierre

— Son métier, notre père l'avait choisi ! clamait Joseph.

« Pas sûr de ça, moi ! ruminait Pierre. Il avait rêvé de travailler endimanché. D'être un professionnel, pas un manuel », lui avait-il confié lors de son admission en droit.

— L'odeur du pain fraîchement sorti du four l'enivrait, prétendait Marie-Josèphe.

« C'était sa seule consolation en retour de ses journées de travail mal payées », aurait rétorqué son frère aîné, n'eût été le risque de vexer sa sœur.

— Il était fier, et avec raison, d'être parvenu à faire instruire tous ses fils, répétait Jean-Baptiste.

— On peut affirmer, sans l'ombre d'un doute, que notre père a réussi dans la vie, malgré toutes les épreuves que la Divine Providence a mises sur son chemin, affirma son frère Louis, curé lui aussi.

— Un instant de silence, s'il vous plaît.

Pierre l'exigeait pour prendre la parole.

— Que tous nos descendants se souviennent de ce grand homme, qui a assumé ses responsabilités familiales avec constance et exercé son métier de boulanger à la perfection.

Des hochements de tête, des regards approbatifs, des silences suspicieux, puis chacun reprit la route vers son domicile.

Le trajet qui devait ramener Pierre à Trois-Rivières lui offrait plus de temps de réflexion qu'il n'en souhaitait. Heureusement, dans sa mallette se logeaient des traités de mathématiques et de philosophie, ses lectures préférées. Il s'y plongea dès le départ de Chambly, mais le souvenir de certains échanges l'en empêchèrent. «Il a réussi dans la vie», avait affirmé Louis en parlant de mon père. À plus d'un égard, c'était vrai. Mais était-ce cela, réussir sa vie? Et lui, avait-il réussi sa vie? «Socialement parlant, peut-être. L'avenir nous le dira. Mais est-ce que mon père et moi avons fait ce que nous voulions de notre vie? La mienne fut au service d'une cause: la défense des droits de mon peuple. Mes intentions, si vénérables soient-elles, n'ont pas été appréciées à leur juste valeur. Insulté plus souvent qu'à mon tour, j'éprouve encore le sentiment d'être la cible de trop d'injustices. Je rêvais d'être couronné d'estime, d'admiration et d'honneurs: rien de cela ne m'est encore arrivé, sauf sur le plan familial. Certains parmi mes frères ont suivi mon exemple en étudiant le droit. Ma mère m'a toujours glorifié. Mon père? Pas très louangeur de nature. Pas de compliments de la part de mes frères prêtres. Mes amis me sont fidèles. Mes fils? Difficile à dire. Quant à Luce, elle me reconnaît plus d'une qualité. Si elle tarde tant à répondre à ma question de novembre, ce doit être qu'elle prend le temps de les additionner sans en manquer une. Somme toute, ma vie aurait pu être pire, comme elle aurait pu être meilleure. Est-ce naïf que d'espérer faire de mon futur l'étape la plus heureuse de toute mon existence? Pour moi, le bonheur serait fait, je crois, de reconnaissance et d'amour tant dans ma vie personnelle que dans ma vie professionnelle. Mais comment y parvenir? Le cousin John, qui semble heureux en toutes circonstances, pourrait peut-être m'éclairer? Lui en parler de vive voix, c'est intimidant. Lui écrire, un peu moins. À bien y penser, mon ami Blanchet saurait sans doute m'inspirer. »

* * *

L'année scolaire tirait à sa fin. Au grand bonheur de Luce, la famille Bédard allait se retrouver sous un même toit pendant une dizaine de semaines.

— À Trois-Rivières, souhaitait Pierre.

— Tout dépend de ma mère. Si elle vient passer l'été dans sa maison…, nuança Luce.

— Je serais surpris que ton frère la laisse partir. Surtout pas seule!

— Que dirais-tu si on allait la chercher à la fin juin? Au lieu de prendre la direction de Québec, en partant d'ici, on se rendrait à Sainte-Angèle-de-Monnoir. Ce serait une belle occasion de saluer le curé Jean-Baptiste et de visiter sa paroisse.

—C'est sûr qu'une bonne partie du voyage peut se faire par le fleuve. Mais tu t'imagines le barda avec les trois enfants? Zoël qui court partout…

—Je m'en occuperai. Je n'aurai que ça à faire… à part me détendre en admirant le paysage.

—Tu parles comme si c'était réglé. Un instant, là! J'ai des responsabilités, moi, à la Cour.

—Ce voyage ferait aussi partie de tes responsabilités… de père de famille. Une fois bien installées à Québec, maman et moi serons en mesure de te redonner ta liberté.

« Liberté! Un élément essentiel à mon bonheur. Comment ai-je pu l'oublier? Serait-ce que j'étais sur le point de m'habituer à son absence dans ma vie? Il est vrai qu'à certains moments, je me sens ligoté. Mon corps m'obéit de moins en moins, pour ne pas dire qu'il m'emprisonne. Mes fils, en qui je croyais me prolonger, me retournent un pâle reflet de mes valeurs. Luce semble insinuer qu'il m'incombe de la créer, ma liberté. Vite dit, mais pas simple à réaliser… sans culpabilité. »

Consciente d'avoir mis Pierre dans l'embarras, Luce tenta de l'apaiser.

—N'y a-t-il pas moins de causes à plaider l'été? Tu ne seras pas tenu de siéger chaque jour.

—C'est un fait, mais ce voyage, qui le paiera?

—Tu n'auras pas un sou à débourser, Pierre.

—Tu présumes que, si on rendait ce service à ta mère, elle paierait tout de sa poche, c'est ça?

«Toujours l'argent de ma mère! S'il savait combien papa a laissé en héritage, ce serait pire encore!» pensa Luce, agacée.

—J'ai fait suffisamment d'économies pour nous offrir une belle aventure familiale comme celle-là! dévoila-t-elle.

—Toi? Des économies?

—Bien sûr! Le salaire que je devais verser à la remplaçante de Nancy…

D'une moue et d'un hochement de tête, Pierre venait d'exprimer une indifférence que Luce choisit de prendre pour un consentement. Satisfaite, elle s'affaira aux préparatifs de ce voyage: des malles pour les sorties à Québec, d'autres pour les travaux aux jardins, le sien et celui d'Angélique, un fourre-tout pour les jouets des enfants et pour les achats à faire dans sa ville natale. Sa correspondance et ses papiers personnels allaient être entassés dans son sac à main, à l'abri de toute indiscrétion. Elle laissa à Pierre le soin de préparer son bagage.

Mais, peu avant le départ, une lettre du curé Jean-Baptiste vint saboter le projet qui l'avait tant enthousiasmée.

Monsieur et madame Bédard,

Notre mère aimerait bien retourner dans sa maison pour l'été. Actuellement, elle n'est pas en état de faire ce voyage, mais dès qu'elle aura pris du mieux, j'irai l'y conduire.

Votre frère en Jésus-Christ
J.B. Lajus, ptr, curé

« Quelle suffisance ! pesta Luce en déchiquetant le papier avant même que Pierre en ait pris connaissance. Nous serons à Québec tout l'été, avec ou sans ma mère. » Du coup, une réplique fut adressée à *Monsieur l'abbé Jean-Baptiste Lajus* et une missive à *Dame Angélique Lajus*, chacune d'elles glissée dans des enveloppes séparées.

—Pourquoi leur écrire alors que tu les verras bientôt ?

—J'ai bien entendu ? *Je* les reverrai ? Tu as déjà renoncé à nous accompagner ?

—Tout dépend… Quand est-ce qu'elle serait prête, ta mère ?

—Je ne le sais pas. Elle est malade. Une question de jours, j'espère.

—Dans de telles circonstances, je ne peux pas te promettre d'être disponible.

Quelques minutes de réflexions suffirent à Luce pour prendre sa décision. Elle annonça aussitôt à son mari que, seule ou avec lui, elle passerait l'été à leur résidence de la rue Mont-Carmel. D'abord pour y accueillir Elzéar et, en temps opportun, donner suite à son projet d'aller chercher sa mère à Sainte-Angèle-de-Monnoir.

Nul commentaire ne sortit de la bouche de Pierre. Luce respecta son silence. Puis, le regard fuyant, il fit dévier la conversation :

—J'allais oublier de te dire qu'hier j'ai croisé un homme qui, après m'avoir demandé si j'étais bien l'honorable Pierre Bédard, s'est informé de la santé de Mme Lajus.

—Qui c'était?

—Tu dois le savoir, toi. Je n'étais même pas au courant que tu étais allée consulter un médecin, rétorqua Pierre, doutant, du coup, de la fidélité de Luce.

—Tu ne te rappelles pas? Nancy me l'avait envoyé quand j'ai été malade. Éva Montour était ici et c'est elle qui te l'a annoncé, à ton retour du travail.

—…

—Tu t'en souviens ou non?

—…

—Il s'est nommé?

—Non.

—Tu ne lui as pas demandé son nom!

Irrité, Pierre lui tourna le dos. «Comment pourrais-je me souvenir de tout ce qu'elle me raconte en rafale quand je mets le pied dans la maison? Elle ne semble pas comprendre qu'après une journée de travail un homme a besoin de paix et de repos. Ce n'est pas pour rien que je ne l'écoute que d'une oreille. Je suis épuisé et j'ai l'esprit ailleurs, c'est tout!»

Luce se réfugia dans un cocon tissé de déceptions. «Une autre occasion d'élucider le mystère entourant l'assassinat d'Olivier vient de nous filer entre les doigts. Et si aucune autre chance ne nous était offerte?» Peu encline à la résignation, Luce suggéra:

—Peut-être le reverras-tu, si tu portes attention aux gens que tu croises.

—Pourquoi tiens-tu tellement à l'identifier?

—Ce médecin m'avait promis de revenir me voir pour s'assurer de l'efficacité de son traitement, quitte à le modifier au besoin, et je ne l'ai jamais revu.

—S'il te doit de l'argent, c'est autre chose…

—Ce n'est pas une question d'argent, Pierre! Tu ne vois pas que ce médecin, s'il en est un, s'est comporté comme un fourbe?

—Tu ne lui prêtes que de mauvaises intentions, tout de même! Il a pu oublier, être débordé ou avoir un gros empêchement.

—Admettons. Mais pourquoi a-t-il tenu à me dire qu'il avait entendu parler de mon père?

—Ça, je ne le savais pas! Mais au fond, ça change quoi?

Palpant l'humeur de Pierre et l'atmosphère trouble de cet échange, Luce en remit la poursuite aux calendes grecques. Il urgeait de ramener un minimum de paix dans leur vie conjugale.

Souhait futile! Moins d'une semaine avant le départ prévu pour Québec, Luce apprenait, de la plume même de John Neilson, que Pierre lui avait confié ses difficultés conjugales. Que tous deux aient choisi le même confident la troubla profondément. Comment ne pas douter de la cohérence de leurs versions des faits? De plus, une telle indiscrétion de la part de son cousin la stupéfia. «Tenterait-il de puiser dans les plaintes de mon mari un moyen d'éteindre la flamme qui nous embrase l'un l'autre? Cherche-t-il des raisons pour s'éloigner de moi? Dois-je lui répondre? Peut-être, mais ne pas me précipiter pour le faire. Observer l'attitude de Pierre. Tenter de lui faire avouer ses confidences. »

Pour la deuxième fois depuis leurs aveux, Luce rédigea une lettre qui serait adressée à John, mais seulement après une mûre réflexion.

Le couple Bédard-Lajus battait de l'aile. Assombri par ses soupçons quant à la fidélité de Luce et par la lenteur qu'elle mettait à lui exprimer ses sentiments à son égard, Pierre avait mendié quelque réconfort non seulement auprès de Neilson, mais aussi de ses proches collaboratrices. Comme une traînée de poudre, des rumeurs se répandirent dans l'entourage de Luce et de son mari. Pierre fut à même de le constater quand, à leur insu, il entendit Éva Montour et son amie Monique, toutes deux employées à la Cour, commérer avec délectation dans la salle des archives. « Éva Montour ! Ça m'apprendra à me fier à ses airs charmeurs. Quand je pense que j'ai failli croire qu'elle me faisait de l'œil. Je l'ai cru, même. Pour être honnête, je suis allé jusqu'à m'y complaire. À vrai dire, c'eût été la première fois que j'aurais séduit une autre femme de qualité comme Luce. Il me semble l'entendre, la belle Éva, l'entremetteuse par excellence, dire : "Attention, ma bonne amie ! Votre mari…" Quel beau stratagème pour inciter mon épouse à me quitter ! Mais je ne la laisserai pas s'immiscer dans ma vie privée. Je vais ouvrir les yeux et les oreilles. Je ne me ferai berner par personne. »

Posté en sentinelle au travail comme à la maison, Pierre était devenu avare d'échanges. Luce trouva d'autant plus pertinent qu'ils prennent leurs distances l'un de l'autre le temps que la tempête se calmât et que la reprise des discussions s'avérât possible.

«Pendant que je me préparais un bel été avec ma famille sur la rue Mont-Carmel, on tramait dans mon dos. Je n'arrive pas à croire que Pierre soit responsable des cancans qui courent au sujet de nos difficultés conjugales! Encore moins qu'il me soit infidèle. Mes soupçons se portent plutôt sur Éva Montour, celle que je tenais pour ma meilleure amie à Trois-Rivières. Depuis quelque temps, quelque chose en elle sent l'imposture. Tôt ou tard, je saurai la vérité. Un jour, plus aucun mystère ne viendra troubler ma paix et celle de ceux que j'aime.»